D0527220

UN MEURTRE SERA COMMIS LE...

Collection de romans d'aventures
créée par Albert Pigasse
www.lemasque.com

Agatha Christie

UN MEURTRE SERA
COMMIS LE...

Traduction révisée de Élisabeth Luc

ÉDITIONS DU MASQUE
17, rue Jacob, 75006 Paris

Titre original :

A Murder is Announced
publié par HarperCollins*Publishers*

ISBN : 978-2-7024-4572-3

© Conception graphique et maquette : WE-WE

*À Ralph et Anne Newman
chez qui j'ai pour la première fois goûté
à la « Mort exquise » !*

1

UN MEURTRE SERA COMMIS LE…

Tous les matins entre 7 h 30 et 8 h 30 – sauf le
dimanche – Johnnie Butt faisait à vélo la tournée du
village de Chipping Cleghorn. Pédalant en danseuse et
sifflant comme un forcené, il mettait pied à terre
devant chaque boîte aux lettres, le temps d'y jeter les
journaux commandés par les détenteurs desdites
boîtes à M. Totman, le papetier-libraire de la Grand-
Rue. C'est ainsi qu'il déposait le *Times* et le *Daily Gra-
phic* chez le colonel Easterbrook et madame, le *Times* et
le *Daily Worker* chez Mme Swettenham, le *Daily Telegraph* et le *News Chronicle* chez Mlle Hinchliffe et
Mlle Murgatroyd, et le *Telegraph*, le *Times* et le *Daily
Mail* chez Mlle Blacklock.

Tous les vendredis, il distribuait en outre à ces
mêmes adresses, comme d'ailleurs dans la majorité des
foyers de Chipping Cleghorn, la *North Bentham News*

and Chipping Cleghorn Gazette, plus connue sous le nom de la *Gazette*.

Aussi, tous les vendredis matin, après avoir parcouru la une de leur quotidien *(Dégradation de la situation internationale ! Réunion aujourd'hui même de l'ONU en session extraordinaire ! Des chiens policiers sur la trace du tortionnaire de la dactylo violentée ! Fermeture de trois mines au pays de Galles. Vingt-trois morts par intoxication alimentaire dans un palace de la Côte, etc.)*, la plupart des habitants de Chipping Cleghorn se ruaient-ils sur la *Gazette*, où ils pouvaient se délecter des dernières nouvelles locales. Après un rapide coup d'œil au courrier des lecteurs (où petites haines et grandes passions de la vie rurale se donnaient libre cours), neuf abonnés sur dix se penchaient sur la rubrique des petites annonces. C'est là que se trouvaient regroupés, pêle-mêle, objets à vendre ou à acheter, appels désespérés de maîtresses de maison en quête d'aides ménagères, ainsi que les sempiternelles rubriques ayant trait aux : chiens, volailles, outils de jardinage et autres sujets d'intérêt majeur pour les membres de la petite communauté.

Ce vendredi 29 octobre ne dérogeait pas à la règle…

*

Repoussant les coquettes boucles grises qui lui tombaient sur le front, Mme Swettenham ouvrit le *Times*. Elle jeta un regard désabusé sur la page de gauche du feuillet central et se dit que, si tant est qu'il y ait eu la moindre nouvelle palpitante, le *Times* était comme d'habitude parvenu à la rendre impeccablement insipide. Elle parcourut ensuite le carnet du jour, en s'attardant sur la rubrique nécrologique. Puis, estimant son devoir accompli, elle mit le *Times* de côté pour se jeter avidement sur la *Gazette* de Chipping Cleghorn.

Quand son fils Edmund vint la rejoindre à la salle à manger quelques instants plus tard, elle était déjà plongée dans les petites annonces.

— Bonjour, mon chéri, dit Mme Swettenham. Les Smedley vendent leur Daimler. 1935... ça ne rajeunit personne.

Son fils émit un grognement et s'attabla après s'être versé une tasse de café et servi deux filets de hareng. Puis il ouvrit le *Daily Worker*, qu'il appuya contre le porte-toasts.

— Chiots Bullmastiff, lut Mme Swettenham à voix haute. On se demande comment les gens arrivent encore à nourrir de tels molosses à notre époque – c'est vrai, ça... Tiens ! Selina Lawrence est de nouveau à la recherche d'une cuisinière. Si elle m'avait demandé mon avis, je lui aurais dit que passer une petite annonce, par les temps qui courent, est une perte de temps. Par-dessus le marché, elle ne mentionne pas son adresse, seulement une boîte postale. Ça, c'est l'erreur fatale, c'est moi qui te le dis. Les domestiques tiennent à savoir où ils mettent les pieds. Ils aiment que les gens donnent une adresse... Prothèses dentaires... J'aimerais bien savoir pourquoi les dentiers remportent autant de succès... *Prix imbattables... Bulbes premier choix... Notre sélection spéciale.* Ça, ce n'est pas cher du tout... Une jeune fille cherche un « poste intéressant » et se dit « prête à voyager ». Ben voyons ! Qui ne le serait ? *Teckels...* Personnellement, je n'ai jamais raffolé des teckels. Pas parce que ce sont des chiens allemands, non, tout ça c'est du passé, mais je n'en raffole pas, c'est tout. Oui, madame Finch ?

La porte venait de s'ouvrir, livrant passage à la tête et au buste d'une femme d'aspect rébarbatif, coiffée d'un vieux béret de velours :

— Bonjour, m'dame. Je peux débarrasser ?

— Pas encore, madame Finch. Nous n'avons pas terminé, répondit Mme Swettenham. Enfin pas tout à fait, ajouta-t-elle d'un ton mielleux.

Jetant un regard insistant sur Edmund et son journal, Mme Finch renifla avec mépris et se retira.

— Je viens à peine de commencer, protesta Edmund.

— J'aimerais bien que tu ne lises pas cet horrible *Daily Worker*, Edmund. C'est un journal de gauche et Mme Finch n'aime pas ça du tout.

— Je ne vois pas en quoi mes opinions politiques la regardent.

— Si encore tu étais prolétaire, si tu étais un ouvrier, poursuivit Mme Swettenham, mais tu ne travailles même pas.

— C'est archifaux ! s'indigna son fils. Je suis en train d'écrire un roman.

— Je parlais d'un vrai travail. Et de toute façon, mieux vaut ne pas contrarier Mme Finch. Si elle nous prenait en grippe, et qu'elle nous laisse tomber, qui trouverions-nous pour la remplacer ?

— Tu passerais une annonce dans la *Gazette*, répliqua Edmund avec un sourire ironique.

— Je viens de te dire que ça ne servait à rien. De nos jours, à moins d'avoir une vieille gouvernante fidèle, prête à faire la cuisine et disposée à abattre toute la sale besogne, on est purement et simplement perdu.

— Eh bien, prenons une vieille gouvernante fidèle ! Je n'en ai jamais eu. Tu t'es montrée d'une négligence coupable dans mon éducation ! Où avais-tu donc la tête ?

— Tu avais une aya, chéri.

— C'est quand même le comble de l'imprévoyance, marmonna Edmund.

Mme Swettenham s'était replongée dans sa lecture :

— *Vends tondeuse à gazon, peu servi.* Voyons un peu… Miséricorde, si tu voyais ce prix !… Encore des teckels… « *Te supplie écrire ou téléphoner, Choupinette au désespoir.* » Les sobriquets dont les gens peuvent s'affubler !… Cockers… Tu te souviens de notre adorable Susie, Edmund ? Il ne lui manquait que la parole. Elle comprenait tout. *À vendre, buffet Sheraton, authentique, meuble de famille. Contacter Mme Lucas, Dayas Hall.* Quelle menteuse, celle-là ! Sheraton, mon œil, oui !

Mme Swettenham fronça le nez d'un air dégoûté puis reprit son énumération :

— « *Amour chéri, c'est un malentendu. À toi pour la vie. Vendredi comme d'habitude – J.* » J'imagine qu'il s'agit d'une querelle d'amoureux… ou bien crois-tu que c'est un message codé entre cambrioleurs ? Encore des teckels ! Vraiment, les gens sont devenus fous à tous élever des teckels ! Il existe tout de même d'autres races de chiens ! Ton oncle Simon élevait des Manchester-terriers. D'adorables petites bêtes. Moi, que veux-tu, j'aime les chiens qui ont des pattes… *Cause départ pour l'étranger, dame vend tailleur bleu marine.* Ni taille ni prix… *Un mariage sera céléb…* Non, un *meurtre…* Quoi ? ! Alors ça, par exemple ! Edmund, Edmund, écoute un peu ça… *Un meurtre sera commis à Little Paddocks le vendredi 29 octobre à 18 h 30 très précises. Strictement réservé aux intimes, cet avis tiendra lieu de faire-part.* Non mais, a-t-on jamais rien vu de pareil ? Edmund !

— Qu'est-ce que tu racontes ? s'enquit Edmund en levant le nez de son journal.

— Le vendredi 29 octobre… Mais c'est aujourd'hui !

— Fais voir, dit son fils en lui ôtant la *Gazette* des mains.

— Mais qu'est-ce que ça signifie ? demanda Mme Swettenham, dont la curiosité était piquée au vif.

Edmund se frotta le nez, songeur :

— Ça doit être une soirée. Une « murder-party », un truc dans ce goût-là.

— Ah ! tu crois ? fit sa mère, sceptique. Tu m'avoueras que c'est une curieuse façon de procéder.

Mettre ça dans les petites annonces... ça ne ressemble guère à Letitia Blacklock. Moi qui l'ai toujours prise pour une femme sensée.

— Elle y a probablement été poussée par ces deux petits malins qu'elle héberge.

— Elle nous prend un peu de court. C'est aujourd'hui. Tu crois que nous sommes censés y aller ?

— « Cet avis tiendra lieu de faire-part », ça dit bien ce que ça veut dire, non ? fit observer Edmund.

— Eh bien, je te signale que je désapprouve ces invitations nouveau genre, déclara Mme Swettenham d'un ton ferme.

— C'est ton droit, maman. Mais personne ne t'oblige non plus à t'y précipiter.

— C'est exact.

Un silence pesant s'instaura, que Mme Swettenham ne tarda pas à rompre :

— Edmund... Est-ce que tu tiens vraiment à manger ce dernier toast ?

— J'osais espérer qu'il était plus important que je puisse me nourrir à ma faim que de permettre à cette vieille peau de débarrasser.

— Chut... elle pourrait t'entendre. Comment se passe une murder-party ?

— Je ne sais pas au juste... On vous épingle des bouts de papier ou Dieu sait quoi... Non ! Les bouts de papier, je crois qu'on les tire d'un chapeau. Le sort désigne celui qui sera la victime, et celui qui sera le détective. Et puis après ça, on éteint les lumières et quelqu'un te tape sur l'épaule. Alors, tu pousses un cri et tu t'allonges par terre en faisant semblant d'être morte.

— Ça m'a l'air amusant comme tout.

— C'est sûrement d'un ennui mortel. Moi, je n'y vais pas.

— Ne sois pas grotesque, Edmund, répliqua Mme Swettenham d'un ton ferme. J'y vais et tu m'accompagneras. C'est comme ça et pas autrement.

*

— Non, mais écoute un peu ça, Archie ! roucoula Mme Easterbrook à l'intention de son mari.

Fort occupé à vilipender un article du *Times*, le colonel Easterbrook n'était pas en état de lui prêter grande attention :

— Le problème, avec ces types-là, c'est qu'il n'y en a pas un qui sache quoi que ce soit sur l'Inde ! Ils n'y connaissent rien… rigoureusement rien !

— Je sais, chéri, je sais.

— Si c'était le cas, ils n'écriraient pas des inepties pareilles !

— Oui, je sais. Mais, je t'en prie, écoute ça, Archie. *Un meurtre sera commis à Little Paddocks le vendredi 29 octobre* (c'est-à-dire aujourd'hui) *à 18 h 30 très précises. Strictement réservé aux intimes, cet avis tiendra lieu de faire-part.*

Elle se tut, triomphante. Le colonel lui adressa un regard plein d'indulgence, mais où ne brillait pas la moindre lueur d'intérêt.

— Murder-party, décréta-t-il.

— Ah ?

— Sans plus. Note que quand c'est bien organisé, ajouta-t-il en se redressant légèrement, ça peut être amusant. Mais il faut que tout soit planifié par quelqu'un qui connaît les ficelles. On tire au sort. Un des participants est l'assassin, mais personne ne sait qui. Extinction des feux. L'assassin choisit sa victime. Laquelle victime doit compter jusqu'à vingt avant de pousser un cri. Sur quoi le détective désigné par le sort entre en lice. Il interroge tout le monde. Il demande aux gens où ils étaient, ce qu'ils faisaient, et il essaie de prendre l'assassin en défaut. Oui, c'est un jeu qui a ses vertus… à condition que le détective… euh… connaisse le b.a.-ba des enquêtes criminelles.

— Comme toi, Archie. Tu as eu tellement d'énigmes intéressantes à résoudre au cours de ta carrière !

Le colonel Easterbrook lui sourit avec indulgence et releva les pointes de sa moustache.

— Tu n'as pas tort, Laura, répondit-il en bombant le torse, je pourrais sans problème en apprendre pas mal à des tas de gens sur la question.

— Mlle Blacklock aurait dû te demander de l'aider à organiser cette soirée.

— Bah ! grommela le colonel, elle a ce petit morveux, celui qui vit chez elle. Je parie que cette lubie vient de lui. Un de ses neveux, je crois. Quand même bizarre, cette idée de fourrer ça dans le journal.

— C'était dans les petites annonces. Tu te rends compte, nous aurions très bien pu ne pas les lire.

J'imagine qu'il s'agit vraiment d'une invitation. Qu'est-ce que tu en penses, Archie ?

— Drôle d'invitation ! En tout cas, je vais te dire une bonne chose : qu'ils ne comptent pas sur moi !

— Oh, Archie ! bêla Mme Easterbrook.

— Et au débotté, en plus ! Pour autant qu'ils le sachent, je pourrais très bien être pris, ce soir.

— Mais tu ne l'es pas, chéri, répondit sa femme de sa voix la plus persuasive. Je t'assure, Archie, qu'il faut que tu y ailles – ne serait-ce que pour aider cette pauvre Mlle Blacklock. Je suis sûre qu'elle compte sur ton concours pour que ce soit une réussite. C'est vrai, tu en sais si long sur la façon de mener une enquête policière. Sa soirée sera un échec si tu n'y vas pas pour lui prêter main-forte. Après tout, il faut entretenir des relations de bon voisinage.

Mme Easterbrook pencha de côté sa tête de fausse blonde et ouvrit tout grands ses yeux pervenche.

— Évidemment, vu sous cet angle, Laura…

Le colonel tortilla derechef sa moustache grisonnante, prit un air important, et adressa un regard bienveillant à sa jeune épouse éthérée. Mme Easterbrook avait trente ans de moins que lui au bas mot.

— Vu sous cet angle…, répéta-t-il.

— Je crois sincèrement que c'est ton devoir, Archie, dit solennellement Mme Easterbrook.

*

La *Gazette* de Chipping Cleghorn avait également été déposée aux Boulders, trois cottages pittoresques réunis en un seul et qu'occupaient Mlle Hinchliffe et Mlle Murgatroyd.

— Hinch ?

— Qu'est-ce qui se passe, Murgatroyd ?

— Où es-tu ?

— Au poulailler.

— Oh !

Se frayant avec précaution un chemin dans l'herbe mouillée, Mlle Amy Murgatroyd rejoignit son amie. Cette dernière, affublée d'un pantalon de velours côtelé et d'une veste de treillis, était en train de jeter des poignées de complément alimentaire dans un chaudron au fumet peu ragoûtant où cuisaient des épluchures de pommes de terre et des trognons de choux. Elle tourna la tête. Elle avait les cheveux courts et le teint hâlé.

Ronde et joviale, Mlle Murgatroyd portait quant à elle une jupe de tweed à carreaux et un vieux pull sans forme d'un bleu intense. Ses boucles grises étaient toutes ébouriffées.

— Dans la *Gazette*, haleta-t-elle. Écoute un peu... Qu'est-ce que ça peut bien vouloir dire ? *Un meurtre... sera commis à Little Paddocks le vendredi 29 octobre à 18 h 30 très précises. Strictement réservé aux intimes, cet avis tiendra lieu de faire-part.*

Elle se tut, essoufflée, et attendit le verdict de son énergique compagne.

— C'est idiot, décréta Mlle Hinchliffe.

— Oui, mais qu'est-ce que ça veut dire à ton avis ?

— En tout cas, c'est un verre en perspective.

— Tu crois qu'il s'agit d'un genre d'invitation ?

— On verra bien en allant sur place, trancha Mlle Hinchliffe. Ce sera du mauvais sherry, c'est couru d'avance. Tu ne devrais pas rester dans l'herbe jusqu'aux chevilles, Murgatroyd. Tu es en pantoufles et elles vont être trempées.

Mlle Murgatroyd baissa les yeux d'un air piteux :

— Oh mon Dieu !… Au fait, combien d'œufs aujourd'hui ?

— Sept. Cette satanée poule a encore envie de couver. Il faut que je l'enferme.

— C'est une drôle de façon de présenter les choses, tu ne trouves pas ? demanda Amy Murgatroyd, revenant à l'annonce parue dans la *Gazette*.

Sa voix avait pris des intonations rêveuses. Mais son amie, esprit plus terre à terre, s'efforçait de neutraliser la volaille récalcitrante et ce n'était pas une petite annonce, si énigmatique soit-elle, qui allait la détourner de son objectif.

Pataugeant dans la boue et le fumier, elle fondit sur une poule au plumage hérissé. Un concert de caquètements indignés s'ensuivit.

— Des canards, tant qu'on voudra ! tonitrua Mlle Hinchliffe. C'est beaucoup moins de soucis !

*

— Oooh, merveilleux ! s'extasia Mme Harmon, à l'adresse de son époux, le révérend Julian Harmon, qui prenait son petit déjeuner en face d'elle. Il va y avoir un meurtre chez Mlle Blacklock.

— Un meurtre ? s'étonna son mari. Quand ça ?

— Cet après-midi… ou plutôt ce soir. À 18 h 30. Oh, quelle déveine, mon chéri, c'est justement l'heure de votre préparation à la confirmation ! Ce n'est vraiment pas de chance, vous qui aimez tant les meurtres !

— Mais enfin, Bunch, que me racontez-vous là ?

C'est à ses aimables rondeurs que Mme Harmon devait ce surnom de Bunch, qui avait très vite remplacé son prénom de Diana.

— Tenez, dit-elle en tendant le journal à son mari. Entre les pianos d'occasion et les dentiers hors d'usage.

— Voilà une annonce tout à fait inhabituelle, en effet.

— N'est-ce pas ? reprit gaiement Bunch. Je n'aurais jamais cru que Mlle Blacklock s'intéressait aux histoires de meurtres et aux jeux macabres. Ce sont les petits Simmons qui lui auront mis cette idée-là dans la tête – encore que je sois surprise que Julia Simmons ne trouve pas ça du dernier mauvais goût. Enfin ! c'est comme ça, et je suis navrée que vous ne puissiez pas y aller, mon chéri. Moi, en tout cas, je vais m'y précipiter, et je vous raconterai tout, même si c'est un peu du gâchis en ce qui me concerne, parce que je ne raffole pas des jeux auxquels on joue dans le noir. Ça me fait peur, et j'espère bien que je n'aurai pas le rôle de la victime. Si quelqu'un me pose subrepticement la main sur l'épaule en me chuchotant « Vous êtes morte » dans le creux de l'oreille, j'en aurai un tel coup au cœur que j'ai bien peur d'y passer pour de bon ! Vous croyez que ça risque de m'arriver ?

— Non, Bunch. Je pense que vous vivrez très, très longtemps et deviendrez une adorable petite vieille... à mes côtés.

— Et que nous mourrons le même jour, et serons enterrés ensemble... Ce serait merveilleux !

À cette pensée idyllique, Bunch sourit aux anges.

— Vous semblez très heureuse, s'attendrit son mari.

— Qui ne le serait, à ma place ? Je vous ai, et j'ai Susan et Edward, et vous m'aimez tous les trois et ne m'en voulez pas de ma sottise... Et le soleil brille ! Et cette grande maison dans laquelle nous vivons est si belle !

Le révérend Julian Harmon promena son regard sur la vaste salle à manger d'un dépouillement monacal, et acquiesça d'un air sceptique :

— Pour des tas de gens, vivre dans cette grande bâtisse pleine de courants d'air équivaudrait à la fin de tout.

— Eh bien, moi, j'aime les pièces immenses. Tous les parfums de la nature peuvent y entrer et s'y épanouir. Et on peut se permettre d'y laisser traîner ses affaires sans que ce soit le fouillis.

— Pas de chauffage central, pas d'équipements modernes... Cela vous occasionne un surcroît de travail, ma Bunch.

— Mais non, Julian ! Je me lève à 6 h 30 pour mettre la chaudière en route, je m'agite comme une toupie, et à 8 heures, tout est fini. Et la maison est bien tenue, n'est-ce pas ? Un coup de cire d'abeille par-ci, un coup de machin à faire briller par-là, et de pleines brassées de feuillages d'automne. Une grande maison n'est pas vraiment plus difficile à entretenir qu'une petite. On passe le balai beaucoup plus vite quand on n'est pas sans arrêt en train de se cogner dans les meubles. Et puis j'aime dormir dans une pièce froide – c'est si bon de se blottir sous les couvertures avec juste le bout du nez qui dépasse. Et quelle que soit la taille de la maison, on épluche autant de pommes de terre et on ne lave pas plus d'assiettes. Pensez comme c'est agréable pour Edward et Susan d'avoir une grande salle de jeux où ils peuvent installer un train électrique et jouer à la dînette sans jamais avoir à ranger leurs affaires ! En plus, les pièces inoccupées sont très pratiques pour loger des amis. Jimmy Symes et Johnnie Finch… ils seraient obligés de vivre chez leurs beaux-parents, sinon. Et vous savez, Julian, vivre chez ses beaux-parents n'a rien d'enchanteur. Vous adorez maman, mais vous n'auriez pas apprécié de passer notre lune de miel entre papa et elle. Moi non plus, d'ailleurs. J'aurais eu l'impression d'être encore une petite fille.

— Mais, par bien des côtés, vous êtes encore une gamine, Bunch, lui dit son mari avec un sourire.

Julian Harmon, quant à lui, semblait avoir été conçu par Dame Nature pour avoir soixante ans. Il s'en fallait

23

cependant encore de vingt-cinq pour que le modèle fût achevé.

— Je sais que je suis une idiote…

— Mais non, Bunch ! Vous êtes très intelligente, au contraire.

— Pas du tout, je vous assure ! Je ne suis pas cérébrale pour deux sous. Ce n'est pas faute de faire des efforts… Et j'adore quand vous me parlez de livres, d'Histoire, et de tas de choses. Encore que ça n'ait peut-être jamais été une très bonne idée de me lire Gibbon le soir à la veillée, parce que quand il fait froid dehors et si bon au coin du feu, il y a quelque chose chez Gibbon qui vous… comment dire ? qui vous incite à une bienheureuse somnolence.

Julian éclata de rire.

— N'empêche que j'adore vous écouter, Julian. Racontez-moi encore l'histoire du pasteur qui parlait d'Assuérus.

— Mais vous la connaissez par cœur, Bunch !

— Racontez-la-moi encore ! S'il vous plaît…

Son mari obtempéra :

— Il s'agit du vieux Scrymgour. Quelqu'un est un beau jour entré dans son église et l'a vu en chaire, occupé à faire un sermon passionné à une poignée de vieilles punaises de sacristie. Penché en avant et brandissant un index vengeur, il vociférait : « Haha ! Je sais ce que vous pensez ! Vous pensez, ignares créatures, qu'Assuérus le Grand de la Première Lecture n'était autre qu'Artaxerxès II. Mais c'est faux, archifaux ! »

Puis, savourant son triomphe : « C'était Artaxerxès III ! »

Julian Harmon n'avait pour sa part jamais trouvé cette histoire particulièrement désopilante, mais elle amusait toujours sa femme, qui éclata d'un rire clair.

— Quel adorable petit vieux ! s'exclama-t-elle. Je parie que vous serez exactement comme lui, un jour.

— Je sais, acquiesça-t-il, un peu gêné. Je me reproche sincèrement de ne pas toujours savoir aller au plus simple dans mes homélies.

— Ne vous inquiétez pas, répondit son épouse en se levant pour débarrasser la table et empiler la vaisselle du petit déjeuner sur un plateau. Hier, Mme Butt m'a dit que Butt, qui n'avait jamais mis les pieds dans une église et passait pour l'athée du coin, se précipitait désormais tous les dimanches à la messe rien que pour vous entendre prêcher.

Elle poursuivit, imitant à merveille l'accent tout à fait guindé de Mme Butt :

— « Et pas plus tard que l'autre jour, très chère madame, mon Butt disait à M. Timkins, de Little Worsdale, qu'on nous prodiguait de la culture, ici, à Chipping Cleghorn. Pas comme ce M. Goss, à Little Worsdale, qui s'adresse à ses fidèles comme à des gamins encore ignorants. C'est de la culture, a dit mon Butt, de la vraie, à laquelle nous avons droit. Notre pasteur est un homme très cultivé, il sort d'Oxford, pas de Milchester, et il nous fait profiter de son savoir. Il sait tout sur les Romains, les Grecs, les Babyloniens, et même les Assyriens. Jusqu'à son chat qui porte le nom d'un roi assyrien ! »

« C'est très flatteur pour vous, conclut Bunch d'un air triomphant. Mon Dieu, enchaîna-t-elle, il faut que je m'y mette, sinon je n'aurai jamais terminé ! Allez, viens, Teglath-Phalasar, je vais te donner ces arêtes de hareng.

Elle maintint adroitement la porte ouverte avec son pied et sortit, avec le plateau chargé de vaisselle, en entonnant à tue-tête – et passablement faux – sa version personnelle d'une vieille chanson de chasseurs :

C'est un si beau jour pour tuer
L'air est pur et embaumé
Les assassins sont lâchés...

Le fracas des couverts jetés dans l'évier couvrit la suite, mais, en quittant la maison, le révérend Julian Harmon entendit la conclusion prometteuse du dernier couplet :

Hardi le sang va couler !

2

PETIT DÉJEUNER À LITTLE PADDOCKS

À Little Paddocks aussi, on prenait le petit déjeuner.

Maîtresse de céans, Mlle Blacklock trônait au bout de la table. La soixantaine, vêtue d'un tailleur de tweed, elle arborait – détail pour le moins incongru – un collier ras-le-cou fait de plusieurs rangs de grosses perles fantaisie. Elle était en train de se délecter de l'humour de Lane Norcott dans le *Daily Mail*. Julia Simmons parcourait le *Telegraph* d'un œil blasé et Patrick Simmons vérifiait les solutions des mots croisés du *Times*. Quant à Mlle Dora Bunner, elle s'adonnait avec une joie sans mélange à la lecture de l'hebdomadaire local.

Mlle Blacklock étouffa un petit rire. Patrick marmonna :

— C'était adhérent, et pas adhésif… Voilà où j'avais cafouillé.

Et soudain, un piaulement de poule ahurie échappa à Mlle Bunner :

— Letty… Letty ! Non, mais tu as vu ça ? Qu'est-ce que ça peut bien vouloir dire ?

— Que se passe-t-il, Dora ?

— Il y a là une annonce extravagante. Il y est nommément question de Little Paddocks. Mais qu'est-ce que ça signifie ?

— Si tu me laissais jeter un coup d'œil, Dora, très chère…

Mlle Bunner tendit docilement le journal à son amie en lui désignant l'annonce d'un doigt tremblant :

— Regarde ça, Letty.

Mlle Blacklock obtempéra. Et haussa les sourcils. Son regard inquisiteur balaya les convives. Puis elle lut l'annonce à haute et intelligible voix :

— *Un meurtre sera commis à Little Paddocks le vendredi 29 octobre à 18 h 30 très précises. Strictement réservé aux intimes, cet avis tiendra lieu de faire-part.*

Elle fixa le beau visage espiègle du jeune homme assis en face d'elle et se fit grinçante :

— Encore une de tes brillantes idées, Patrick ?

— Jamais de la vie, tante Letty ! s'empressa de nier Patrick Simmons. Comment pouvez-vous me soupçonner d'une chose pareille ? Qu'est-ce que je pourrais bien avoir à faire dans cette histoire ?

— Cela ne m'étonnerait pas de toi, le morigéna Mlle Blacklock. Ce serait bien ton genre de plaisanterie.

— Une plaisanterie ? Mais je vous garantis bien que non !

— Et toi, Julia ?

— Bien sûr que non, répondit la jeune femme, d'un air las.

— Croyez-vous que Mme Haymes…, murmura Mlle Bunner en regardant la place vide où quelqu'un avait déjeuné un peu plus tôt.

— Oh ! je ne vois pas notre Phillipa s'essayer à être drôle, commenta Patrick. C'est une fille sérieuse, très sérieuse.

— Au bout du compte, de quoi est-il question ? s'enquit Julia en bâillant. Qu'est-ce que ça signifie au juste ?

— J'imagine, articula lentement Mlle Blacklock, que c'est une espèce de canular idiot.

— Mais pourquoi un tel canular ? s'exclama Dora Bunner. Dans quel but ? C'est stupide. Et de très mauvais goût.

Ses bajoues tremblotaient d'indignation et ses petits yeux de myope lançaient des éclairs. Mlle Blacklock lui sourit :

— Ne te mets pas dans des états pareils, Bunny. Nous avons affaire à quelqu'un qui croit avoir de l'humour. Cela dit, j'aimerais bien savoir de qui il s'agit.

— C'est prévu pour aujourd'hui, fit remarquer Mlle Bunner. À 18 h 30. Que va-t-il se passer, selon toi ?

— Nous allons avoir droit à la Mort ! clama Patrick d'une voix sépulcrale. À la Mort exquise !

— Tais-toi, Patrick ! fulmina Mlle Blacklock, tandis que Mlle Bunner poussait un couinement plaintif.

— Je voulais seulement parler de ce gâteau divin que prépare Mitzi, s'excusa Patrick. Vous savez bien qu'on l'a toujours appelé « la Mort exquise ».

Mlle Blacklock eut un sourire un peu distrait.

Mlle Bunner n'en revint pas moins à la charge :

— Mais, Letty, que penses-tu vraiment…

Son amie lui coupa la parole avec un entrain qui se voulait communicatif :

— Ce qui va se passer à 18 h 30, je le vois déjà d'ici. La moitié du village va débarquer, dévorée de curiosité. Je ferais bien de vérifier qu'il reste du sherry dans la maison.

*

— Tu es bel et bien inquiète, n'est-ce pas, Lotty ?

Mlle Blacklock sursauta. Assise à son bureau, elle était en train de dessiner distraitement des petits poissons sur son buvard. Elle leva les yeux vers le visage anxieux de sa vieille amie.

Elle ne savait trop que dire à Dora Bunner. Cette bonne vieille Bunny… elle savait qu'il fallait lui éviter les tracas. S'abandonnant à ses souvenirs, elle garda quelques instants le silence.

Dora et elle avaient fait leurs études ensemble. Dora était alors une jolie blonde aux yeux bleus, un peu stupide. Cette stupidité n'importait d'ailleurs guère, car elle était compensée par un caractère enjoué et une beauté qui en faisaient la plus agréable des compagnes. Il aurait fallu, pensa son amie, qu'elle se fasse épouser par un brave sous-officier, ou par un notaire de province. Elle possédait tant de belles qualités : tendresse, dévouement, loyauté ! Hélas, l'existence n'avait pas souri à Dora Bunner. Force lui avait été de travailler pour gagner sa vie. Et, quelque peine qu'elle ait pu se donner, jamais elle n'avait su se montrer à la hauteur de ses entreprises.

Les deux amies s'étaient perdues de vue. Et puis, il y avait de cela six mois, Mlle Blacklock avait reçu une lettre, une lettre pathétique, bouleversante. La santé de Dora s'était brusquement altérée. Ne bénéficiant que de sa pension de retraite, elle vivotait tant bien que mal dans une soupente. Elle se serait volontiers livrée à des travaux d'aiguille, mais ses doigts étaient perclus de rhumatismes. Elle évoquait le bon vieux temps du pensionnat, la vie qui les avait depuis lors séparées… et ne se pourrait-il pas… éventuellement… que sa vieille amie soit en mesure de lui venir en aide ?

Mlle Blacklock n'avait écouté que son bon cœur. Pauvre Dora, pauvre ravissante et adorable idiote de Dora ! Elle avait volé à son secours, l'avait arrachée à son taudis, installée à Little Paddocks sous le fallacieux mais gratifiant prétexte que « les tâches ménagères sont devenues trop lourdes pour moi. J'ai besoin de quelqu'un pour m'aider à tenir la maison ». Or, s'il allait de soi que la malheureuse n'en avait plus pour longtemps – le médecin s'était montré formel sur ce point –, la pauvre vieille Dora se révélait cependant parfois un bien lourd fardeau. Elle embrouillait tout, mettait hors d'elle « l'aide ménagère » étrangère au tempérament déjà fort lunatique, se trompait en comptant le linge, égarait lettres et factures… et allait souvent jusqu'à pousser l'efficace et précise Mlle Blacklock aux limites de l'exaspération. Pauvre vieille tête de linotte de Dora, si loyale, si désireuse de se rendre utile, si fière et si ravie à l'idée qu'elle était d'une aide précieuse… mais sur laquelle, hélas, on ne pouvait absolument pas compter.

Mlle Blacklock articula sèchement :

— Pas de ça, Dora. Tu sais que je t'ai instamment priée de…

— Oh !

Mlle Bunner eut l'air coupable :

— Je sais. Ça m'a échappé. Mais c'est vrai, tu l'es bel et bien, n'est-ce pas ?

— Inquiète ? Non. Enfin, fit Mlle Blacklock dans un élan de franchise, pas vraiment. Tu veux parler de cette annonce stupide dans la *Gazette* ?

— Oui… Même s'il s'agit d'une plaisanterie, ça me fait l'effet d'une… d'une plaisanterie bien malveillante.

— Malveillante ?

— Oui. J'ai l'impression qu'il y a de la malveillance dans cette histoire. Je veux dire… ce n'est pas une plaisanterie anodine.

Mlle Blacklock dévisagea son amie. Cet œil humide, cette bouche mince et obstinée, ce nez légèrement retroussé… Pauvre Dora, tellement agaçante, tellement étourdie, tellement dévouée et qui trouvait le moyen d'être un tel problème. Cette adorable idiote un peu maniaque semblait bizarrement posséder un sens inné des valeurs.

— Au fond, tu as raison, Dora. Ce n'est pas très gentil.

— Ça ne me plaît pas du tout, décréta Mlle Bunner avec une vigueur inattendue. Et puis ça me fait peur. D'ailleurs, ajouta-t-elle brusquement, à toi aussi, ça te fait peur, Letitia.

— Mais non ! répondit Mlle Blacklock avec bonne humeur.

— C'est dangereux. J'en suis sûre ! C'est comme ces gens qui vous envoient des colis piégés.

— Ma pauvre chérie, il ne s'agit que d'un parfait imbécile qui essaie d'être drôle.

— Mais ce n'est pas drôle du tout !

Non, c'est vrai qu'au fond ça n'était pas drôle du tout. Et le visage de Mlle Blacklock trahit aussitôt ses pensées.

— Tu vois ! triompha Dora. Tu es d'accord avec moi !

— Mais, Dora, très chère…

Elle se tut. La porte venait de livrer passage à une jeune femme impétueuse dont la poitrine opulente se soulevait sous un pull tendu à craquer. Elle portait une large jupe froncée de couleur vive, et des tresses de cheveux bruns et gras s'entortillaient tout autour de son crâne. Ses yeux sombres lançaient des éclairs.

— Je peux parler à vous, oui, merci, ou non ? demanda-t-elle tout à trac.

— Bien sûr, Mitzi, soupira Mlle Blacklock. Qu'y a-t-il ?

Il lui arrivait souvent de penser qu'il eût mieux valu qu'elle fasse elle-même ménage et cuisine, plutôt que d'avoir à subir les foudres incessantes de son « aide ménagère » réfugiée.

— Tout de suite je vous le dis… et c'est d'accord, j'espère ? Je rends mes tabliers et je m'en vais… je m'en vais tout de suite !

— Pourquoi ça ? Quelqu'un vous a encore mise dans tous vos états ?

— Oui, je suis dans tous mes états ! clama Mitzi, mélodramatique. Je ne veux pas mourir ! Déjà en Europe, j'échappe. Ma famille, ils sont tous morts… ils sont tous tués : ma mère, mon petit frère, ma petite nièce si mignonne… tous, tous ils sont tués. Mais moi, je me sauve… je me cache. J'arrive en Angleterre. Je travaille. Je fais un travail que jamais, jamais j'accepterais dans mon pays… je…

— Tout cela, je le sais, l'interrompit Mlle Blacklock, cassante. (Mitzi ressassait en effet toujours la même rengaine.) Mais pourquoi voulez-vous partir maintenant ?

— Parce qu'ils viennent encore pour me tuer !

— Qui ça ?

— Mes ennemis. Les nazis ! Ou peut-être cette fois ce sont les bolcheviques. Ils ont découvert que je suis ici. Ils viennent me tuer. Je l'ai lu… oui… c'est dans le journal !

— Ah ! vous voulez dire dans la *Gazette* ?

— *Ici*, c'est écrit *ici* !

Mitzi brandit la *Gazette* qu'elle tenait derrière son dos :

— Vous voyez ? Ici, c'est dit un meurtre. À Little Paddocks. Ça, c'est ici, non ? Ce soir à 18 h 30. Ah ! Je n'attends pas d'être assassinée… ça non !

— Mais pourquoi cette annonce vous concernerait-elle personnellement ? C'est… nous sommes persuadées qu'il s'agit d'une plaisanterie.

— Une plaisanterie ? Assassiner quelqu'un, ce n'est pas une plaisanterie.

— Non, bien sûr. Mais, ma chère enfant, si des gens voulaient vous assassiner, ils ne passeraient pas une annonce dans le journal, voyons !

— Vous croyez qu'ils ne le feraient pas ? (Mitzi semblait quelque peu ébranlée.) Vous croyez peut-être qu'ils ont l'intention d'assassiner personne ? Peut-être c'est vous qu'ils veulent assassiner, mademoiselle Blacklock.

— Je me refuse à croire que qui que ce soit puisse avoir la moindre envie de m'assassiner, répondit Mlle Blacklock d'un ton léger. Et sincèrement, Mitzi, je ne vois pas pourquoi quelqu'un voudrait vous tuer. Dans quel but ?

— Parce qu'ils sont méchants… Très méchants. J'ai dit à vous : ma mère, mon petit frère, ma petite nièce si mignonne…

— Bien sûr, bien sûr !

Mlle Blacklock endigua adroitement le flot de paroles :

— Mais je n'arrive quand même pas à croire qu'on puisse vouloir vous tuer, Mitzi. Il va de soi que si vous voulez nous quitter sans faire vos huit jours, je n'ai aucun moyen de vous en empêcher. Mais je pense que vous commettriez là une grosse bêtise.

Devant le regard sceptique de Mitzi, elle ajouta d'un ton ferme :

— Pour le déjeuner, vous nous préparerez en ragoût ce morceau de bœuf que le boucher nous a livré. Il a l'air dur comme du bois.

— Je vous fais un goulasch... un goulasch spécial.

— Si vous préférez appeler ça comme ça, à votre guise. Peut-être pourriez-vous par ailleurs utiliser nos vieux restes de fromage pour faire des feuilletés. Je pense que plusieurs personnes risquent de venir prendre un verre ce soir.

— Ce soir ? Qu'est-ce que vous voulez dire avec « ce soir » ?

— À 18 h 30.

— Mais c'est l'heure dans le journal ! Qui pourrait bien venir ? Et pourquoi ils viendraient ?

— Parce qu'il est de bon ton de se rendre aux obsèques de ses connaissances, ironisa Mlle Blacklock avec une lueur de malice dans le regard. Vous pouvez disposer, Mitzi. J'ai à faire. Et n'oubliez pas de fermer la porte derrière vous, ajouta-t-elle avec autorité.

— Voilà qui l'a calmée pour le moment, conclut-elle quand la porte se fut refermée sur une Mitzi désorientée.

— Tu es tellement efficace, Letty ! s'émerveilla Mlle Bunner.

3

À 18 H 30

— Cette fois, nous y sommes ! Tout est prêt, décréta Mlle Blacklock.

Elle balaya d'un regard satisfait les deux pièces qui formaient son salon : les chintz aux motifs de roses, les deux jardinières de chrysanthèmes mordorés, le bouquet de violettes dans son petit vase et le coffret à cigarettes en argent posés sur un guéridon, contre le mur et, sur la table au centre de la pièce, le plateau des rafraîchissements. Little Paddocks était une demeure de dimensions moyennes, bâtie dans le style victorien. La façade s'ornait d'une longue véranda et de volets verts. Le salon tout en longueur, que le toit de la véranda privait d'une bonne partie de sa lumière, se terminait à l'origine par une porte à double battants donnant sur un boudoir avec une baie vitrée. La génération précédente avait remplacé cette porte par des rideaux de velours.

Mlle Blacklock s'était débarrassée des rideaux, de sorte que les deux pièces n'en faisaient désormais plus qu'une. À chaque extrémité se trouvait une cheminée mais, bien qu'aucun feu n'y brûlât, une douce chaleur régnait dans le salon.

— Vous avez fait allumer le chauffage central, observa Patrick.

Mlle Blacklock acquiesça :

— Il a fait si humide ces derniers temps que la maison suinte de partout. J'ai demandé à Evans de l'allumer avant de partir.

— On brûle donc ce coke auquel vous tenez comme à la prunelle de vos yeux ? ironisa Patrick.

— Comme à la prunelle de mes yeux, c'est vrai. Sans quoi il aurait fallu s'attaquer à l'anthracite, qui est encore mille fois plus précieux. Tu sais que le Service des combustibles ne nous délivre même pas notre maigre ration hebdomadaire… sauf si nous pouvons jurer que nous ne disposons d'aucun autre moyen de faire la cuisine.

— J'imagine qu'il fut un temps où il y avait des montagnes de coke et d'anthracite pour tout le monde ? demanda Julia comme on s'enquiert des conditions d'existence de civilisations disparues.

— Oui, et bon marché, en plus.

— Et les gens pouvaient en acheter autant qu'ils en voulaient ? Sans remplir de formulaires, et sans qu'il y ait pénurie ? Il y en avait à profusion ?

— À profusion et de première qualité… pas un mélange de poussier, de fragments d'ardoise et de cailloux comme de nos jours.

— Ce devait être une époque merveilleuse ! fit Julia avec une pointe de respect dans la voix.

— Avec le recul, j'ai personnellement tendance à être de cet avis, sourit Mlle Blacklock. Mais je suis une vieille dame. Il est naturel que j'aie la nostalgie de mon époque. Seulement vous, les jeunes, vous ne devriez pas dire ça.

— Je n'aurais pas été obligée de travailler, reprit Julia. J'aurais pu rester à la maison, à faire des bouquets, et à écrire des petits mots… Pourquoi passait-on son temps à écrire des petits mots ? Et à qui étaient-ils adressés ?

— À tous les gens à qui on passe aujourd'hui son temps à téléphoner, répondit Mlle Blacklock avec malice. Je parie d'ailleurs que tu ne sais même pas écrire, Julia.

— En tout cas, pas dans le style préconisé par cette exquise *Correspondance pour tous* sur laquelle je suis tombée l'autre jour. Divin ! On vous y explique même comment refuser dans les formes la demande en mariage d'un veuf.

— Je ne suis pas sûre que tu aurais aimé rester à la maison autant que tu l'imagines, ajouta Mlle Blacklock. Les femmes avaient des devoirs, tu sais.

Un rien d'amertume passa dans sa voix :

— Cela dit, je n'ai pas une grande expérience dans ce domaine. Bunny et moi, fit-elle en souriant

39

affectueusement à son amie, avons été très tôt sur le marché du travail.

— Oh ! ce n'est que trop vrai, approuva Mlle Bunner. Ces horribles, horribles enfants ! Je ne les oublierai jamais. Bien sûr, Letty était intelligente. C'était une femme d'affaires, elle a été la secrétaire d'un grand financier.

La porte s'ouvrit sur Phillipa Haymes. C'était une grande femme blonde à l'air placide. Elle contempla la pièce avec surprise.

— Bonjour, dit-elle. On donne une réception ? Personne ne m'a prévenue.

— Où avions-nous la tête ? s'exclama Patrick. Notre bien-aimée Phillipa n'est pas au courant. Je parie qu'elle est bien la seule femme de Chipping Cleghorn dans ce cas.

Phillipa le considéra d'un air interrogateur.

— Vous avez devant vous le théâtre d'un crime ! lui lança-t-il avec un grand geste et un ton mélodramatique.

La jeune femme parut quelque peu perplexe.

— Voici les fleurs et les couronnes, poursuivit-il en désignant les jardinières de chrysanthèmes. Quant à ces assiettes d'olives et de feuilletés au fromage, elles nous tiendront lieu de banquet funéraire.

Phillipa lança un coup d'œil inquisiteur à Mlle Blacklock :

— Il s'agit d'une plaisanterie ? Parce que je ne comprends jamais rien aux plaisanteries.

— Il s'agit d'une plaisanterie de très mauvais goût, gronda Mlle Bunner. Ça ne me plaît pas du tout.

— Montre-lui la petite annonce, dit Mlle Blacklock. Moi, il faut absolument que j'aille enfermer les canards. Il commence à faire sombre. Ils devraient déjà être rentrés.

— Je m'en charge, proposa Phillipa.

— Certainement pas, ma chère. Vous avez assez travaillé pour aujourd'hui.

— Je me dévoue, tante Letty, offrit Patrick.

— Ah, ça non ! décréta Mlle Blacklock. La dernière fois, tu n'as pas bien poussé le loquet.

— Je vais le faire, Letty, ma chérie, couina Mlle Bunner. Je t'assure que ça me fera plaisir. Si, si… juste le temps d'enfiler mes caoutchoucs et… où est donc passé mon cardigan ?

Mais Mlle Blacklock, sourire aux lèvres, avait déjà quitté la pièce.

— Laissez tomber, Bunny, conseilla Patrick. Tante Letty est d'une telle efficacité qu'elle ne supporte pas que les autres fassent les choses à sa place. Elle préfère cent fois se charger de tout elle-même.

— Elle adore ça, confirma Julia.

— Je ne t'ai pas vue insister pour l'aider, commenta son frère.

Elle eut un sourire paresseux :

— Tu viens de dire qu'elle préférait tout faire elle-même. Qui plus est, enchaîna-t-elle en tendant une jambe au galbe parfait, j'ai mis mes plus beaux bas.

— La Mort en bas de soie ! clama Patrick.

— Ce n'est pas de la soie, idiot, c'est du nylon.

— Ça ne fait pas un aussi bon titre.

— Quelqu'un pourrait-il m'expliquer, demanda Phillipa d'une voix plaintive, pourquoi il n'est question ici que de mort ?

Tout le monde essaya de le lui expliquer en même temps. Personne ne put mettre la main sur la *Gazette*, car Mitzi l'avait emportée à la cuisine. Mlle Blacklock revint quelques minutes plus tard.

— Et voilà ! Une bonne chose de faite.

Elle regarda la pendule :

— 18 h 20 ! Nous ne devrions pas tarder à voir arriver quelqu'un… à moins que je ne me trompe complètement sur le compte de mes voisins.

— Je ne vois pas pourquoi qui que ce soit viendrait, s'étonna Phillipa, toujours aussi déconcertée.

— Vraiment, ma chère ? Au fond, de votre part, ça ne m'étonne pas. Mais la plupart des gens sont nettement plus curieux que vous.

— Ce qui caractérise Phillipa, c'est que tout lui est égal, diagnostiqua un peu méchamment Julia.

Phillipa ne releva pas.

Mlle Blacklock promena son regard dans la pièce. Mitzi avait disposé le sherry et trois plats contenant des olives, des feuilletés au fromage et des petits fours sur la table, au milieu du salon.

— Pourrais-tu déplacer ce plateau – ou alors la table, si tu préfères – et aller porter l'ensemble là-bas au bout, près de la baie vitrée, Patrick, je te prie ? Après tout, je n'organise pas de réception. Je n'ai invité personne, moi. Et je ne voudrais surtout pas qu'il saute aux yeux de ces gens que j'attendais de la visite.

— En fait, tante Letty, vous souhaitez dissimuler vos brillants talents de pythonisse ?

— Comme c'est joliment dit, Patrick. Merci, mon garçon.

— De cette façon, nous pourrons offrir un charmant tableau vivant, proposa Julia. Celui d'une paisible soirée en famille. Et avoir l'air totalement ahuris devant le premier qui débarquera.

Mlle Blacklock s'était emparée de la bouteille de sherry, et l'examinait, indécise.

Son neveu voulut la rassurer :

— Il en reste une bonne demi-bouteille. Ça devrait suffire.

— Oh ! oui… oui, bien sûr…

Elle parut hésiter, puis rougit un peu :

— Patrick, est-ce que ça t'ennuierait… il y en a une neuve, dans le placard de l'office… Apporte-la, avec un tire-bouchon. Je… nous… Après tout, autant avoir une bouteille pleine. Celle-ci… celle-ci est entamée depuis un certain temps.

Patrick s'exécuta sans mot dire. Il revint avec la bouteille neuve qu'il déboucha. Tout en la posant sur le plateau, il observa Mlle Blacklock à la dérobée.

— Vous prenez cette histoire au sérieux, n'est-ce pas, tantine ? demanda-t-il avec douceur.

— Voyons, Letty ! s'émut Dora Bunner, tu n'imagines tout de même pas…

— Chut ! fit Mlle Blacklock. On sonne à la porte. Vous voyez, Patrick avait raison en évoquant mes dons de pythonisse.

Mitzi ouvrit la porte du salon et introduisit le colonel et Mme Easterbrook. Elle avait une façon bien à elle d'annoncer les visiteurs.

— C'est le colonel et Mme Easterbrook qui viennent vous voir, énonça-t-elle avec désinvolture.

Le colonel dissimula sa gêne derrière un débordement de jovialité :

— J'espère que vous ne nous en voulez pas de venir à l'improviste. Nous passions dans le secteur, et…

Julia faillit pouffer.

— Enfin, reprit-il bravement, c'est une belle soirée, n'est-ce pas ? Je vois que vous avez allumé le chauffage central. Nous n'en avons pas encore fait autant.

— Vos chrysanthèmes sont magnifiques ! s'extasia Mme Easterbrook. De véritables merveilles !

— En fait, ils sont plutôt rabougris, rectifia Julia.

Mme Easterbrook salua Phillipa Haymes avec un peu trop de cordialité pour bien montrer qu'elle savait pertinemment que Phillipa n'était pas vraiment ouvrière agricole.

— Et que devient le jardin de Mme Lucas ? demanda-t-elle. Vous croyez qu'il finira par ressembler à quelque chose ? Il a été complètement laissé à l'abandon pendant toute la guerre… et depuis, il n'y a plus eu que cet horrible vieux Ashe, qui s'est contenté de balayer quelques feuilles mortes et de planter trois choux.

— Ma cure de jouvence lui fait du bien, répondit Phillipa. Mais ça va prendre encore du temps.

Mitzi ouvrit la porte et annonça :

— Voilà les dames des Boulders.

— Bonsoir ! tonitrua Mlle Hinchliffe, entrant au pas de charge et serrant la main de Mlle Blacklock d'une poignée énergique. J'ai dit à Murgatroyd : Et si on faisait un saut à Little Paddocks ? Je voulais vous demander comment pondent vos canes.

— Les journées raccourcissent de plus en plus, vous ne trouvez pas ? confia précipitamment Mlle Murgatroyd à Patrick. Quels magnifiques chrysanthèmes !

— Dans le genre rabougri, grinça Julia.

— Ça te ferait mal de te montrer coopérative ? lui reprocha son frère en aparté.

— Vous avez allumé le chauffage central, constata Mlle Hinchliffe d'un ton désapprobateur. Diablement tôt dans la saison.

— La maison est toujours tellement humide à l'automne, plaida Mlle Blacklock.

Patrick interrogea d'un haussement de sourcils : « Le sherry tout de suite ? » et Mlle Blacklock lui répondit sur le même mode : « Pas encore. »

Elle se tourna vers le colonel Easterbrook :

— Vous faites venir des bulbes de Hollande, cette année ?

La porte s'ouvrit une fois de plus et Mme Swettenham entra d'un air coupable, escortée d'un Edmund maussade et mal à l'aise.

— C'est nous ! pépia-t-elle gaiement tout en regardant autour d'elle sans songer à dissimuler sa curiosité.

Puis, soudain gênée, elle ajouta :

— Je me suis dit que j'allais passer en coup de vent pour vous demander si, par hasard, vous ne voudriez pas d'un chaton, mademoiselle Blacklock. Notre chatte est…

— Sur le point de mettre bas des œuvres d'un gros matou roux, précisa Edmund. Je crains que le résultat ne soit atroce. En tout cas, je vous aurai prévenue.

— Elle n'a pas son égale pour chasser les souris, enchaîna précipitamment sa mère. Magnifiques, ces chrysanthèmes !

— Vous avez allumé le chauffage central, non ? demanda Edmund, en veine d'originalité.

— Ils ne pourraient pas changer de disque ? maugréa Julia.

Le colonel Easterbrook tenta d'entreprendre Patrick :

— Les nouvelles ne me disent rien qui vaille, mon garçon. Vraiment rien qui vaille. Si vous voulez mon avis, la guerre est inévitable… absolument inévitable.

— Je ne fais jamais attention aux nouvelles, répondit Patrick prestement.

La porte s'ouvrit pour la quatrième fois, et Mme Harmon fit son entrée.

Elle avait, dans un vague sursaut d'élégance, repoussé son feutre cabossé sur sa nuque et remplacé son sempiternel pull-over par un corsage à volants quelque peu défraîchi.

— Comment allez-vous, mademoiselle Blacklock ! s'exclama-t-elle, son visage rond illuminé par un sourire radieux. Je ne suis pas en retard, au moins ? Quand commence le meurtre ?

On entendit une série de hoquets de surprise. Julia émit un gloussement approbateur, Patrick se mordit pour ne pas pouffer et Mlle Blacklock adressa un sourire à la nouvelle venue.

— Julian ne se consolera jamais de ne pas avoir pu venir, enchaîna Mme Harmon. Il raffole des meurtres. C'est d'ailleurs pour ça que son sermon de dimanche dernier était tellement réussi. Je ne devrais sans doute pas dire que c'était un sermon formidable, puisque c'est mon mari, mais il était vraiment excellent, vous ne trouvez pas ? Cent fois meilleur que ses sermons habituels ! Et comme je vous le disais, c'est uniquement grâce à *La Mort frappe à tire-larigot*. Vous l'avez lu ? La vendeuse de chez Boots me l'avait mis de côté. C'est tout bonnement époustouflant. On est sans cesse persuadé de savoir qui a fait le coup… et puis, patatras ! retournement de situation ! En plus, on est gâté en fait de meurtres : quatre ou cinq au bas mot. Eh bien, figurez-vous que je l'avais laissé traîner dans le bureau quand Julian s'y est enfermé pour préparer son sermon. Il l'a ouvert, et n'a pas pu le lâcher avant d'arriver au bout ! Résultat, il a fallu qu'il écrive son sermon à la va-vite, en se contentant de coucher sur le papier ce qu'il avait envie de dire – sans employer un style ampoulé et des tas de références culturelles – et naturellement, le résultat était bien meilleur. Seigneur, je parle, je parle ! Mais dites-moi, il a lieu quand, ce meurtre ?

Mlle Blacklock regarda la pendule posée sur la cheminée.

— Si un meurtre doit être commis, cela ne devrait pas tarder, dit-elle gaiement. Il est 18 h 29. En attendant, vous prendrez bien un verre de sherry.

Patrick passa sous l'arcade et se dirigea avec empressement vers la baie vitrée. Mlle Blacklock s'approcha de la table proche de l'arcade sur laquelle était posé le coffret à cigarettes.

— Volontiers, répondit Mme Harmon. Mais qu'entendez-vous au juste par « si un meurtre doit être commis » ?

— Eh bien, je n'en sais pas plus que vous, dit Mlle Blacklock. Je ne sais pas ce que…

Elle se tut et tourna la tête au moment où la petite pendule, sur la cheminée, se mettait à sonner de son agréable tintement cristallin. Il y eut un silence durant lequel nul n'osa bouger. Tout le monde avait les yeux fixés sur la pendule.

Elle sonna le quart, puis la demie. Au dernier coup, toutes les lumières s'éteignirent.

*

Dans la pénombre, on entendit des cris de ravissement bien féminins.

— Ça commence ! s'exclama Mme Harmon, ravie.

— Oh, ça ne me plaît pas du tout, geignit Dora Bunner.

— Mon Dieu, que c'est effrayant !

— J'en ai la chair de poule.

— Archie, où es-tu ?

— Qu'est-ce que je dois faire ?

— Oh, pardon ! Je vous ai marché sur le pied ? Je suis désolé.

Tout à coup, la porte s'ouvrit avec fracas. Le faisceau lumineux d'une lampe-torche balaya rapidement la pièce.

— Les mains en l'air ! ordonna une voix d'homme rauque et nasillarde qui rappela à tous d'agréables après-midi passés au cinéma. Les mains en l'air, j'ai dit ! aboya-t-elle de nouveau.

Enchantée, l'assistance s'exécuta sans se faire prier.

— Fantastique, non ? murmura une voix féminine. C'est d'un excitant !...

Et soudain, contre toute attente, un coup de revolver retentit. Puis un second. L'impact des deux balles dissipa l'atmosphère bon enfant qui régnait jusque-là. Brusquement, il ne s'agissait plus d'un jeu. Quelqu'un poussa un hurlement...

La silhouette qui se dressait dans l'encadrement de la porte pivota sur elle-même. Elle sembla hésiter. Un troisième coup de feu déchira l'air. La silhouette se recroquevilla et s'écroula sur le sol. La lampe-torche tomba et s'éteignit.

La pièce fut de nouveau plongée dans l'obscurité. Tout doucement, avec un grincement de protestation très victorien, la porte du salon, comme toujours lorsque personne ne la retenait ouverte, se referma, et l'on entendit le loquet se rabattre.

Ce fut alors un véritable tohu-bohu dans le salon. Tout le monde parlait en même temps :

— Lumière !

— Vous ne trouvez pas l'interrupteur ?

— Quelqu'un aurait-il un briquet ?

— Oh, ça ne me plaît pas du tout.

— Mais c'étaient de vrais coups de feu !

— Il avait un vrai revolver.

— Est-ce que c'était un cambrioleur ?

— Oh, Archie, je veux m'en aller !

— Je vous en prie, quelqu'un a-t-il un briquet ?

Soudain, deux briquets s'allumèrent presque simultanément, faisant apparaître deux petites flammes.

Tous se dévisagèrent, ahuris. Près de l'arcade, Mlle Blacklock était appuyée contre le mur, la main plaquée contre le visage. Dans la lumière diffuse, on distinguait un liquide sombre qui lui coulait sur les doigts.

Retrouvant son autorité, le colonel Easterbrook s'éclaircit la gorge :

— Essayez les interrupteurs, Swettenham, ordonna-t-il.

Debout près de la porte, Edmund obéit, sans résultat.

— Une panne de secteur, ou alors ce sont les plombs, diagnostiqua le colonel. Qui fait tout ce raffut ?

Quelque part, derrière la porte close, une femme criait sans discontinuer. Ses hurlements devenaient de plus en plus stridents, accompagnés du bruit de poings martelant une porte.

Dora Bunner, qui sanglotait doucement, s'écria soudain :

— C'est Mitzi ! Quelqu'un est en train d'assassiner Mitzi !

— Ce serait trop beau, marmonna Patrick.

— Il nous faut des bougies. Patrick, je te prie, veux-tu... ? demanda Mlle Blacklock.

Déjà, le colonel ouvrait la porte. À la flamme vacillante de leurs briquets, Edmund et lui s'engagèrent dans le vestibule. Ils faillirent trébucher sur un corps qui gisait à leurs pieds.

— On dirait qu'il a son compte, dit le colonel. Où est cette femme qui fait ce vacarme infernal ?

— Dans la salle à manger, répondit Edmund.

La porte de la salle à manger était juste en face. Quelqu'un tambourinait sur les battants à grands coups de poing en hurlant.

— Elle est enfermée, dit Edmund en se penchant.

Il tourna la clef et Mitzi jaillit comme un diable de sa boîte.

La lampe de la salle à manger était toujours allumée. Projetée en ombres chinoises, Mitzi offrait le spectacle d'une terreur hystérique et s'égosillait toujours. La scène avait un côté comique, car la malheureuse, occupée à polir l'argenterie au moment du drame, agrippait toujours une peau de chamois et un grand couteau à poisson.

— Calmez-vous, Mitzi, dit Mlle Blacklock.

— Arrêtez ! dit Edmund.

Comme Mitzi ne semblait tenir aucun compte de ces injonctions, il s'approcha d'elle et la gifla violemment. Mitzi se tut, la respiration coupée.

— Que quelqu'un aille chercher des bougies, dit Mlle Blacklock. Dans le placard de la cuisine. Patrick, tu sais où se trouvent les plombs ?

— Dans le passage, derrière l'office ? D'accord, je vais voir ce que je peux faire.

Mlle Blacklock se trouvait à présent en pleine lumière. Dora Bunner s'arrêta de sangloter et émit un petit cri en la voyant. Mitzi poussa de nouveau un hurlement strident.

— Ce sang, ce sang ! hurla-t-elle. Vous êtes blessée, mademoiselle Blacklock, vous vous videz de votre sang !

— Ne soyez pas stupide, répliqua celle-ci d'un ton sec. Ce n'est qu'une égratignure – la balle n'a fait que m'érafler l'oreille.

— Mais, tante Letty, c'est vrai que vous saignez beaucoup..., s'étrangla Julia.

En effet, le chemisier blanc, les perles et les mains de Mlle Blacklock étaient tout ensanglantés.

— Les oreilles saignent toujours énormément, décréta-t-elle. Je me souviens de m'être évanouie, chez le coiffeur, quand j'étais petite. Il m'avait juste égratigné l'oreille. J'ai eu l'impression que la cuvette se remplissait de mon sang. Quoi qu'il en soit, il faut qu'on trouve de la lumière.

— Je cherche les bougies, dit Mitzi.

Julia l'accompagna, et elles revinrent avec plusieurs chandelles collées dans des soucoupes.

— Voyons un peu notre agresseur, dit le colonel. Tenez les bougies plus bas, voulez-vous, Swettenham ? Donnez-moi le plus de lumière possible.

— Je vais me mettre de l'autre côté, dit Phillipa.

Elle saisit deux soucoupes d'une main ferme. Le colonel Easterbrook s'agenouilla.

Le corps étendu par terre était drapé dans une sorte de houppelande noire à capuche. Son visage était dissimulé sous un masque noir, et il portait des gants de coton noirs. Rejetée en arrière, la capuche découvrait des cheveux blonds ébouriffés.

Le colonel Easterbrook retourna le corps, tâta le pouls, puis le cœur, et retira sa main avec une exclamation de dégoût en regardant ses doigts : ils étaient rouges et gluants.

— Il s'est tiré dessus, déclara-t-il.

— Il est grièvement blessé ? demanda Mlle Blacklock.

— Hmm. J'ai l'impression qu'il est mort… Il s'est peut-être suicidé – à moins qu'il ne se soit pris les pieds dans cette espèce de cape et que le coup soit parti tout seul quand il est tombé. Si j'y voyais plus clair…

À cet instant précis et comme par magie, la lumière revint.

Avec une vague sensation d'irréalité, les habitants de Chipping Cleghorn qui se trouvaient réunis dans le vestibule de Little Paddocks prirent conscience qu'ils venaient d'assister à une mort violente. La main du colonel était tachée de rouge. Le sang coulait toujours dans le cou de Mlle Blacklock et venait tacher son chemisier et sa veste. Tandis que le cadavre de l'intrus gisait à leurs pieds dans une posture grotesque.

— Ce n'était qu'un fusible…, commença Patrick en émergeant de la salle à manger.

Il s'interrompit.

Le colonel Easterbrook tira sur le masque noir :

— Nous ferions mieux de voir qui est ce type. Bien qu'il y ait peu de chances qu'aucun de nous le connaisse…

Il détacha le masque. Chacun tendit le cou pour mieux voir. Mitzi haletait bruyamment, mais les autres étaient silencieux.

— Il est plutôt jeune, dit Mme Harmon avec une pointe de pitié dans la voix.

— Letty, Letty ! s'écria soudain Dora Bunner, tout excitée. C'est ce jeune homme de l'hôtel Spa, à Medenham Wells. Celui qui est venu te demander de l'argent pour retourner en Suisse, et tu as refusé. Je suppose que ce n'était qu'un prétexte… pour repérer les lieux… Oh, mon Dieu ! Il aurait pu te tuer…

Maîtresse de la situation, Mlle Blacklock adopta un ton ferme :

— Phillipa, conduisez Bunny dans la salle à manger et faites-lui boire un demi-verre de brandy. Julia, ma chérie, cours vite à la salle de bains et rapporte-moi du sparadrap. Tu en trouveras dans l'armoire à pharmacie. Je vais tout salir, si je continue à saigner comme un porc. Patrick, veux-tu appeler immédiatement la police, s'il te plaît ?

4

L'HÔTEL ROYAL SPA

George Rydesdale, chef de la police du Middleshire, était un homme posé. De taille moyenne, le regard intelligent sous des sourcils broussailleux, il était plus enclin à écouter qu'à parler. Ensuite, d'une voix neutre, il donnait un ordre bref, qui était aussitôt exécuté.

L'inspecteur Dermot Craddock, qui venait d'être chargé de l'enquête de manière officielle, lui présentait son rapport. Rydesdale l'avait fait revenir la veille au soir de Liverpool, où on l'avait envoyé dans le cadre d'une autre affaire. Il avait une excellente opinion de Craddock. Non seulement intelligent et imaginatif, l'inspecteur savait prendre son temps, peser le pour et le contre, vérifier chaque fait avec attention et garder l'esprit ouvert jusqu'à la conclusion de l'enquête, ce qu'appréciait particulièrement Rydesdale.

— C'est le constable Legg qui a pris l'appel et s'est immédiatement rendu sur les lieux, monsieur, relata Craddock. Il semble avoir agi avec beaucoup de rapidité et de présence d'esprit. Ça n'a pas dû être facile, avec une douzaine de personnes parlant toutes en même temps, dont une de ces originaires d'Europe centrale qui se mettent dans tous leurs états à la simple vue d'un policier. Elle croyait qu'on allait l'enfermer et s'est mise à hurler comme une folle.

— La victime a été identifiée ?

— Oui, monsieur. Il s'agit d'un certain Rudi Scherz, de nationalité helvétique, réceptionniste à l'hôtel Royal Spa, à Medenham Wells. Si vous êtes d'accord, je pensais me rendre d'abord à l'hôtel Royal Spa, et ensuite seulement à Chipping Cleghorn. Le sergent Fletcher s'y trouve actuellement. Il verra les gens de la compagnie d'autocars puis se rendra sur les lieux du crime.

Rydesdale approuva d'un signe de tête.

La porte s'ouvrit, et le chef de la police du comté leva les yeux.

— Entrez, Henry, dit-il. Nous avons là une affaire qui sort un peu de l'ordinaire.

Sir Henry Clithering, ex-haut fonctionnaire de Scotland Yard, entra en haussant les sourcils. C'était un homme d'un certain âge, grand et distingué.

— Cela risque de vous plaire, même à un homme blasé comme vous, continua Rydesdale.

— Je ne suis pas du tout blasé ! protesta sir Henry, d'un air indigné.

— Le dernier chic, reprit Rydesdale, c'est d'annoncer un meurtre avant de le commettre. Montrez cette petite annonce à sir Henry, Craddock.

— La *North Bentham News and Chipping Cleghorn Gazette,* lut sir Henry. Voilà un titre à coucher dehors !

Il prit connaissance des quelques lignes que lui désignait Craddock :

— Hum ! Plutôt inhabituel, en effet.

— A-t-on une idée de qui a passé cette annonce ? demanda Rydesdale.

— D'après la description, il semble que ce soit Rudi Scherz lui-même – mercredi dernier.

— Personne n'a réagi ? Les gens qui ont enregistré l'annonce n'ont pas trouvé ça bizarre ?

— La blonde nasillarde qui s'occupe des petites annonces est, à mon humble avis, bien incapable de penser. Elle s'est contentée de compter les mots et d'encaisser la monnaie.

— Pourquoi, cette annonce ? demanda sir Henry.

— Pour éveiller la curiosité des gens du coin, hasarda Rydesdale. Pour les réunir dans un lieu et à une heure donnés histoire d'être à même de les soulager de leur menue monnaie et objets de valeur. C'est une idée qui ne manque pas d'originalité.

— Quel genre d'endroit est Chipping Cleghorn ? demanda sir Henry.

— Un gros village pittoresque dont les maisons s'égaillent dans la campagne environnante. Une boucherie, une boulangerie, une épicerie, un magasin d'antiquités fort bien achalandé, deux salons de thé.

Un site superbe et fier de l'être – une bonne étape pour le tourisme automobile. Le tout très résidentiel. Des cottages autrefois occupés par des ouvriers agricoles ont été réaménagés pour une collection de vieilles filles et de couples retraités. Une bonne partie des constructions date de l'époque victorienne.

— Je vois ça d'ici, dit sir Henry. De charmantes grenouilles de bénitier et des colonels en retraite. Il est certain qu'après avoir lu cette annonce, ils ont tous dû rappliquer pour voir de quoi il retournait. Mon Dieu, si seulement ma petite vieille à moi était là, elle se ferait un plaisir de fourrer son nez distingué là-dedans. C'est sa spécialité.

— Qui est votre petite vieille, Henry ? Une de vos tantes ?

— Non, soupira sir Henry. Ce n'est pas une parente.

Et il ajouta, d'un ton plein de respect :

— C'est tout bonnement le détective le plus génial que Dieu ait jamais créé. Un talent inné, cultivé dans l'humus le plus adéquat.

Il se tourna vers Craddock :

— Ne dédaignez pas les petites vieilles de votre village, mon garçon. Si par hasard cette affaire se révélait le crime du siècle, ce qui m'étonnerait fort, vous verrez qu'une vieille demoiselle qui passe son temps à tricoter et à jardiner est mille fois mieux placée qu'un inspecteur de police. Elle pourra vous dire ce qui aurait pu se passer, ce qui aurait dû se passer, et même ce qui s'est vraiment passé ! Et elle vous dira aussi pourquoi ça s'est passé !

— Je m'en souviendrai, monsieur, dit l'inspecteur Craddock de son ton le plus solennel – et personne n'aurait pu deviner que Dermot Eric Craddock était en fait le filleul de sir Henry et entretenait les meilleurs rapports du monde avec son parrain.

Rydesdale relata brièvement les faits à son ami.

— Il était évident qu'ils débarqueraient tous à 18 h 30, je vous l'accorde, conclut-il. Mais ce Suisse pouvait-il en être sûr ? De plus, était-il probable qu'ils auraient tous sur eux des objets de valeur à dérober ?

— Quelques broches démodées, un collier de perles de culture, de la menue monnaie, un ou deux billets, rien de plus, énuméra sir Henry d'un ton pensif. Cette Mlle Blacklock, gardait-elle beaucoup d'argent dans la maison ?

— Elle prétend que non, monsieur. Environ cinq livres, je crois.

— Une somme dérisoire, commenta Rydesdale.

— Je vois où vous voulez en venir, reprit sir Henry. Ce type a agi par goût de la mise en scène. Il n'en avait pas après l'argent, il voulait juste jouer la comédie. Comme au cinéma ? C'est fort possible. Mais comment a-t-il fait son compte pour se tirer dessus ?

— Voici un premier rapport du médecin légiste, dit Rydesdale en lui tendant une feuille de papier. Le coup de feu a été tiré à bout portant… traces de brûlure… hmm… rien ne démontre s'il s'agit d'un suicide ou d'un accident. Il a pu tirer intentionnellement, ou trébucher et tomber, et le coup sera parti tout seul… Je pencherais plutôt pour cette dernière hypothèse.

Il se tourna vers Craddock :

— Vous allez devoir interroger soigneusement les témoins, et leur faire raconter exactement ce qu'ils ont vu.

— Ils auront tous une version différente de la scène, dit l'inspecteur Craddock, fataliste.

— J'ai toujours été fasciné par ce que les gens voient dans les moments d'intense émotion ou de forte tension nerveuse, dit sir Henry. Ce qu'ils voient et, plus intéressant encore, ce qu'ils ne voient pas.

— Où est le rapport balistique ?

— Il s'agit d'une arme étrangère, très courante sur le continent. Scherz ne possédait pas de permis de port d'arme et ne l'avait pas déclarée en arrivant en Angleterre.

— Bien indélicat de sa part, ironisa sir Henry.

— Un type peu recommandable à tous points de vue. Eh bien, Craddock, allez donc voir ce que vous pourrez glaner sur son compte à l'hôtel Royal Spa.

*

Dès son arrivée à l'hôtel Royal Spa, l'inspecteur Craddock fut conduit dans le bureau du directeur de l'établissement.

M. Rowlandson, solide gaillard rougeaud et jovial, salua le policier avec chaleur :

— Je serai ravi de pouvoir vous aider, inspecteur. Cette histoire est invraisemblable. Je n'en reviens pas ! Scherz semblait un garçon tout ce qu'il y a de banal. Il était plutôt sympathique... et il ne correspondait en tout cas pas à l'idée que je me fais d'un malfrat.

— Depuis combien de temps était-il employé chez vous, monsieur Rowlandson ?

— C'est ce que je vérifiais juste avant votre arrivée. Un peu plus de trois mois. Il avait de bonnes références, tous les papiers nécessaires, etc.

— Et vous en étiez satisfait ?

Sans le laisser voir, Craddock nota la légère hésitation que marquait Rowlandson avant de répondre :

— Tout à fait.

Craddock usa d'une technique qui lui avait souvent réussi :

— Oh ! non, monsieur Rowlandson, fit-il en secouant doucement la tête. Ce que vous me dites là n'est pas l'exact reflet de la vérité. Je me trompe ?

— Eh bien..., fit le directeur de l'hôtel, passablement pris de court.

— Allons, dites-moi tout. Quelque chose clochait. Mais quoi ?

— Justement, je n'en sais rien.

— Mais vous pensiez que quelque chose n'allait pas ?

— Eh bien... Oui, c'est exact. Mais je n'ai rien de tangible sur quoi me fonder. Je ne voudrais pas que mes conjectures soient enregistrées et se retournent contre moi.

— Je vous comprends, acquiesça Craddock avec un sourire aimable. Ne vous inquiétez pas. Mais j'ai besoin de me faire une idée de qui était ce Scherz. De quoi le soupçonniez-vous ?

— Il y a eu un ou deux petits problèmes de facturation, confessa Rowlandson à contrecœur. Il avait facturé des prestations qui n'auraient jamais dû l'être.

— Vous voulez dire que vous le soupçonniez de facturer des prestations qui n'apparaissaient pas dans les comptes de l'hôtel et d'empocher la différence ?

— En quelque sorte… Au mieux, je peux l'accuser de négligence. À une ou deux reprises, il s'est agi de sommes assez considérables. Pour tout dire, j'ai demandé au comptable de reprendre tous ses livres, car je le soupçonnais d'être… enfin, d'être un aigrefin ; mais, bien qu'on ait retrouvé pas mal d'erreurs et de négligences, la caisse tombait juste. Alors j'en ai conclu que je m'étais trompé.

— Et si vous ne vous étiez pas trompé ? Si Scherz s'était servi dans la caisse en prélevant de petites sommes de temps en temps, je suppose qu'il aurait pu se couvrir en remettant ensuite l'argent manquant ?

— Oui, s'il l'avait eu, cet argent. Mais les gens qui se servent et prennent de « petites sommes », comme vous dites, ont généralement un besoin urgent de l'argent en question et le dépensent aussitôt.

— Par conséquent, s'il voulait du liquide pour remplacer les sommes manquantes, il aurait dû se le procurer… en commettant un hold-up, par exemple ?

— Oui. Je me demande s'il en était à sa première tentative…

— Ça n'est pas impossible. C'était visiblement du travail d'amateur. Quelqu'un d'autre aurait-il pu lui procurer de l'argent ? Pas de femme dans sa vie ?

— Une des serveuses du grill. Elle s'appelle Myrna Harris.

— Je ferais bien d'aller lui parler.

*

Myrna Harris était une jolie rousse à la chevelure opulente et au nez mutin.

Inquiète, elle se tenait sur ses gardes et était intimement consciente de la honte qu'il y avait à être interrogée par la police :

— Je ne suis au courant de rien, monsieur. Rien de rien ! s'offusqua-t-elle. Si j'avais su que Rudi était ce genre d'individu, jamais je serais sortie avec lui. Naturellement, comme il travaillait ici à la réception, j'ai cru que c'était quelqu'un de bien. C'est vrai, quoi ! Ce que je veux dire, c'est que l'hôtel devrait faire plus attention en embauchant les gens – surtout quand c'est des étrangers. Parce qu'avec les étrangers, allez savoir ! J'imagine qu'il était de mèche avec une de ces bandes dont on parle dans les journaux.

— Nous croyons plutôt qu'il opérait seul, précisa Craddock.

— Et dire qu'il avait l'air si rangé, si convenable et tout. On n'aurait jamais cru ça de lui. C'est vrai que, maintenant que j'y repense, il y a des bricoles qui avaient disparu – une broche en diamant et un petit médaillon en or, je crois bien. Mais je n'aurais jamais imaginé que ça pouvait être Rudi.

— Je n'en doute pas un instant. N'importe qui aurait pu s'y laisser prendre. Vous le connaissiez bien ?

— Bien, c'est beaucoup dire.

— Mais vous étiez amis ?

— Il y a amis et amis. Nous étions amis, mais sans plus. Rien de sérieux, si vous voyez ce que je veux dire. D'ailleurs, je me méfie toujours des étrangers. Ils ont souvent l'art et la manière, mais allez savoir, pas vrai ? Certains de ces Polonais, pendant la guerre ! Et même certains Américains ! Qu'ils sont mariés et tout, ça leur ferait mal de vous le dire avant qu'il soit trop tard ! Rudi était beau parleur, il faisait un peu d'esbroufe, c'est sûr, mais moi j'ai toujours pris les choses avec des pincettes.

Cette dernière phrase fit réagir Craddock :

— Il faisait de l'esbroufe, dites-vous ? Voilà qui est très intéressant, mademoiselle Harris. J'ai l'impression que vous allez nous être d'un grand secours. Qu'entendez-vous au juste par « faire de l'esbroufe » ?

— Eh bien, c'est qu'il passait son temps à raconter combien sa famille, en Suisse, était riche comme Crésus et combien ils étaient importants. Mais ça ne collait pas avec le fait qu'il était sans arrêt à court d'argent. Il disait toujours que le contrôle des changes l'empêchait de faire venir des devises de Suisse. Ce n'était peut-être pas faux, mais ses affaires étaient modestes. Ses vêtements, je veux dire. Ils manquaient de classe. Et je suis sûre que toutes ces histoires qu'il me racontait, c'était du chiqué. Comme quoi il faisait de l'escalade dans les Alpes, et qu'il aurait sauvé des vies humaines au bord d'un glacier. Tu parles ! En fait d'escalade, il avait le vertige rien que de se promener au bord des gorges de Boulter ! Les Alpes, mon œil !

— Vous sortiez souvent avec lui ?

— Oui… il faut avouer que… oui. On peut dire qu'il avait de bonnes manières. Et ça, il savait s'occuper d'une jeune fille. Toujours les meilleures places au cinéma et tout. Même qu'il lui arrivait de m'acheter des fleurs. Et c'était un danseur formidable… alors, là, vraiment formidable.

— Il vous avait parlé de cette Mlle Blacklock ?

— Elle vient quelquefois déjeuner ici, non ? Et il est même arrivé qu'elle prenne une chambre. Non, je ne crois pas que Rudi m'en ait jamais parlé. Je ne savais pas qu'il la connaissait.

— Il n'a jamais cité Chipping Cleghorn ?

Il eut l'impression qu'une lueur de méfiance passait dans le regard de Myrna Harris, mais il n'aurait pu l'affirmer.

— Je ne crois pas… Il me semble qu'une fois, il s'est renseigné sur les horaires d'autocar, mais je ne sais plus si c'était pour Chipping Cleghorn ou ailleurs. Et en tout cas, ça ne date pas d'hier.

Le policier ne put lui en soutirer davantage. Rudi Scherz lui avait semblé dans son état normal. Elle ne l'avait pas vu la veille au soir. Elle n'aurait jamais cru – jamais, elle insista bien sur ce point – que Scherz était un truand.

Et, se dit Craddock, c'était certainement la vérité.

5

MLLE BLACKLOCK ET MLLE BUNNER

Little Paddocks correspondait en tous points à l'image que l'inspecteur Craddock s'en était faite. Il remarqua les canards et les poules, ainsi que les vestiges d'un massif d'herbacées, naguère luxuriant mais auquel seules quelques tardives marguerites d'automne donnaient une dernière touche de pourpre. La pelouse et les allées semblaient quelque peu négligées.

« Ces deux femmes aiment les fleurs et ont du goût pour ce qui est de composer un massif, pensa l'inspecteur. Mais elles n'ont probablement pas de quoi se payer un jardinier. La maison a bigrement besoin d'une couche de peinture. C'est souvent le cas, par les temps qui courent. N'empêche que c'est une agréable petite propriété. »

Tandis que Craddock arrêtait sa voiture devant la porte d'entrée, le sergent Fletcher apparut, venant de l'autre côté de la maison. Avec ses airs bravaches et son allure un peu raide il ressemblait à un soldat de la garde. Il était en outre capable de donner au mot « monsieur » une multitude de sens différents, selon le ton employé.

— Ah ! vous êtes là, Fletcher.

— Monsieur, dit le sergent Fletcher.

— Rien à signaler ?

— Nous avons terminé la fouille de la maison, monsieur. Scherz n'a apparemment laissé aucune empreinte digitale. Bien sûr, il portait des gants. Pas trace d'effraction, ni sur les portes ni sur les fenêtres. Il semble qu'il soit venu de Medenham par le car qui arrive à 18 heures. La porte latérale a été fermée à clef à 17 h 30, à ce qu'on m'a dit. Il a dû entrer par la porte de devant. Mlle Blacklock affirme qu'on ne verrouille cette porte qu'au moment où tout le monde va se coucher. D'un autre côté, la bonne dit que la porte de devant est restée fermée à clef tout l'après-midi. Mais elle est capable de dire n'importe quoi, celle-là. Une créature particulièrement soupe au lait, comme vous pourrez le constater. Une réfugiée d'Europe centrale, si vous voyez le genre.

— Elle n'est pas commode ?

— Monsieur ! répondit Fletcher avec conviction.

Craddock sourit.

Fletcher reprit son rapport :

— Le courant électrique fonctionne partout dans la maison. Nous ne savons pas encore comment il s'y est pris pour éteindre les lumières. Un seul circuit a sauté, celui du vestibule et du salon. Bien sûr, de nos jours, les appliques et les lampes ne seraient plus raccordées au même fusible – mais ici, l'installation est ancienne. Je ne vois pas comment il aurait pu bricoler les plombs, qui se trouvent derrière, près de l'office ; il aurait fallu qu'il traverse la cuisine, et la bonne l'aurait vu.

— Sauf si elle était de mèche avec lui.

— Ça n'est pas impossible. Ils sont tous les deux étrangers – et elle ne m'inspire pas confiance pour deux sous… absolument pas.

Craddock aperçut deux grands yeux noirs effrayés qui l'observaient par la fenêtre située près de la porte d'entrée. On distinguait à peine le visage, plaqué contre le carreau.

— C'est elle ?

— Oui, monsieur.

Le visage disparut.

Craddock alla sonner à la porte.

Il dut patienter un certain temps avant qu'une ravissante jeune femme aux cheveux châtains et à l'air blasé vienne lui ouvrir.

— Inspecteur Craddock.

La jeune femme lui accorda un regard glacial de ses beaux yeux noisette :

— Entrez. Mlle Blacklock vous attend.

Craddock remarqua que le vestibule, long et très étroit, comportait une multitude de portes.

La jeune femme en ouvrit une, sur la gauche, et annonça :

— L'inspecteur Craddock, tante Letty. Mitzi a refusé d'aller ouvrir. Elle s'est enfermée dans la cuisine et continue à se lamenter comme une perdue. J'ai l'impression que nous allons devoir nous passer de déjeuner.

« Elle n'aime pas la police, expliqua-t-elle à l'intention de Craddock, avant de se retirer en refermant la porte derrière elle.

L'inspecteur s'avança jusqu'au fauteuil où était assise la propriétaire de Little Paddocks.

Il vit une grande femme dynamique d'une soixantaine d'années. Ses cheveux gris, qui ondulaient naturellement, encadraient un visage intelligent et volontaire. Ses yeux gris étaient vifs et son menton pugnace. Un pansement lui recouvrait l'oreille gauche. Sans maquillage, elle était vêtue avec simplicité : un sobre tailleur de tweed bien coupé et un chandail en lainage. Détail inattendu, elle portait autour du cou un haut collier de camées à l'ancienne mode. Cette touche victorienne semblait indiquer un sentimentalisme que rien d'autre ne trahissait dans son apparence.

Juste à côté d'elle se tenait une femme probablement du même âge, au visage rond, à l'air empressé et dont les cheveux en désordre s'échappaient du filet censé les retenir. L'inspecteur Craddock identifia sans peine la « Dora Bunner – amie d'enfance » citée dans le rapport du constable Legg, qui y avait ajouté ce commentaire, à titre personnel : « tête de linotte ».

Mlle Blacklock avait une voix agréable et distinguée :

— Bonjour, inspecteur Craddock. Je vous présente mon amie, Mlle Bunner, qui m'aide à tenir la maison. Je vous en prie, asseyez-vous. Vous ne fumez pas, j'imagine ?

— Hélas, pas pendant le service, mademoiselle Blacklock.

— Comme ce doit être pénible !

Mine de rien et en professionnel chevronné, Craddock examina rapidement les détails de la pièce. Un double salon typiquement victorien. Deux grandes fenêtres dans cette pièce-ci, une baie vitrée en saillie dans l'autre… des chaises… un canapé… une table centrale avec une jardinière de chrysanthèmes… une autre jardinière sur le bord de la fenêtre – le tout agréable et impeccable, mais sans grande originalité. Seul détail incongru : un petit vase en argent contenant des violettes fanées, posé sur une table près de l'arcade donnant sur l'autre moitié du salon. Mlle Blacklock ne lui paraissant pas femme à tolérer des fleurs fanées chez elle, il se dit qu'il s'agissait là de la seule indication que quelque chose d'anormal s'était déroulé dans ce foyer si bien tenu.

— J'imagine, mademoiselle Blacklock, que c'est ici que s'est passé le… l'incident, dit-il.

— En effet.

— Et vous auriez dû voir l'état de cette pièce hier soir ! pépia Mlle Bunner. Quelle pagaille ! Deux tables basses renversées, et le pied de l'une des deux cassé – dans le noir, les gens se cognaient les uns dans les autres – et quelqu'un a laissé tomber une cigarette allumée sur un de nos plus beaux meubles et l'a brûlé. Les gens, surtout les jeunes, sont si négligents… Dieu merci, la porcelaine n'a subi aucun dommage…

Mlle Blacklock l'interrompit avec douceur, mais d'un ton sans réplique :

— Dora, tous ces incidents, si contrariants soient-ils, ne sont que des broutilles. Nous ferions mieux de nous contenter de répondre aux questions de l'inspecteur.

— Merci, mademoiselle Blacklock. Je vais revenir tout de suite sur ce qui s'est passé hier soir. Mais d'abord, je voudrais vous demander quand vous avez vu le mort, Rudi Scherz, pour la première fois.

— Rudi Scherz ? répéta Mlle Blacklock, l'air surprise. C'est son nom ? C'est drôle, je croyais que… Enfin, c'est sans importance. La première fois que je l'ai rencontré, c'était un jour où je faisais des courses à Medenham Spa, il y a… voyons… trois semaines environ. Nous – Mlle Bunner et moi – étions en train de déjeuner à l'hôtel Royal Spa. Nous allions partir, notre repas terminé, quand j'ai entendu prononcer mon nom. C'était ce jeune homme. Il m'a dit : « Vous êtes bien Mlle Blacklock, n'est-ce pas ? » Il a ajouté que je ne me souvenais peut-être plus de lui, mais qu'il était le fils du directeur de l'Hôtel des Alpes, à Montreux, où ma sœur et moi avions séjourné presque un an pendant la guerre.

— L'Hôtel des Alpes, à Montreux, nota Craddock. Et vous, vous souveniez-vous de lui, mademoiselle Blacklock ?

— Non. En fait, je ne me souvenais pas de l'avoir jamais rencontré de ma vie. Tous ces réceptionnistes d'hôtels se ressemblent. Notre séjour à Montreux avait été très agréable, et le directeur s'était montré très obligeant, alors, par courtoisie, je lui ai dit que j'espérais qu'il appréciait l'Angleterre. Il a répondu que oui, et que son père l'avait envoyé ici pour apprendre le métier pendant six mois. Cela semblait tout à fait naturel.

— Et votre deuxième rencontre ?

— Il y a… oui, il y a environ dix jours, il a débarqué ici sans crier gare. J'ai été très surprise. Il s'est excusé de me déranger, puis m'a dit que j'étais la seule personne qu'il connaissait en Angleterre. Il m'a confié qu'il avait besoin d'argent de toute urgence pour rentrer en Suisse, car sa mère était gravement malade.

— Mais Letty ne lui en a pas donné, souffla Mlle Bunner.

— Son discours me paraissait pour le moins douteux, se défendit Mlle Blacklock avec énergie. J'ai eu l'impression immédiate que ce garçon n'était qu'un faiseur. Cette histoire d'argent pour retourner en Suisse ne tenait pas debout. Son père aurait très bien pu envoyer un câble pour régler le problème sur place.

Tous ces hôteliers se connaissent et se tiennent les coudes. Je l'ai soupçonné d'avoir tapé dans la caisse.

Elle se tut, puis reprit sur un ton sec :

— Si vous me trouvez insensible, je vous signale que j'ai été secrétaire d'un grand homme d'affaires pendant des années et que j'ai appris à me méfier des gens qui quémandent de l'argent. Je connais sur le bout des doigts la façon qu'ils ont de se prétendre victimes de tous les maux de l'humanité.

« La seule chose qui m'ait étonnée, ajouta-t-elle pensivement, c'est qu'il n'a pas insisté. Il est tout de suite parti sans plus de discussion, comme s'il n'avait jamais espéré obtenir un sou.

— À bien y repenser, ne croyez-vous pas que cette visite n'était qu'un prétexte pour observer la maison de plus près ?

— Si, c'est tout à fait mon avis, répondit Mlle Blacklock – en tout cas avec le recul. Quand je l'ai raccompagné à la porte, il a fait des réflexions sur les différentes pièces. Il a dit : « Vous avez une salle à manger superbe » – ce qui est archifaux, c'est un horrible réduit plongé dans une pénombre perpétuelle : c'était juste un prétexte pour jeter un œil à l'intérieur. Ensuite, il s'est précipité pour ouvrir la porte d'entrée, en clamant : « Permettez ! » Je suis prête à parier maintenant qu'il voulait reluquer la serrure. En fait, comme la plupart des gens dans le village, nous ne verrouillons la porte qu'à la tombée de la nuit. N'importe qui pourrait entrer.

— Et la porte latérale ? Il y a une porte qui donne sur le jardin, je crois ?

— C'est exact. Je suis sortie par là pour aller enfermer les canards, peu avant l'arrivée des voisins.

— À ce moment-là, elle était fermée à clef ?

Mlle Blacklock fronça les sourcils :

— Je ne me souviens plus… je crois que oui. En tout cas, je l'ai fermée à clef en rentrant.

— Il était environ 18 h 15 ?

— À peu près, oui.

— Et la porte d'entrée ?

— En général, on la ferme plus tard.

— Alors Scherz aurait très bien pu entrer par là. Ou bien se faufiler à l'intérieur pendant que vous enfermiez les canards. Il avait déjà repéré les lieux, et probablement trouvé des cachettes possibles – des placards, etc. Oui, tout ça me paraît très clair.

— Je vous demande pardon, mais je ne trouve personnellement pas cela clair du tout, le contredit Mlle Blacklock. Pourquoi, au nom du ciel, se donnerait-on tout ce mal pour cambrioler cette maison et mettre en scène ce hold-up ridicule ?

— Vous gardez beaucoup d'argent liquide chez vous, mademoiselle Blacklock ?

— Environ cinq livres dans ce secrétaire, et une livre ou deux dans mon porte-monnaie.

— Des bijoux ?

— Quelques bagues, des broches, et les camées que je porte en ce moment. Vous admettrez, inspecteur, que cette histoire n'a ni queue ni tête.

74

— Il ne s'agissait absolument pas d'un cambriolage ! intervint Mlle Bunner. Je te l'ai dit depuis le début, Letty. C'était une vengeance ! Parce que tu ne lui as pas donné d'argent ! Il t'a froidement tiré dessus – et à deux reprises !

— Bon, dit Craddock. Venons-en donc à hier soir. Que s'est-il très exactement passé, mademoiselle Blacklock ? Racontez-moi tout ce dont vous vous souvenez.

Elle réfléchit un instant.

— La pendule a sonné, se remémora-t-elle. Celle qui se trouve sur la cheminée. Je me souviens d'avoir dit que si quelque chose devait arriver, ça ne pourrait plus guère tarder. Sur quoi la pendule s'est mise à sonner. Nous avons tous écouté en silence. Et au moment précis où elle a sonné le dernier coup de la demie, brusquement, les lumières se sont éteintes.

— Quelles lampes étaient allumées ?

— Les appliques, ici, et celles qui se trouvent dans la pièce en enfilade. Le lampadaire et les petites lampes étaient éteints.

— Est-ce qu'il y a eu un éclair, ou un bruit quelconque, quand les lumières se sont éteintes ?

— Je ne crois pas.

— Moi, je suis sûre qu'il y a bel et bien eu un éclair, s'interposa Dora Bunner. Et un grésillement. Un grésillement affreux !

— Et ensuite, mademoiselle Blacklock ?

— La porte s'est ouverte…

— Laquelle ? J'en vois deux, dans cette pièce.

— Celle-ci. Celle de là-bas au bout ne s'ouvre pas. Elle fait partie du décor. Donc, la porte s'est ouverte, et une silhouette est apparue : celle d'un individu masqué, armé d'un revolver. Ça paraissait ahurissant, mais sur le moment, étant donné les circonstances, j'ai pensé qu'il s'agissait toujours de la même plaisanterie stupide. Il a dit quelque chose… je ne sais plus quoi…

— « Les mains en l'air ou je tire ! » psalmodia Mlle Bunner, de façon dramatique.

— C'était quelque chose de ce genre, admit Mlle Blacklock du bout des lèvres.

— Et vous avez tous obéi ?

— Bien sûr ! répondit Mlle Bunner. Tous ! Cela faisait partie du jeu !

— Pas moi, dit sèchement Mlle Blacklock. Ça devenait vraiment trop stupide. Je commençais à en avoir assez.

— Et ensuite ?

— Le faisceau de la lampe-torche était braqué sur moi. J'avais la lumière dans les yeux, j'étais éblouie, je n'y voyais plus rien. Et puis d'un seul coup – je m'attendais à tout sauf à ça –, j'ai entendu une balle me frôler en sifflant avant d'aller se ficher dans le mur juste derrière ma tête. Quelqu'un a crié, et j'ai ressenti une vive douleur à l'oreille. Et c'est à ce moment-là que j'ai entendu une seconde détonation.

— C'était terrifiant, ajouta Mlle Bunner.

— Et que s'est-il passé après ça, mademoiselle Blacklock ?

— C'est difficile à dire – j'étais partagée entre la douleur et l'hébétude. La… la silhouette s'est retournée comme pour s'éloigner, elle a eu l'air de chanceler, il y a eu un autre coup de feu, sa torche s'est éteinte, et tout le monde s'est mis à se bousculer et à crier.

— Où vous trouviez-vous, mademoiselle Blacklock ?

— Elle était là-bas, près de la table. Elle avait ce vase de violettes à la main, haleta Mlle Bunner.

— Je me tenais là.

Mlle Blacklock se dirigea vers la petite table, près de l'arcade :

— Et, en réalité, c'est le coffret à cigarettes que j'avais à la main.

L'inspecteur Craddock examina le mur, derrière elle, où l'on distinguait deux impacts de balles. Les projectiles avaient été extraits et envoyés avec le revolver au laboratoire pour examen balistique.

— Vous l'avez échappé belle, mademoiselle Blacklock, conclut-il avec calme.

— C'est sur elle qu'il a tiré ! insista Mlle Bunner. Il lui a sciemment tiré dessus. Je l'ai vu. Il a balayé tout le monde avec le faisceau de sa lampe-torche jusqu'à ce qu'il la trouve. Alors, il la lui a braquée dessus, et il a tiré. C'est toi qu'il voulait tuer, Letty.

— Dora, ma chérie, c'est juste une idée que tu te fais à force de ressasser toute la scène.

— C'est sur toi qu'il a tiré, s'obstina Mlle Bunner. Il voulait te tuer et, comme il t'a ratée, il a retourné l'arme contre lui. Je suis certaine que c'est ce qui s'est passé !

— Je ne crois pas une seconde qu'il ait eu l'intention de retourner l'arme contre lui, décréta Mlle Blacklock. Ce n'était pas le genre d'homme à se suicider.

— Si je comprends bien, mademoiselle Blacklock, jusqu'aux coups de feu, vous pensiez que toute cette affaire n'était qu'une plaisanterie ?

— Naturellement. Qu'aurais-je bien pu en penser d'autre ?

— Et qui soupçonniez-vous d'être l'auteur de cette plaisanterie ?

— Tu as d'abord cru que c'était Patrick, lui rappela Dora Bunner.

— Patrick ? demanda brusquement l'inspecteur.

— Patrick Simmons, mon jeune cousin, dit Mlle Blacklock d'un ton sec, agacée par son amie. Il est vrai qu'en lisant cette petite annonce, j'ai pensé que Patrick avait voulu faire de l'humour, mais il m'a juré qu'il n'y était pour rien.

— Et, là, tu as commencé à te faire du mauvais sang, Letty, dit Mlle Bunner. C'est vrai, même si tu prétendais le contraire, tu t'es fait du mauvais sang. Et tu avais bien raison. On annonçait qu'un meurtre allait être commis, et ce meurtre annoncé, il s'agissait du tien ! Et si cet individu n'avait pas raté son coup, tu aurais bel et bien été assassinée ! Et nous, que serions-nous tous devenus ?

Dora Bunner avait parlé d'une voix tremblante, et on aurait juré qu'elle allait éclater en sanglots.

Mlle Blacklock lui tapota l'épaule :

— Allons, Dora chérie. Ne te mets pas dans des états pareils. Ce n'est pas bon pour toi. Tout va bien, maintenant. Nous avons vécu une mésaventure particulièrement désagréable, mais c'est terminé.

« Il faut te ressaisir, ajouta-t-elle. Fais-le pour moi. Tu sais que je compte sur toi pour tenir cette maison. Est-ce que ce n'est pas le jour de passage de la blanchisserie, aujourd'hui ?

— Seigneur Dieu, Letty ! Quelle bénédiction que tu m'y fasses penser ! Je me demande s'ils vont nous rapporter la taie d'oreiller manquante. Il faut que je le note dans le carnet. Je vais m'en occuper tout de suite.

— Et débarrasse-nous de ces violettes, ajouta Mlle Blacklock. Il n'y a rien que je déteste comme les fleurs fanées.

— Quel dommage ! Dire qu'elles étaient toutes fraîches cueillies d'hier ! Elles n'ont vraiment pas duré longtemps – oh ! mon Dieu, j'avais dû oublier de mettre de l'eau dans le vase ! Non, mais tu te rends compte ! Je ne sais pas où j'ai la tête... j'oublie toujours tout. Bon, maintenant, il faut que j'aille m'occuper du linge à laver. Ils risquent d'arriver d'une seconde à l'autre.

Elle s'éloigna, fort affairée et de nouveau ravie d'elle-même.

— Elle n'est plus très solide, l'excusa Mlle Blacklock, et les contrariétés lui sont déconseillées. Y a-t-il encore autre chose que vous désiriez savoir, inspecteur ?

— J'aimerais que vous me disiez combien de personnes vivent sous votre toit, et que vous me les décriviez rapidement.

— Eh bien, en plus de Dora Bunner et moi, j'ai deux jeunes cousins, Patrick et Julia Simmons, qui habitent ici en ce moment.

— Ce sont vos cousins ? Pas vos neveu et nièce ?

— Non. Ils m'appellent tante Letty, mais en fait ce sont des cousins éloignés. Leur mère était ma petite-cousine.

— Et ils ont toujours vécu avec vous ?

— Oh ! non, ils ne sont ici que depuis deux mois. Ils vivaient dans le sud de la France avant la guerre. Patrick s'est engagé dans la marine, et Julia travaillait dans un département ministériel, je crois. Elle était à Llandudno. À la fin de la guerre, leur mère m'a écrit pour me demander si je pouvais les héberger en tant qu'hôtes payants. Julia fait un stage de pharmacie à l'hôpital de Milchester, et Patrick termine ses études d'ingénieur à l'université. Comme vous le savez, Milchester n'est qu'à cinquante minutes d'ici par l'autocar, aussi les ai-je accueillis avec plaisir. Cette maison est vraiment trop grande pour moi. Ils me versent une petite somme pour le gîte et le couvert, et tout se passe très bien. J'aime avoir de la jeunesse à la maison, ajouta-t-elle avec un sourire.

— Vous hébergez également une certaine Mme Haymes, je crois ?

— Oui. Elle travaille comme assistante du jardinier de Dayas Hall, chez Mme Lucas. Le cottage est occupé par le vieux jardinier et sa femme, et Mme Lucas m'a demandé si je pouvais loger Mme Haymes. C'est une jeune femme charmante. Son mari a été tué en Italie, et elle a un fils de huit ans en pension ; je me suis arrangée pour qu'il passe ses vacances ici.

— Et les domestiques ?

— Un jardinier vient le mardi et le vendredi. Cinq matins par semaine, Mme Huggins nous arrive du village voisin, et j'ai une réfugiée étrangère au nom imprononçable qui donne un coup de main à la cuisine. Mitzi est une créature assez difficile à aborder, vous verrez. Elle souffre d'une sorte de manie de la persécution.

Craddock acquiesça. Il se rappelait un autre des précieux commentaires du constable Legg. Ayant noté que Dora Bunner était une « tête de linotte » et que Letitia Blacklock avait « les pieds sur terre », il avait sans barguigner accolé au nom de Mitzi le qualificatif de « menteuse invétérée ».

Comme si elle avait lu dans ses pensées, Mlle Blacklock ajouta :

— Ne nourrissez pas trop de préjugés contre la malheureuse sous prétexte qu'elle fabule. Je crois sincèrement qu'il y a une part de vérité derrière chacun de ses mensonges – ce qui est d'ailleurs le cas chez beaucoup de menteurs. Je veux dire par là que même si, pour prendre un exemple, elle a monté sa propre histoire en épingle jusqu'à croire que toutes les atrocités dont on a parlé dans les journaux lui sont arrivées personnellement, elle n'en a pas moins réellement subi un grand choc au départ, et qu'elle a vu mourir au moins un de ses proches. Je crois d'ailleurs que beaucoup de ces exilés s'imaginent, peut-être à juste titre, que nous leur accorderons plus d'attention et de sympathie s'ils nous apitoient avec les horreurs qui leur sont arrivées – d'où leur tendance à exagérer, voire à affabuler.

Et elle ajouta :

— Sincèrement, Mitzi est insupportable. Elle nous exaspère tous avec ses humeurs, ses bouderies, ses continuels « pressentiments » et sa manie de la persécution. Mais malgré tout cela, je la plains.

Elle sourit :

— Qui plus est, quand elle s'en donne la peine, elle sait se montrer excellente cuisinière.

— J'essaierai de la ménager, dit Craddock d'un ton apaisant. Est-ce que c'était Mlle Julia Simmons qui m'a ouvert ?

— Oui. Vous aimeriez la voir tout de suite ? Patrick est sorti. Quant à Phillipa Haymes, vous la trouverez à son travail, à Dayas Hall.

— Merci, mademoiselle Blacklock. Je crois que je vais, si possible, m'entretenir un moment avec Mlle Simmons.

6

JULIA, MITZI ET PATRICK

Quand elle entra dans le salon et vint s'installer dans le fauteuil laissé libre par Letitia Blacklock, Julia affichait un aplomb qui, bizarrement, eut le don d'agacer Craddock. Elle le gratifia d'un regard limpide et attendit ses questions.

Mlle Blacklock, pleine de tact, avait quitté la pièce.

— J'aimerais que vous me parliez de ce qui s'est passé la nuit dernière, mademoiselle Simmons.

— La nuit dernière ? murmura-t-elle avec un regard vide. Nous avons tous dormi à poings fermés. Saine réaction, je suppose.

— Pardonnez-moi. Je voulais dire hier soir, à partir de 18 heures.

— Ah ! je vois. Eh bien, pas mal de raseurs sont venus nous rendre visite…

— Il s'agissait de qui, au juste ?

Elle lui décocha un nouveau regard limpide :

— Vous ne le savez pas déjà ?

— C'est moi qui pose les questions, mademoiselle Simmons.

— Désolée. Je trouve ça tellement assommant, de répéter toujours la même chose. Apparemment, ce n'est pas votre cas... Eh bien, il y avait le colonel et Mme Easterbrook, Mlle Hinchliffe et Mlle Murgatroyd, Mme Swettenham et Edmund Swettenham, ainsi que Mme Harmon, la femme du pasteur. C'est dans cet ordre-là qu'ils sont arrivés. Et si vous voulez savoir ce qu'ils ont dit, ils ont tous fait, chacun à leur tour, les mêmes réflexions : « Je vois que vous avez allumé le chauffage central » et « Magnifiques, vos chrysanthèmes ! »

L'imitation était bonne, et Craddock dut se mordre les lèvres pour ne pas rire.

— La seule exception, ça a été Mme Harmon. Elle est adorable, dans son genre. Elle est arrivée bille en tête – chapeau de guingois et lacets défaits – en demandant tout de go quand le meurtre allait être commis. Ça a mis tout le monde aux quatre cents coups, car ils avaient tous fait semblant de passer par hasard. Tante Letty, toujours pince-sans-rire, a répondu que ça n'allait pas tarder. Ensuite, la pendule a sonné et, juste comme elle s'arrêtait, les lumières se sont éteintes, la porte s'est ouverte brutalement, et une silhouette masquée a dit : « Haut les mains, les gars ! » ou quelque chose dans ce goût-là. On se serait cru dans un mauvais film. C'était d'un grotesque achevé. Là-dessus, le type a tiré deux coups de feu sur tante Letty, et ça s'est mis à ne plus être drôle du tout.

— Où se trouvaient les gens à ce moment-là ?

— Quand les lumières se sont éteintes ? Eh bien, ils étaient éparpillés dans la pièce. Mme Harmon était assise sur le canapé. Hinch – c'est-à-dire Mlle Hinchliffe – avait pris une pose virile devant la cheminée.

— Vous vous trouviez tous dans cette moitié-ci du salon, ou dans l'autre ?

— Presque tous dans cette moitié-ci, il me semble. Patrick était allé chercher du sherry à côté. Je crois que le colonel Easterbrook l'avait suivi, mais je n'en suis pas sûre. Nous étions… eh bien, comme je vous l'ai dit, éparpillés çà et là dans la pièce.

— Et vous-même ?

— Je crois que je me tenais près de la fenêtre. Tante Letty est allée chercher les cigarettes.

— Sur cette table, près de l'arcade ?

— Oui. C'est à ce moment-là que les lumières se sont éteintes, et que le mauvais film a commencé.

— L'homme avait une lampe-torche puissante. Qu'est-ce qu'il en a fait ?

— Eh bien, il l'a braquée sur nous. C'était très épouvantable. On n'y voyait plus rien.

— J'aimerais que vous répondiez à cette question très précisément, mademoiselle Simmons. Tenait-il la torche immobile ou bien a-t-il promené le faisceau lumineux dans toute la pièce ?

Julia réfléchit. Elle avait l'air nettement moins détachée, à présent.

— Il a promené le faisceau, dit-elle lentement. Comme un projecteur dans une boîte de nuit. J'ai eu la lumière en plein dans les yeux, puis elle a balayé le reste de la pièce, et les coups de feu sont partis. Deux coups.

— Et ensuite ?

— Il s'est retourné brusquement... et Mitzi s'est mise à hurler comme une possédée je ne sais où dans la maison, et puis la torche s'est éteinte et il y a eu un troisième coup de feu. Après ça la porte s'est refermée – elle se refermée toujours comme ça toute seule : tout doucement, avec un grincement à vous donner froid dans le dos – et nous nous sommes retrouvés dans le noir, à ne pas savoir quoi faire, avec cette pauvre Bunny qui couinait comme un lapin et Mitzi qui s'époumonait de l'autre côté du vestibule.

— Selon vous, l'homme s'est délibérément tiré dessus ou bien vous croyez qu'il a trébuché et que le coup est parti tout seul ?

— Je n'en ai pas la moindre idée. Tout ça sentait si fort la mise en scène... J'en étais toujours à croire qu'il s'agissait d'une plaisanterie idiote. En fait, j'y ai cru jusqu'à ce que je voie le sang couler de l'oreille de tante Letty. Parce que même quand on tire des coups de feu « pour faire comme de vrai », on s'arrange d'ordinaire pour tirer nettement au-dessus de la tête des gens, non ?

— Ça tombe sous le sens. Pensez-vous qu'il voyait réellement sur qui il tirait ? En d'autres termes, est-ce que Mlle Blacklock se trouvait dans le champ lumineux de la torche ?

— Aucune idée. Ce n'était pas elle que je regardais. J'avais les yeux rivés sur ce type.

— Ce que je voudrais savoir, c'est s'il a sciemment visé Mlle Blacklock... s'il l'a visée elle en particulier.

L'hypothèse sembla surprendre Julia :

— Vous vous demandez s'il ne s'en serait pas délibérément pris à tante Letty ? Oh ! je ne pense pas, non. Après tout, s'il avait voulu prendre tante Letty pour cible, il aurait pu trouver mieux. À quoi bon convoquer le ban et l'arrière-ban histoire de se compliquer l'existence ? Il n'avait qu'à lui tirer dessus de derrière un buisson à la première occasion – selon cette bonne vieille méthode irlandaise –, et personne n'aurait jamais pu l'épingler.

Voilà un argument, estima Craddock, qui réglait son compte à l'hypothèse de Dora Bunner suggérant un attentat délibéré contre Letitia Blacklock.

— Merci, mademoiselle Simmons, dit-il avec un soupir. Je crois que je vais maintenant aller voir Mitzi.

— Prenez garde à ses coups de griffes, l'avertit Julia. C'est une furie !

*

Judicieusement escorté de Fletcher, Craddock trouva Mitzi à la cuisine. Elle étalait de la pâte et leva sur lui un regard soupçonneux.

Ses cheveux noirs lui tombaient sur les yeux, elle avait la mine renfrognée et ni son pull-over violet ni sa jupe d'un vert acide n'étaient de nature à rehausser son teint blafard.

— Qu'est-ce que vous venez faire dans ma cuisine, monsieur le policier ? Vous êtes police, oui ? Toujours, toujours la persécution. Ah ! je devrais être habituée. On vous dit c'est différent ici, en Angleterre, mais non, c'est pareil. Vous venez pour me torturer, oui, pour me faire parler, mais je ne dirai rien. Vous allez arracher mes ongles, brûler ma peau avec des cigarettes, oh ! oui, et pire encore. Mais je ne parlerai pas, vous entendez ? Je ne dirai rien – rien du tout. Et vous allez m'envoyer dans un camp de concentration, et ça m'est égal.

Recherchant le meilleur angle d'attaque, Craddock la dévisagea d'un air pensif. Puis il lâcha avec un soupir :

— C'est bon. Allez chercher votre manteau et votre chapeau.

— Qu'est-ce que ça veut dire ? demanda Mitzi interloquée.

— Prenez votre manteau, votre chapeau, et suivez-nous. Je n'ai ni mes outils pour arracher les ongles ni le reste de ma panoplie sur moi. Tout est resté au poste. Vous avez les menottes, Fletcher ?

— Monsieur ! dit Fletcher avec considération.

— Mais je ne veux pas venir ! hurla Mitzi en s'écartant de lui.

— Alors vous allez répondre poliment à des questions polies. Si vous le souhaitez, vous pouvez exiger la présence d'un avocat.

— Un avocat ? Je n'aime pas un avocat. Je ne veux pas un avocat.

Elle posa son rouleau à pâtisserie, s'essuya les mains sur un torchon et s'assit.

— Qu'est-ce que vous voulez savoir ? demanda-t-elle, maussade.

— Je veux que vous me racontiez ce qui s'est passé hier soir.

— Vous savez très bien ce qui s'est passé.

— Je voudrais votre version des faits.

— J'ai essayé de partir. Elle vous a dit ça ? Quand j'ai lu dans le journal, à propos du meurtre. Je voulais partir. Elle ne m'a pas laissée. Elle est très dure… pas du tout sympathique. Elle m'a forcée de rester. Mais moi, je savais… je savais ce qui allait se passer. Je savais que j'allais être assassinée.

— Eh bien, vous ne l'avez pas été, non ?

— Non, admit Mitzi à contrecœur.

— Alors allons-y, dites-moi ce qui s'est passé.

— J'étais pas tranquille. Non, pas tranquille du tout. Toute la soirée. J'entends des bruits. Des gens qui bougent. Une fois, je crois que quelqu'un se déplace sur la pointe des pieds dans le vestibule – mais c'est seulement cette Mme Haymes qui entre par la porte de côté… pour pas salir les marches du perron, qu'elle prétend. Pour ce qu'elle s'en préoccupe ! C'est une nazie, celle-là, avec ses cheveux blonds et ses yeux bleus, toujours supérieure, elle me regarde et elle pense que je... que je suis que de la crotte de bique...

— Ne nous occupons pas de Mme Haymes.

— Pour qui elle se prend ? Est-ce qu'elle a fait des études dans l'université très cotée, comme moi ? Est-ce qu'elle a la licence en économiques ? Non, elle n'est que ouvrière salariée. Elle bêche et elle tond les pelouses et elle reçoit le salaire tous les samedis. Elle est qui pour jouer les grandes dames ?

— J'ai dit que nous ne parlions pas de Mme Haymes. Continuez.

— Je prends le sherry et les verres, et les si bons petits gâteaux que j'ai faits, je les porte au salon. Alors on sonne à la porte et je vais ouvrir. Encore et encore je vais ouvrir. C'est dégradant – mais je fais. Après ça, je retourne dans l'office et je polis l'argenterie, et je trouve que c'est une bonne idée, parce que si quelqu'un vient pour me tuer, j'ai à portée de ma main le gros couteau de boucher, bien aiguisé.

— Très prévoyant de votre part.

— Et alors, tout à coup, j'entends des coups de feu. Je pense : « Ça y est, c'est la fin. » Je traverse en courant la salle à manger – l'autre porte, elle ne veut pas s'ouvrir. J'écoute un moment, et alors j'entends un autre coup de feu et un grand boum ! dans le vestibule, et je tourne la poignée de la porte, mais elle est fermée à clef de l'autre côté. Je suis enfermée là-dedans comme un rat dans un piège. Je suis folle de peur. Je crie, je crie et je frappe sur la porte. Et enfin, enfin, ils tournent la clef et ils me laissent sortir. Alors, j'apporte des bougies, beaucoup de bougies, et les lampes se rallument, et je vois du sang… du sang ! *Ach, Gott im Himmel,* le sang ! Ce n'est pas la première fois je vois du sang. Mon petit frère… je le vois se faire tuer sous mes yeux… je vois du sang dans la rue… des gens se faire tuer, mourir, je…

— Oui, dit l'inspecteur Craddock. Merci beaucoup.

— Et maintenant, dit Mitzi en dramatisant, vous pouvez m'arrêter et m'emmener en prison !

— Pas aujourd'hui, répondit l'inspecteur Craddock.

*

Tandis que les deux policiers traversaient le vestibule, la porte d'entrée s'ouvrit brusquement sur un grand jeune homme séduisant qui faillit les bousculer.

— Vingt-deux, les flics ! s'écria-t-il.

— M. Patrick Simmons ?

— Absolument, inspecteur. C'est bien vous l'inspecteur, n'est-ce pas ? Et l'autre est le sergent ?

— C'est exact, monsieur Simmons. Puis-je vous parler quelques instants ?

— Je suis innocent, inspecteur. Je vous jure que je suis innocent.

— Allons, ne faites pas l'imbécile. J'ai un certain nombre d'autres personnes à interroger et je n'ai pas de temps à perdre. C'est quoi, cette pièce ? On peut y entrer ?

— C'est censé être le bureau, mais personne n'y travaille.

— On m'a pourtant dit que vous, vous faisiez des études ? releva Craddock.

— Je n'arrivais pas à me concentrer sur les mathématiques, alors je suis rentré à la maison.

Très service-service, l'inspecteur lui fit décliner ses nom, prénoms, âge et situation militaire.

— À présent, monsieur Simmons, veuillez nous décrire ce qui s'est passé hier soir.

— Nous avons tué le veau gras, inspecteur. C'est-à-dire que Mitzi s'est décidée à faire des petits fours, et tante Letty à ouvrir une nouvelle bouteille de sherry…

— Une nouvelle bouteille ? coupa le policier. Il y en avait déjà une d'entamée ?

— Oui, à moitié pleine. Mais tante Letty n'a pas semblé en vouloir.

— Elle craignait quelque chose, à ce moment-là ?

— Bah ! pas vraiment. Elle a parfaitement les pieds sur terre. Je crois que c'est cette vieille Bunny qui lui a flanqué la frousse avec les prophéties de malheur qu'elle a débité toute la journée.

— Mlle Bunner avait donc des appréhensions ?

— C'est le moins qu'on puisse dire. Et elle s'en est donné à cœur joie.

— Elle avait pris la petite annonce au sérieux ?

— Elle était verte de frousse.

— Il semble qu'en découvrant cette annonce, Mlle Blacklock ait d'abord cru que vous aviez quelque chose à voir avec. Pourquoi ça ?

— Normal. Dès que quelque chose va de travers ici, c'est à moi qu'on s'en prend !

— Mais, dans le cas particulier, vous n'avez rien à voir là-dedans, monsieur Simmons ?

— Moi ? Jamais de la vie !

— Vous aviez déjà rencontré ce Rudi Scherz ? Vous lui aviez parlé ?

— Jamais.

— Mais c'était quand même bien le genre de plaisanterie que vous auriez pu faire, n'est-ce pas ?

— Qui vous a dit ça ? Tout ça parce que j'ai un beau jour mis le lit de Bunny en portefeuille… et envoyé une carte postale à Mitzi lui annonçant que la Gestapo était à ses trousses…

— Racontez-moi juste ce qui s'est passé.

— Je venais à peine d'entrer dans le petit salon pour prendre les bouteilles quand, d'un coup, les lampes se sont éteintes. Je me retourne, et j'aperçois un type debout à la porte qui dit : « Les mains en l'air. » Tout le monde s'extasie et pousse des cris émoustillés, et juste comme je me demandais « est-ce que je vais être capable de le ceinturer ? » ne voilà-t-il pas qu'il se met à tirer des coups de revolver, et bing ! et bang ! et puis qu'il s'écroule, et que sa torche s'éteint et que nous revoilà dans le noir. Le colonel Easterbrook se met à lancer des ordres dans le plus parfait style d'adjudant de quartier. « Lumière ! » crie-t-il. Et vous croyez peut-être que mon briquet va s'allumer ? Des clous, oui ! Rien à en tirer, comme de toutes ces inventions à la gomme.

— Est-ce qu'il vous a semblé que l'intrus visait bel et bien Mlle Blacklock et elle seule ?

— Comment diable le saurais-je ? À mon avis, le type a juste sorti son arme histoire de rigoler – sur quoi il a dû se rendre compte qu'il était peut-être allé trop loin.

— Et qu'il valait mieux qu'il se tue ?

— Ça n'a rien d'impossible. Quand j'ai vu sa tête, il m'a fait l'effet de ce genre de gangster d'opérette qui perd facilement son sang-froid.

— Et vous êtes bien certain de ne l'avoir jamais vu auparavant ?

— Certain.

— Merci, monsieur Simmons. J'aurai besoin d'interroger les autres personnes présentes hier soir. Dans quel ordre me conseillez-vous de les voir ?

— Eh bien, notre Phillipa, Mme Haymes, travaille à Dayas Hall. L'entrée de la propriété se trouve juste en face de la nôtre. Ensuite, les Swettenham sont les plus proches. N'importe qui pourra vous renseigner.

7

AU NOMBRE DES PERSONNALITÉS REPRÉSENTÉES

Dayas Hall avait manifestement beaucoup souffert des années de guerre. Un chiendent exubérant recouvrait ce qui, comme en témoignaient quelques touffes de feuillage rabougri, avait autrefois été un carré d'asperges. De toute évidence, séneçon, liseron et autres fléaux des jardins proliféraient avec une bienheureuse allégresse.

Seule une partie du potager paraissait avoir été redomestiquée de fraîche date. Craddock y rencontra un vieillard à la mine revêche, pensivement appuyé sur une bêche.

— C'est Mme Haymes que vous cherchez ? J'saurais pas vous dire où c'est qu'vous pouvez la trouver. Elle en fait qu'à sa tête, celle-là. L'est pas du genre à demander conseil. J'pourrais pourtant lui montrer, moi… même que ce s'rait pas d'refus. Mais à quoi bon ? Ces jeunes dames de la ville, elles écoutent pas ce qu'on leur dit. Sous prétexte qu'elles mettent des pantalons et qu'elles ont fait un tour en tracteur, elles croient tout savoir. Mais c'est un jardinier qu'il faut ici ! Et ça, ça s'apprend pas en un jour. Un jardinier, c'est ça qu'on a besoin ici !

— Ça m'en a en effet tout l'air, constata Craddock.

Le vieil homme décida de considérer cette remarque comme une insulte :

— Dites donc, m'sieur, qu'est-ce que vous voulez que je fasse d'un jardin aussi grand ? Avant, y avait trois hommes et un gamin pour s'en occuper. Faut bien ça. J'en connais pas beaucoup qui pourraient abattre autant d'travail que moi. Des fois, je reste jusqu'à des 8 heures du soir. 8 heures !

— Vous faites comment pour y voir clair ? Vous utilisez une lampe à huile ?

— 'Vavidemment, j'causais pas de cette époque de l'année. 'Vavidemment. C'est de l'été que j'causais.

— Vous me rassurez ! fit Craddock. Mais ce n'est pas tout ça, il faut que je me mette en quête de Mme Haymes.

Le paysan manifesta un semblant d'intérêt :

— C'est quoi que vous lui voulez ? Z'êtes de la police, hein ? Elle a des ennuis, ou c'est rapport à c'qu'est arrivé à Little Paddocks ? Des hommes masqués qui débarquent et qui menacent toute une assemblée avec un revolver ! Des choses pareilles, ça se serait jamais passé avant-guerre. Des déserteurs, c'est moi qui vous le dis. Des va-nu-pieds qui rôdent dans la campagne. Pourquoi que l'armée les ramasse pas ?

— Aucune idée, éluda Craddock. Je suppose qu'on a beaucoup parlé de ce hold-up ?

— Pour sûr ! Où c'est qu'il va, le monde ? C'est ce qu'il a dit, Ned Barker. Et pis il a dit comme ça que les gens voyent trop de films. Mais Tom Riley, lui, il a dit que c'est parce qu'on laisse circuler tous ces étrangers comme qui dirait en liberté. Et vous pouvez m'croire, qu'il a dit, cette fille qui fait la cuisine chez Mlle Blacklock, celle qu'a un caractère de cochon, elle est dans le coup, qu'il a dit. C'est une communiste, et p't'être même pire, et on aime pas ce genre-là, par chez nous. Et Marlene, celle qu'est derrière l'comptoir, au bar, si vous me suivez, elle a dit qu'il y aurait comme ça chez Mlle Blacklock des trucs qui vaudraient des mille et des cents. On dirait pas, c'est sûr, qu'elle a dit, vu que Mlle Blacklock, à part ce gros collier de fausses perles qu'elle se met toujours autour du cou, elle a que des vêtements tout simples. Sur quoi elle nous a fait comme ça : Et si ça se trouvait des fois qu'elles sont vraies, ses perles ? Et Florrie – qu'est la fille au vieux Bellamy –, elle a dit, elle : Vraies, mon œil ! C'est de l'attrape-couillon, ouais ! Un « bijou fantaisie », voilà ce que c'est. « Bijou fantaisie », en voilà un nom pour un collier de fausses perles. Avant, les richards appelaient ça des « perles romaines », et des « diamants parisiens » – ma femme a été domestique chez une dame de la haute, alors j'm'y connais. « Bijou fantaisie », tout ça pour quoi ? Des bouts de verre ! Je suppose que c'est aussi des « bijoux fantaisie » que porte la petite demoiselle Simmons. Des feuilles de vigne et des chiens dorés, des machins comme ça. C'est pas souvent qu'on voit des trucs en or, en vrai, par les temps qui courent – même les alliances, ils les font en platine, c't'espèce de truc gris. Moi, je dis que c'est une misère –même que ça coûte les yeux de la tête.

Le vieux Ashe s'interrompit le temps de récupérer son souffle, et enchaîna :

— Alors Jim Huggins, il a dit en élevant la voix : « Chez Mlle Blacklock, y a pas beaucoup d'argent dans la maison, ça, je vous en fiche mon billet. » Et c'est vrai qu'il est bien placé pour le savoir, vu que c'est sa femme qui fait le ménage chez eux, à Little Paddocks. Et cette femme-là, elle est toujours au courant de tout – c'est le genre fouineuse et compagnie, si vous voulez qu'je vous dise.

— Il a dit ce que Mme Huggins pensait de cette affaire ?

— Pour elle, la Mitzi est dans le coup. L'est pas aimable, celle-là... et les airs qu'elle se donne ! L'aut' jour, elle est carrément allée jusqu'à traiter Mme Huggins de prolétaire.

Craddock médita un instant, passant méthodiquement en revue le contenu des déclarations du vieux jardinier. Il avait là un bon échantillonnage de la sagesse rurale telle qu'elle s'exprimait à Chipping Cleghorn mais ne voyait pas ce qu'il pourrait en tirer pour son enquête. Il tourna les talons, et le vieil homme lui lança de mauvaise grâce :

— Peut-être que vous la trouverez dans le verger. Elle est plus jeune que moi, pour c'qu'est de cueillir les pommes.

C'est en effet dans le verger que Craddock trouva Phillipa Haymes. Il vit tout d'abord une paire de jolies jambes, gainées dans un pantalon et qui glissaient agilement le long d'un tronc d'arbre. Puis Phillipa, le visage rose et les cheveux emmêlés par les branches, sauta à terre et le dévisagea, l'air étonné.

« Elle serait parfaite en Rosalind », pensa aussitôt le policier, car l'inspecteur Craddock était un fanatique de Shakespeare et avait interprété avec succès le rôle de Jacques le mélancolique dans une représentation de *Comme il vous plaira* au bénéfice des orphelins de la police.

Il changea d'avis quelques instants plus tard. Phillipa Haymes était trop inexpressive pour jouer Rosalind ; sa pâleur et son air impassible étaient typiquement anglais, certes, mais anglais du XXe siècle, et non du XVIe. Une Anglaise bien élevée, impassible, sans la moindre note d'espièglerie.

— Bonjour, madame Haymes. Désolé de vous surprendre ainsi. Je suis l'inspecteur Craddock, de la police du Middleshire. J'aimerais m'entretenir avec vous quelques instants.

— À propos d'hier soir ?

— Oui.

— Ce sera long ? Est-ce que nous ne devrions pas...

Elle regarda autour d'elle d'un air indécis.

Craddock désigna un tronc d'arbre abattu :

— Un peu incongru, mais je ne voudrais pas vous interrompre trop longtemps dans votre travail.

— Merci.

— C'est juste pour mon rapport. À quelle heure êtes-vous rentrée de votre travail, hier soir ?

— Vers 17 h 30. Je suis restée environ vingt minutes de plus, car je voulais finir d'arroser dans la serre.

— Par quelle porte êtes-vous entrée ?

— La porte latérale. Il suffit de couper par le poulailler en venant de l'allée. C'est plus rapide que de faire le tour, et puis ça évite de salir le perron. Je fais un travail assez salissant.

— Vous entrez toujours par là ?

— Oui.

— La porte n'était pas fermée à clef ?

— Non. En été, elle reste souvent grande ouverte. En cette saison, elle est fermée, mais pas à clef. Il y a beaucoup de va-et-vient. Je l'ai fermée à clef en rentrant.

— C'est ce que vous faites tous les soirs ?

— Depuis environ une semaine, oui. La nuit tombe vers 18 heures, voyez-vous. Il arrive que Mlle Blacklock aille enfermer les canards et les poules dans la soirée, mais elle passe souvent par la porte de la cuisine.

— Et vous êtes certaine d'avoir fermé à clef hier soir ?

— Tout à fait.

— Très bien, madame Haymes. Et qu'avez-vous fait, une fois rentrée ?

— J'ai ôté mes bottes pleines de boue, et je suis montée prendre un bain et me changer. Quand je suis redescendue, je me suis rendu compte qu'on préparait une espèce de réception. À ce moment-là, je n'étais pas encore au courant de cette petite annonce bizarre.

— Maintenant, décrivez-moi ce qui s'est passé au moment du hold-up.

— Eh bien, d'un seul coup, les lumières se sont éteintes…

— Où vous trouviez-vous ?

— Près de la cheminée. Je cherchais mon briquet, que je pensais avoir posé par là. Les lumières se sont éteintes, et tout le monde s'est mis à glousser. Et puis la porte s'est ouverte brutalement et cet homme a braqué sur nous une torche électrique en brandissant un revolver et nous a dit de mettre les mains en l'air.

— Ce que vous avez fait ?

— Eh bien, non, en réalité. Je pensais que c'était pour rire, j'étais fatiguée, et je me suis dit que ce n'était pas vraiment la peine.

— En bref, tout ça vous ennuyait ?

— Un peu, oui. Et soudain, il y a eu des coups de feu. C'était assourdissant, et j'ai eu une peur bleue. La torche a commencé à tournoyer, elle est tombée par terre et elle s'est éteinte. Mitzi s'est mise à hurler. On aurait dit un cochon qu'on égorgeait.

— La torche électrique, vous l'avez trouvée très aveuglante ?

— Non, pas vraiment. Elle était assez puissante, pourtant. À un moment donné, elle a éclairé Mlle Bunner – on aurait dit un fantôme. Vous savez : blanche comme un linge, le regard fixe, la bouche ouverte et les yeux qui lui sortaient de la tête.

— L'homme a bougé sa torche ?

— Oh ! oui, il a balayé la pièce avec.

— Comme s'il cherchait quelqu'un ?

— Pas spécialement, à ce qu'il m'a semblé.

— Et ensuite, madame Haymes ?

Phillipa Haymes fronça les sourcils :

— La pagaille était à son comble, et la confusion générale. Edmund Swettenham et Patrick Simmons ont allumé leur briquet et sont sortis dans le vestibule. Nous les avons suivis, quelqu'un a ouvert la porte de la salle à manger où il y avait encore de la lumière et Edmund Swettenham a donné à Mitzi une gifle terrible, ce qui a stoppé sa crise de hurlements, et l'atmosphère est devenue plus supportable après ça.

— Vous avez vu le cadavre de l'homme ?

— Oui.

— Cet individu, vous le connaissiez ? Vous l'aviez déjà rencontré ?

— Non, jamais.

— Selon vous, sa mort est accidentelle ou bien vous pensez qu'il s'est suicidé ?

— Je n'en ai pas la moindre idée.

— Vous ne l'aviez pas vu lors de sa précédente visite ?

— Non. Je crois que ça avait eu lieu dans la matinée ; je n'aurais pas été là, de toute façon. Je suis dehors du matin au soir.

— Merci, madame Haymes. Oh ! encore un détail. Possédez-vous des bijoux de valeur ? Bagues, bracelets, que sais-je…

Phillipa secoua la tête :

— Rien que ma bague de fiançailles… et deux ou trois broches.

— Et à votre connaissance, il n'y avait aucun objet de grande valeur dans la maison ?

— Non. Enfin, il y a de l'argenterie, qui est assez belle, mais rien d'extraordinaire.

— Merci, madame Haymes.

*

Tandis qu'il rebroussait chemin, Craddock rencontra dans le potager une femme rougeaude, assez corpulente et engoncée dans un corset.

— Bonjour, fulmina-t-elle dans un élan d'agressivité. Qu'est-ce que vous venez faire ici ?

— Mme Lucas ? Je suis l'inspecteur Craddock.

— Ah ! vous êtes l'inspecteur ? Je vous prie de m'excuser. J'ai horreur de voir des inconnus entrer dans mon jardin et accaparer les jardiniers. Mais je suis prête à admettre que vous ne faites que votre devoir.

— C'est en effet le cas.

— Peut-on savoir si nous devons nous attendre à une répétition des événements scandaleux qui se sont produits hier soir chez Mlle Blacklock ? S'agit-il d'une bande organisée de malfaiteurs ?

— Nous sommes certains, madame Lucas, que ce n'était pas le travail d'un gang.

— Il y a beaucoup trop de vols, par les temps qui courent. La police tend à devenir laxiste.

Craddock s'abstint de répondre à cette remarque.

— J'imagine, réattaqua la maîtresse de céans, que vous étiez en train de parler à Phillipa Haymes ?

— J'avais besoin de son témoignage en tant que témoin oculaire.

— N'auriez-vous pas pu attendre jusqu'à 13 heures ? Il serait après tout plus normal que vous l'interrogiez sur son temps à elle, et non sur le mien…

— Je dois me dépêcher de retourner au commissariat.

— Je sais bien que, de nos jours, il ne faut pas s'attendre à la moindre correction. Ni à ce que le personnel fournisse une journée de travail acceptable. On arrive en retard, on traînasse pendant une demi-heure. On fait une pause casse-croûte à 10 heures. Dès que la pluie se met à tomber, on arrête tout. Il suffit que vous souhaitiez qu'on tonde la pelouse pour que la tondeuse tombe en panne. Et on quitte son travail cinq ou dix minutes avant l'heure.

— Mme Haymes m'a pourtant déclaré qu'elle était partie à 17 h 20, hier soir, au lieu de 17 heures.

— Oh ! je veux bien le croire. Il faut dire ce qui est : bien qu'il me soit arrivé de sortir dans le jardin sans pouvoir la trouver nulle part, Mme Haymes est assez consciencieuse. C'est une femme du monde, à l'origine, et il est de notre devoir d'aider ces pauvres jeunes veuves de guerre, même si ça pose des tas de problèmes, avec ces vacances scolaires interminables. Évidemment, nous sommes convenues qu'elle travaillerait moins longtemps à ce moment-là. Je lui ai pourtant dit qu'il existait de nos jours de très bonnes colonies de vacances où l'on peut envoyer les enfants. Ils s'y amusent bien plus qu'à rester dans les jambes de leurs parents. Et ils n'ont pratiquement pas besoin de revenir à la maison de tout l'été.

— Mais cette idée n'a pas eu l'heur de plaire à Mme Haymes ?

— Cette fille est têtue comme une mule… Et précisément pendant la période où j'exige que le court de tennis soit tondu et les marques refaites presque tous les jours. Le vieux Ashe trace les lignes de travers. Mais ce qui m'arrange, moi, personne ne s'en préoccupe !

— Je présume que Mme Haymes reçoit un salaire inférieur à la normale ?

— Naturellement. Que pourrait-elle espérer de plus ?

— Rien, c'est sûr, dit Craddock. Je vous souhaite le bonjour, madame Lucas.

*

— C'était atroce, se remémora volontiers Mme Swettenham. Totalement, absolument, intégralement atroce. Et ce que je dis, c'est que les gens de la *Gazette* devraient faire plus attention aux petites annonces qu'ils publient. Sur le moment, quand j'ai lu celle-là, je l'ai trouvée très bizarre. Je l'ai d'ailleurs dit tout de suite, n'est-ce pas, Edmund ?

— Vous souvenez-vous de ce que vous faisiez quand la lumière s'est éteinte, madame Swettenham ? demanda l'inspecteur.

— C'est fou ce que vous me rappelez ma chère vieille nounou ! *Où se trouvait Moïse quand la lumière s'est éteinte ?* Bien évidemment, la réponse était : « Dans le noir. » Comme nous, hier soir. Tous debout dans le salon, à nous demander ce qui allait se passer. Et ensuite, si vous saviez quelle excitation ç'a été quand nous avons été plongés dans l'obscurité totale ! Et la porte qui s'ouvre… une silhouette imprécise qui se dresse, brandissant un revolver… et cette torche aveuglante, et cette voix menaçante qui nous dit : « La bourse ou la vie ! » Oh ! je ne m'étais jamais tant amusée. Et puis, une minute après, bien sûr, l'horreur. De *vraies* balles, qui nous sifflaient aux oreilles ! Ç'a dû être exactement comme ça, dans les commandos, pendant la guerre.

— Étiez-vous, à ce moment-là, debout ou assise, et où exactement dans le salon, madame Swettenham ?

— Voyons, que je réfléchisse, où pouvais-je bien être ? À qui étais-je en train de parler, Edmund ?

— Je n'en ai pas la moindre idée, maman.

— Est-ce à Mlle Hinchcliffe que j'ai demandé s'il fallait donner de l'huile de foie de morue aux poules quand il fait très froid ? Ou alors à Mme Harmon ? Non, elle venait d'arriver. Je crois que j'étais en train de dire au colonel Easterbrook que je trouvais très dangereux d'avoir un centre de recherche atomique en Angleterre. On devrait l'installer sur une île déserte, pour le cas où la radioactivité s'échapperait.

— Vous ne vous souvenez pas si vous étiez debout ou assise ?

— Est-ce vraiment important, inspecteur ? J'étais quelque part près de la fenêtre, ou à côté de la cheminée, car j'étais tout près de la pendule quand elle a sonné. Quel moment palpitant ! On attendait de voir si quelque chose allait vraiment se passer.

— Vous dites que la lumière de la torche était aveuglante. Était-elle dirigée droit sur vous ?

— Je l'avais en plein dans les yeux. Je n'y voyais plus rien.

— L'homme l'a-t-il maintenue immobile, ou l'a-t-il braquée sur tout le monde, tour à tour ?

— Oh ! je ne sais pas. Qu'a-t-il fait, Edmund ?

— Il l'a braquée sur chacun de nous assez lentement, pour voir ce que nous faisions tous, je suppose, au cas où l'un de nous aurait tenté de lui sauter dessus.

— Et vous, à quel endroit de la pièce vous trouviez-vous exactement, monsieur Swettenham ?

— Je discutais avec Julia Simmons. Nous étions tous les deux debout au milieu de la pièce – la pièce principale, j'entends.

— Tout le monde était dans cette partie du salon, ou bien y avait-il quelqu'un dans l'autre pièce rajoutée ?

— Phillipa Haymes était dans l'autre pièce, je crois. Près de l'autre cheminée. Il me semble qu'elle cherchait quelque chose.

— Selon vous, le troisième coup de feu était un suicide ou un accident ?

— Aucune idée. L'homme s'est soudain mis à tourner sur lui-même, et puis il s'est écroulé – mais tout était très confus. Il faut vous dire qu'on n'y voyait pratiquement rien. Et ensuite, cette réfugiée s'est mise à hurler comme une possédée.

— C'est vous qui avez ouvert la porte de la salle à manger et l'avez délivrée, je crois ?

— En effet.

— La porte était vraiment fermée à clef de l'extérieur ?

Edmund le regarda avec curiosité :

— Certainement. Bon sang, vous n'imaginez tout de même pas que…

— Je voulais simplement mettre les choses au clair. Merci, monsieur Swettenham.

*

L'inspecteur fut obligé de passer un long moment en compagnie du colonel Easterbrook et de son épouse, et de subir une interminable dissertation sur les aspects psychologiques de l'affaire.

— L'approche psychologique… on n'a plus que ça à la bouche, de nos jours, s'épancha le colonel. Votre criminel, il vous faut le comprendre. Dans le cas présent, tout est très clair pour un homme comme moi fort d'une longue expérience. Pourquoi ce type passe-t-il une annonce dans le journal ? C'est psychologique. Il cherche à se faire de la publicité – à attirer l'attention. Il est ignoré, peut-être méprisé, en tant qu'étranger, par ses collègues de l'hôtel Spa. Il a peut-être été éconduit par une fille. Il veut se faire remarquer d'elle. Qui tient le rôle du héros, au cinéma, de nos jours ? Le gangster, le dur ? Très bien, il va donc jouer les durs. Une attaque à main armée. Un masque ? Un revolver ? D'accord, mais il lui faut aussi un public. Il a besoin de spectateurs, alors il s'arrange pour en avoir. Oui, mais voilà… Au moment crucial, il est dépassé par son rôle – il n'est plus seulement un cambrioleur, il devient un tueur. Il tire… à l'aveuglette…

— À l'aveuglette, dites-vous, colonel ? glissa le policier en saisissant l'expression au vol. Vous n'avez pas eu l'impression qu'il visait délibérément quelqu'un – Mlle Blacklock, pour être plus précis ?

— Non, non. Il a juste tiré à l'aveuglette, comme je vous le dis. Et c'est ce qui l'a fait revenir à lui. La balle a touché quelqu'un – en fait, ce n'était qu'une égratignure, mais il l'ignorait. D'un seul coup, il reprend ses esprits. Toute cette histoire, ce jeu dans lequel il se complaisait, est devenue réalité. Il a tiré sur quelqu'un, et l'a peut-être tué… Tout est fini pour lui. Alors, complètement paniqué, il retourne l'arme contre lui.

Le colonel Easterbrook se tut, s'éclaircit la gorge, et conclut d'un ton satisfait :

— C'est clair comme de l'eau de roche, voilà tout.

— C'est incroyable, Archie, comme tu devines exactement ce qui s'est passé ! dit Mme Easterbrook, vibrante d'admiration.

L'inspecteur Craddock trouvait cela incroyable lui aussi, mais était beaucoup moins admiratif.

— À quel endroit de la pièce vous trouviez-vous quand les coups de feu sont partis, colonel ?

— Ma femme et moi étions debout près de la table du milieu sur laquelle il y avait des fleurs.

— J'ai pris ton bras, à ce moment-là, n'est-ce pas, Archie ? J'étais morte de peur, il fallait que je me cramponne à toi.

— Mon pauvre petit chaton, bêtifia le colonel.

*

L'inspecteur débusqua Mlle Hinchliffe sur le seuil d'une porcherie.

— Braves bêtes, les cochons, dit-elle en grattant un dos rose et tout plissé. Il promet, celui-là, non ? Du bon bacon aux alentours de Noël. À part ça, qu'est-ce que vous me voulez ? J'ai dit hier soir à vos collègues que je n'avais pas la moindre idée de qui était ce garçon. Je ne l'avais jamais vu dans le secteur, ni rôder ni rien. Notre brave Mme Mopp dit qu'il venait d'un des palaces de Medenham Wells. Pourquoi n'a-t-il pas organisé un hold-up là-bas, si c'est ce qu'il voulait ? Ça lui aurait rapporté plus gros.

Ça, c'était indéniable. Craddock poursuivit son interrogatoire :

— Où vous trouviez-vous exactement au moment de l'incident ?

— L'incident ! Ça me rappelle ma période de service dans la défense passive. Là, j'en ai vu des incidents, faites-moi confiance. Où étais-je quand la fusillade a commencé ? C'est ça que vous voulez savoir ?

— Oui.

— Adossée à la cheminée, et priant Dieu qu'on ne tarde pas trop à m'offrir un verre, répondit sans détour Mlle Hinchliffe.

— Selon vous, ces coups de feu étaient tirés à l'aveuglette ou alors quelqu'un de bien précis était-il visé ?

— Vous me demandez si la cible était bien Letty Blacklock ? Comment diable voulez-vous que je le sache ? Une fois que tout est fini, il est déjà bougrement difficile de dire ce qu'on a vraiment ressenti ou ce qui s'est vraiment passé. Tout ce que je sais, c'est que les lumières se sont éteintes et qu'une torche électrique a balayé la pièce en nous aveuglant tous, et qu'ensuite les coups de feu ont retenti et que je me suis dit : « Si ce petit jean-foutre de Patrick Simmons se met à nous servir ses plaisanteries avec un revolver chargé, il va finir par blesser quelqu'un. »

— Vous pensiez qu'il s'agissait de Patrick Simmons ?

— Ma foi, ça paraissait probable. Edmund Swettenham est un intellectuel, il écrit des livres, il ne s'amuserait pas à faire le clown. Quant au vieux colonel Easterbrook, je doute qu'il apprécie ce genre de blague. Mais, avec Patrick, on peut s'attendre à tout. Enfin… je m'en veux quand même maintenant de l'avoir soupçonné.

— Votre amie aussi a cru que c'était lui ?

— Murgatroyd ? Vous feriez mieux de lui poser directement la question. Ne vous attendez pas pour autant à en tirer quoi que ce soit de sensé. Elle est au fond du verger. Je vais l'appeler, si vous voulez.

Mlle Hinchliffe fit gronder sa voix de stentor :

— Ohé, Murgatroyd !

— J'arrive, piaula une petite voix lointaine.

— Dépêche-toi, c'est la poli-ice ! rugit Mlle Hinchliffe.

Mlle Murgatroyd arriva en trottinant et tout essoufflée. L'ourlet de sa jupe était décousu, et des mèches rebelles s'échappaient de son filet mal ajusté. Son visage rond et bon enfant rayonnait.

— C'est Scotland Yard ? exhala-t-elle hors d'haleine. Si j'avais su, je n'aurais pas quitté la maison.

— Nous n'avons pas encore fait appel à Scotland Yard, mademoiselle Murgatroyd. Je suis l'inspecteur Craddock, de Milchester.

— Eh bien, je suis sûre que c'est parfait, répondit confusément Mlle Murgatroyd. Vous avez trouvé des indices ?

— Où étais-tu à l'heure du crime, voilà ce qu'il voudrait savoir ! dit Mlle Hinchliffe en décochant un clin d'œil au policier.

— Mon Dieu, souffla son amie. Bien sûr, j'aurais dû m'y attendre. Les alibis, bien sûr. Voyons… J'étais avec les autres.

— Tu n'étais pas avec moi, dit Mlle Hinchliffe.

— Mon Dieu, Hinch, c'est vrai ? Non, évidemment, j'étais en train d'admirer les chrysanthèmes. Des spécimens assez médiocres, en fait. Et c'est alors que tout est arrivé, sauf que je ne me suis pas rendu compte que c'était arrivé – je veux dire que je ne me rendais pas compte de ce qui était vraiment arrivé. Il ne m'était pas venu à l'esprit qu'il puisse s'agir d'un vrai revolver.

C'était si pénible, dans le noir, avec ces affreux hurlements. Vous savez, je n'ai rien compris. Je pensais que c'était elle qu'on assassinait – je veux dire la réfugiée. J'ai cru qu'on était en train de l'égorger, quelque part dans une autre pièce. J'ignorais que c'était lui – pour tout dire, je ne savais même pas qu'il y avait un homme. C'était juste une voix qui disait : « Levez les mains, s'il vous plaît. »

— « Les mains en l'air ! » rectifia Mlle Hinchliffe. Et il n'était pas question de « s'il vous plaît ».

— C'est affreux à dire, mais jusqu'à ce que cette fille se mette à crier, je m'amusais vraiment bien. Sauf que c'était assez désagréable d'être dans le noir, et que quelqu'un a marché sur mon cor. Ç'a été une douleur atroce. Y a-t-il autre chose que vous vouliez savoir, inspecteur ?

— Non, dit Craddock en la dévisageant d'un air pensif. Je ne pense pas, non.

Son amie s'esclaffa :

— Il t'a cataloguée, Murgatroyd.

— Je t'assure pourtant bien, Hinch, que je ne demande pas mieux que d'en dire le plus possible, répondit-elle.

— Il n'en demande pas tant ! rétorqua Mlle Hinchliffe.

Elle se tourna vers le policier :

— Si vous procédez géographiquement, je suppose que le presbytère est votre prochaine étape. Il se peut que vous y appreniez quelque chose. Mme Harmon a l'air d'une hurluberlue, mais je me dis parfois qu'elle ne manque pas de cervelle. Elle n'est pas banale, en tout cas.

Alors qu'elles regardaient les deux policiers s'éloigner, Amy Murgatroyd souffla :

— Dis-moi Hinch, est-ce que j'ai vraiment été très mauvaise ? Je me trouble si facilement !

— Pas du tout, sourit Mlle Hinchliffe. Dans l'ensemble, je trouve que tu t'en es très bien sortie.

*

L'inspecteur Craddock parcourut des yeux avec plaisir la grande pièce à l'ameublement miteux. Avec ses chintz délavés, ses grands fauteuils râpés, des fleurs et des livres dans tous les coins et un épagneul couché dans son panier, elle lui rappelait un peu son propre logement, dans le Cumberland. Il se prit aussi de sympathie pour Mme Harmon, avec son air égaré, le désordre de sa tenue et son visage enthousiaste.

— Ça m'étonnerait que je puisse vous aider, avoua-t-elle aussitôt avec franchise. Parce que j'avais fermé les yeux. Je ne supporte pas d'être éblouie. Et quand les coups de feu ont retenti, j'ai serré les paupières de toutes mes forces. Si seulement ç'avait pu être un meurtre silencieux ! Je déteste les coups de feu.

— Alors vous n'avez rien vu.

L'inspecteur lui sourit :

— Mais vous avez entendu… ?

— Seigneur Dieu, oui, et il y en avait suffisamment à entendre. Des portes qui s'ouvraient et se fermaient, des gens qui disaient des âneries ou qui hoquetaient de stupeur, et cette satanée Mitzi qui hurlait comme une locomotive à vapeur… et la pauvre Bunny, qui poussait des couinements de souris prise au piège. Tout le monde se bousculait et tombait cul par-dessus tête. Mais quand les coups de feu ont eu l'air de s'arrêter, j'ai ouvert les yeux. À ce moment-là, tout le monde s'était précipité dans le vestibule avec des bougies. Et alors la lumière est revenue, et tout est redevenu normal – enfin, pas vraiment normal, si vous voyez ce que je veux dire… mais nous, en tout cas, nous étions au moins redevenus nous-mêmes, nous n'étions plus des gens perdus dans le noir. Les gens sont très différents dans l'obscurité, vous ne trouvez pas ?

— Je crois que je vois ce que vous voulez dire, madame Harmon.

Elle lui sourit.

— Et cet homme étendu par terre, continua-t-elle. Un étranger avec un visage de fouine… les joues roses et l'air tout surpris… mort… avec un revolver à côté de lui. Il y avait… oh ! il y avait quelque chose qui ne collait pas, dans tout ça.

C'était aussi l'avis de l'inspecteur.

Par quel bout qu'il la prenne, cette affaire le turlupinait.

8

MISS MARPLE ENTRE EN SCÈNE

Craddock déposa le rapport dactylographié des divers interrogatoires sur le bureau du chef de la police. Ce dernier venait de prendre connaissance du câble envoyé par les autorités suisses.

— Il avait donc un casier, marmonna Rydesdale. Hum ! c'est bien ce que nous pensions.

— Oui, monsieur.

— Des bijoux… oui… faux en écritures… chèques… Pas de doute, c'était bien un malfrat.

— Oui, monsieur – qui travaillait à petite échelle.

— En effet. On commence par des petites choses, et on passe aux grandes.

— Je me le demande, monsieur.

Le chef de la police leva les yeux :

— Quelque chose vous tracasse, Craddock ?

— Oui, monsieur.

— Pourquoi ? L'affaire me paraît claire. Ou est-ce que je me trompe ? Voyons ce que tous ces gens avaient à raconter.

Il prit le rapport et le parcourut rapidement :

— Comme d'habitude, des déclarations inconsistantes et contradictoires. Après un coup de panique, les gens ne décrivent jamais les événements de la même façon. Enfin, on a tout de même une idée générale de ce qui s'est passé.

— Je sais, monsieur, mais elle ne me satisfait pas. Vous voyez ce que je veux dire : le scénario ne colle pas.

— Eh bien, reprenons les faits. Rudi Scherz prend le car de 17 h 20 à Medenham en direction de Chipping Cleghorn, où il arrive à 18 heures. Témoignage du chauffeur et de deux passagers. À l'arrêt du car, il prend le chemin de Little Paddocks. Il entre dans la maison sans difficulté, sans doute par la porte principale. Il braque un revolver sur les invités, tire deux coups de feu, blessant légèrement Mlle Blacklock à l'oreille, puis se tue d'un troisième coup de feu, volontairement ou pas – nous n'avons pas suffisamment de preuves pour en décider. Les raisons qui l'ont poussé à agir sont plutôt obscures, je l'admets. Mais ce n'est pas à nous de trancher. Un jury pourra conclure au suicide, ou à l'accident. Quel que soit le verdict, pour nous, le résultat est le même. Nous n'avons plus qu'à clore le dossier.

— Vous voulez dire que nous pouvons toujours nous rabattre sur la psychologie du colonel Easter-brook, dit Craddock, l'air sombre.

Rydesdale sourit :

— Après tout, le colonel a sans doute pas mal d'expérience. Ce jargon psychologique que tout le monde emploie à tort et à travers de nos jours me tape sur les nerfs – mais on ne peut pas s'en passer complè-tement.

— Je persiste à croire que cette histoire ne colle pas, monsieur.

— Auriez-vous des raisons de croire que quelqu'un vous a menti à Chipping Cleghorn ?

— Je crois que cette étrangère en sait plus qu'elle n'en dit, répondit Craddock après une hésitation. Mais ce n'est peut-être qu'un préjugé de ma part.

— Vous croyez qu'elle a pu être la complice de ce type ? Qu'elle l'a fait entrer dans la maison, ou lui a fourni le tuyau ?

— Quelque chose comme ça. Cela ne m'étonnerait pas. Mais cela prouverait qu'il y avait des objets de valeur dans la maison, de l'argent ou des bijoux, or il semble que ce ne soit pas le cas. Mlle Blacklock me l'a tout de suite affirmé, les autres aussi. Reste la possibi-lité qu'il y ait eu des objets de valeur dans la maison, mais à l'insu de tous…

— Une vraie intrigue de roman policier.

— C'est ridicule, je sais, monsieur. Autre chose : Mlle Bunner est certaine que Scherz a délibérément visé Mlle Blacklock.

— Eh bien, selon vos propres dires, et d'après ses déclarations, cette Mlle Bunner…

— Oh ! vous avez raison, monsieur, s'empressa d'ajouter Craddock. C'est un témoin sur qui on ne peut pas compter. Très influençable. N'importe qui pourrait lui faire gober n'importe quoi – mais il est intéressant de noter qu'il s'agit là de sa propre théorie. Personne ne la lui a suggérée. Tout le monde affirme le contraire de ce qu'elle dit. Pour une fois, elle n'aboie pas avec les loups. C'est vraiment son impression personnelle.

— Et pourquoi Rudi Scherz aurait-il voulu tuer Mlle Blacklock ?

— Nous y voilà, monsieur. Je n'en sais rien. Mlle Blacklock l'ignore, à moins qu'elle ne mente beaucoup mieux que je ne le crois. Personne ne sait pourquoi. On peut donc penser que c'est faux.

Il soupira.

— Gardez le moral, Craddock, conseilla le chef de la police. Je vous emmène déjeuner avec sir Henry. Ce que l'hôtel Royal Spa, de Medenham Wells, pourra nous offrir de mieux.

— Merci, monsieur, répondit Craddock, un peu surpris.

— Voyez-vous, nous avons reçu une lettre…

Il s'interrompit en voyant sir Henry arriver. Puis :

— Ah ! vous voici, Henry.

— Bonjour, Dermot, lança ce dernier, plus familier qu'à sa dernière visite.

— J'ai quelque chose pour vous, Henry, annonça Rydesdale.

— Qu'est-ce que c'est ?

— Une authentique lettre de petite vieille. Elle séjourne au Royal Spa, et veut nous informer de quelque chose ayant trait à l'affaire de Chipping Cleghorn.

— Braves petites vieilles ! triompha sir Henry. Qu'est-ce que je vous disais ? Elles entendent tout. Elles voient tout. Et elles n'aiment rien tant que de médire de leur prochain. Qu'est-ce que la vôtre a découvert ?

Rydesdale consulta la lettre et se mit à gémir :

— Elle écrit comme mon arrière-grand-mère. Des pattes de mouche, et tout est souligné. Un tas de verbiage pour expliquer combien elle s'en voudrait de nous faire perdre notre temps si précieux mais à quel point elle pense pouvoir nous aider à sa modeste mesure, etc., etc. Comment s'appelle-t-elle ? Jane quelque chose… Murple, non, Marple. Jane Marple.

— Sacré nom d'une pipe ! éructa sir Henry. Pas possible ! George, c'est ma petite vieille à moi – la seule, l'unique, la meilleure de toutes ! Et au lieu de rester bien sagement chez elle, à St Mary Mead, voilà qu'elle a trouvé le moyen de se trouver à Medenham Wells, juste au moment d'une affaire de meurtre. Une fois de plus, un meurtre a été commis – au bénéfice et à la plus grande joie de miss Marple.

— Eh bien, Henry, ricana Rydesdale, je vais me faire une joie de rencontrer votre parangon des détectives. Venez ! Nous allons déjeuner au Royal Spa, et interroger cette digne personne. Notre ami Craddock semble on ne peut plus sceptique.

— Pas du tout, monsieur, répondit poliment ce dernier.

Il n'en estimait cependant pas moins que son parrain dépassait parfois les bornes.

*

Miss Jane Marple correspondait presque en tous points à l'image que Craddock s'en était faite. Elle était cependant beaucoup plus affable, et bien plus âgée, qu'il ne l'avait imaginé. Elle semblait en effet très vieille avec ses cheveux blancs comme neige, son visage rose tout ridé, ses yeux bleus au regard candide et le vaporeux nuage de laine dans lequel elle était empêtrée : la laine de la pèlerine au crochet qui lui enveloppait les épaules, et la laine du tricot qu'elle confectionnait et qui se voulait un châle pour bébé.

Elle se répandit en expressions incohérentes de ravissement et de plaisir à la vue de sir Henry, et son émoi fut à son comble quand on lui présenta le chef de la police du comté et l'inspecteur Craddock.

— Vraiment, sir Henry, quelle chance… quelle chance merveilleuse ! Cela faisait si longtemps que je ne vous avais vu… Oui, mes rhumatismes. Ils ne m'ont guère laissé de répit ces derniers temps. Bien sûr, je n'aurais jamais pu me permettre de séjourner dans cet hôtel – c'est insensé ce que tout est hors de prix, de nos jours ! –, mais Raymond... mon neveu... Raymond West, vous en avez sans doute entendu parler...

— Tout le monde connaît son nom.

— Oui, le cher garçon a beaucoup de succès avec ses livres tellement brillants – il se targue de ne jamais rien écrire sur des sujets agréables. Ce cher enfant a insisté pour payer tous mes frais. Et son adorable épouse commence elle aussi à se faire un nom dans le monde artistique. Elle peint essentiellement des bouquets de fleurs fanées, et des peignes cassés sur des rebords de fenêtres. Je n'oserai jamais le lui avouer, mais j'en suis restée à Blair Leighton et Alma Tadema. Oh ! mais je bavarde, je bavarde, et le chef de la police du comté qui est venu en personne, vraiment, si je m'attendais... je ne voudrais surtout pas abuser de votre temps.

« Complètement gâteuse », se dit l'inspecteur Craddock, désabusé.

— Venez donc dans le salon privé du directeur, proposa Rydesdale. Nous y serons mieux pour parler.

Après s'être dégagée de ses lainages et avoir rassemblé ses aiguilles à tricoter, miss Marple, poursuivant son babillage, les suivit dans le confortable salon de M. Rowlandson.

— Eh bien, miss Marple. Qu'avez-vous donc à nous raconter ? demanda le chef de la police.

Miss Marple en vint au fait avec une rapidité inattendue :

— C'est à propos d'un chèque. D'un chèque qu'il avait falsifié.

— « Il » ?

— Le jeune homme qui travaillait à la réception, celui qui est censé avoir mis en scène ce hold-up et s'être tué.

— Vous dites qu'il avait falsifié un chèque ?

Miss Marple acquiesça :

— Oui. Je l'ai sur moi.

Elle le sortit de son sac et le posa sur la table :

— Il m'est revenu de la banque ce matin, avec mes autres chèques. Comme vous le voyez, la somme était de sept livres, et il l'a transformée en dix-sept : un bâton devant le 7 sur la ligne « en chiffres » et le mot dix suivi d'un trait d'union sur la ligne « en toutes lettres », le tout agrémenté d'une providentielle tache d'encre au bon endroit. C'est vraiment du joli travail... et qui dénote une certaine expérience. Il s'agit de la même encre, car j'avais rempli ce chèque à la réception. Je gagerais volontiers qu'il n'en était pas à son coup d'essai.

— N'empêche qu'il avait cette fois-ci misé sur le mauvais cheval, observa sir Henry.

Miss Marple en convint :

— Oui. Je crains fort qu'il ne lui aurait jamais été donné de faire une grande carrière de criminel. C'était une erreur que de s'attaquer à moi. Une jeune mariée dépassée par les événements, ou une jeune fille amoureuse... voilà le genre de personne qui signe des chèques à tort et à travers et ne jette qu'un regard distrait sur ses relevés bancaires. Mais s'en prendre à une vieille dame qui doit compter chaque penny, et qui a ses petites habitudes – ce n'est pas vraiment le bon choix. Je ne fais jamais de chèques de dix-sept livres. Vingt livres, un compte rond, pour les gages du mois et mes livres. Et pour mes dépenses personnelles, je retire d'habitude sept livres en liquide – avant, c'était cinq, mais tout est devenu si cher.

— Et peut-être vous a-t-il également rappelé quelqu'un ? demanda sir Henry avec une lueur de malice dans les yeux.

— Vous me taquinez, sir Henry, sourit miss Marple. Mais il se trouve que vous avez en l'occurrence raison. Il m'a fait penser à Fred Tyler, le poissonnier, qui ajoutait toujours un 1 dans la colonne des shillings. Comme on mange beaucoup de poisson, de nos jours, les additions étaient toujours assez longues, et personne ne prenait la peine de refaire le calcul. Cela lui faisait gagner dix shillings à chaque fois. Ce n'était pas grand-chose, mais ça lui était suffisant pour s'acheter quelques cravates et emmener Jessie Spragge – la vendeuse de la boutique de mode – au cinéma. Se distinguer, voilà ce que veulent ces jeunes gens. Eh bien, la première semaine de mon séjour ici, il y avait déjà une erreur dans ma note. Je l'ai fait remarquer à ce garçon, qui s'est excusé bien poliment et en a paru très contrarié, mais je me suis fait la réflexion tout de suite : « Toi, mon bonhomme, tu as un regard louche. »

« Ce que j'entends par un regard louche, c'est ce genre de regard qu'ont certaines personnes qui vous fixent droit dans les yeux, sans jamais les détourner ni battre des paupières.

Craddock eut un geste d'approbation. « Jim Kelly tout craché », se dit-il en songeant à un escroc notoire qu'il avait réussi à envoyer derrière les barreaux peu de temps auparavant.

— Rudi Scherz était un personnage foncièrement malhonnête, dit Rydesdale. Il avait un casier judiciaire en Suisse.

— Je suppose qu'il s'était fait repérer là-bas, et qu'il est venu ici à l'aide de faux papiers ?

— Absolument, confirma Rydesdale.

— Il fréquentait la petite serveuse rousse du restaurant, reprit la vieille demoiselle. Heureusement, je ne pense pas qu'elle soit trop affectée par ces événements. Ce qui lui plaisait, c'était de sortir avec quelqu'un de « différent », qui lui offrait des fleurs et des chocolats, ce que nos jeunes Anglais ne font guère. Vous a-t-elle dit tout ce qu'elle savait ? demanda-t-elle en se tournant brusquement vers Craddock. Ou peut-être pas encore tout à fait ?

— Je n'en suis pas très sûr, dit prudemment le policier.

— À mon avis, elle n'a pas tout dit. Elle a l'air préoccupée. D'habitude, c'est une serveuse irréprochable. Mais, ce matin, elle m'a servi des kippers au lieu de harengs, et elle a oublié le pot de lait. Oui, elle est inquiète. Elle craint peut-être d'avoir à témoigner. Mais je ne doute pas…

Ses yeux bleus et candides jaugèrent avec une assurance toute victorienne la silhouette virile et le visage séduisant de l'inspecteur Craddock :

— Non, je ne doute pas que vous soyez à même de lui faire raconter tout ce qu'elle sait.

L'inspecteur Craddock rougit, et sir Henry émit un petit rire.

— Cela peut se révéler d'une grande importance, reprit miss Marple. Il lui a peut-être dit qui c'était.

Rydesdale ouvrit de grands yeux :

— Qui était quoi ?

— Je me suis mal exprimée. Je voulais parler de la personne qui l'avait mis sur ce coup.

— Alors vous pensez que quelqu'un l'a poussé à agir ?

Les yeux de la vieille demoiselle s'écarquillèrent de surprise :

— Comment pouvez-vous en douter ? Voici un jeune homme qui présente bien, qui traficote un peu par-ci, par-là, qui falsifie un petit chèque, qui ramasse un colifichet qui traîne, ou qui tape un peu dans la caisse… bref, des délits mineurs. Il s'assure ainsi des revenus suffisants pour s'acheter de beaux vêtements, sortir une jeune fille, ce genre de choses. Et d'un seul coup, armé d'un revolver, il braque une pièce pleine de monde et tire sur quelqu'un. Il n'aurait jamais fait une chose pareille ! Ce n'était pas son genre. Ça ne tient pas debout.

Craddock poussa un profond soupir. C'était, en gros, ce que Letitia Blacklock avait déclaré, tout comme la femme du pasteur. Et c'était ce qu'il pensait de plus en plus lui-même. Ça ne tenait pas debout. Et voilà maintenant que la fameuse petite vieille de sir Henry l'affirmait aussi, de sa voix flûtée de vieille dame et avec une certitude absolue.

— En ce cas, miss Marple, vous allez peut-être nous raconter ce qui s'est réellement passé ? fit-il d'un ton soudain agressif.

Elle le regarda avec étonnement :

— Mais comment le saurais-je ? Il y a eu un compte rendu dans le journal, mais ils ne donnaient aucun détail. Bien sûr, on peut émettre des hypothèses, mais on ne dispose d'aucun renseignement précis.

— George, intervint sir Henry. Je sais que ce n'est pas très orthodoxe, mais miss Marple pourrait-elle lire le rapport des interrogatoires menés par Craddock à Chipping Cleghorn ?

— C'est sans doute assez peu orthodoxe, reconnut Rydesdale, mais ce n'est pas l'orthodoxie qui m'a permis d'arriver là où je suis. Qu'elle le lise. Je serais curieux d'entendre ce qu'elle aura à en dire.

Miss Marple était toute confusion :

— J'ai l'impression que vous vous êtes laissé influencer par sir Henry, minauda-t-elle. Il est toujours trop gentil. Il surestime les petites remarques que j'ai pu émettre par le passé. En fait, je n'ai aucun don particulier, aucun, sauf peut-être une certaine connaissance de la nature humaine. Je trouve que les gens sont en général bien trop confiants. Personnellement, j'aurais hélas ! plutôt tendance à toujours envisager le pire. Cela n'a rien d'une qualité, mais après coup les événements me donnent souvent raison.

— Lisez ceci, dit Rydesdale en lui fourrant le rapport dactylographié entre les mains. Cela ne vous prendra pas longtemps. Après tout, ces gens sont de votre milieu, vous devez connaître beaucoup de leurs semblables. Peut-être remarquerez-vous un détail qui nous aura échappé. L'affaire est sur le point d'être classée. Prenons donc l'avis d'un amateur avant de clore le dossier. Je ne vous cache pas que Craddock, ici présent, n'est pas satisfait. Comme vous, il dit que cette histoire ne tient pas debout.

Le silence se fit pendant que miss Marple parcourait le document. Elle le reposa bientôt avec un soupir :

— C'est très intéressant, toutes ces remarques différentes que les gens peuvent formuler… et qui sont sincères. Ce qu'ils voient… ou ce qu'ils croient voir. Mais tout cela est tellement emberlificoté – et presque toujours tellement insignifiant –, que quand un unique détail présente une quelconque valeur, le discerner relève de la bouteille à l'encre… de l'aiguille dans la botte de foin.

Craddock éprouva une légère déception. Il s'était pendant quelques instants demandé si sir Henry n'avait pas raison au sujet de cette drôle de vieille dame. Elle aurait pu mettre le doigt sur quelque chose : les personnes âgées vous surprennent souvent par leur vivacité d'esprit. C'est ainsi qu'il n'avait jamais été capable de dissimuler quoi que ce fût à sa propre grand-tante Emma. Elle avait fini par lui révéler que son nez bougeait quand il était sur le point de mentir.

Mais quelques généralités sans intérêt, voilà tout ce que la fameuse miss Marple était capable de leur fournir. Il en fut agacé, et lui dit un peu sèchement :

— Ce qui ressort de tout ça, c'est que les faits sont indiscutables. Quels que soient les détails contradictoires qu'ont donnés ces gens dans leurs témoignages, il y a une chose qu'ils ont tous vue. Ils ont vu un homme masqué, tenant un revolver et une torche, ouvrir la porte et les menacer. Qu'ils aient entendu « Les mains en l'air », ou « La bourse ou la vie », ou toute autre expression liée dans leur esprit à un hold-up, tous les témoins ont vu cet homme.

— Mais enfin ! s'insurgea miss Marple avec douceur. Le problème, c'est qu'ils ne pouvaient... c'est qu'en réalité, ils n'ont rien pu voir du tout...

Craddock en avala sa salive de travers. Elle avait mis le doigt dessus ! Elle n'était pas si gâteuse que ça, après tout. Il avait voulu l'impressionner avec son petit discours, mais elle ne s'était pas laissé avoir. Cela ne changeait rien aux faits ni à ce qui s'était passé, mais elle s'était rendu compte, au même instant que lui d'ailleurs, que ces gens qui disaient avoir vu un homme masqué les tenir en respect n'avaient, en tout état de cause, jamais été en mesure de le voir.

— À moins que je ne m'abuse, reprit la vieille demoiselle, le rose aux joues et les yeux pétillants comme ceux d'un enfant, il n'y avait pas de lumière dans le vestibule, ni sur le palier du premier étage ?

— C'est exact, confirma Craddock.

— Par conséquent, si un homme se tenait dans l'embrasure de la porte en braquant une torche vers l'intérieur de la pièce, personne n'a pu voir autre chose que cette torche, n'est-ce pas ?

— En effet. J'en ai fait moi-même l'expérience.

— Alors quand certains d'entre eux affirment avoir vu un homme masqué, ils ne font que reconstituer inconsciemment la scène d'après ce qu'ils ont vu *après coup*, quand la lumière est revenue. Cela concorde donc parfaitement, n'est-ce pas ? – avec l'hypothèse selon laquelle Rudi Scherz aurait été le… – je crois que le terme exact est « le pigeon ».

Rydesdale l'observait d'un regard si surpris qu'elle en rosit encore davantage.

— J'ai dû commettre une erreur de vocabulaire, murmura-t-elle. Je ne suis pas très au fait de ce langage, et il paraît qu'il évolue très vite. J'ai relevé ce terme dans un roman de M. Dashiel Hammett. D'après mon neveu Raymond, c'est actuellement le meilleur dans ce qu'on appelle « le roman noir ». Si j'ai bien compris, un « pigeon » est un individu qui se verra « épinglé » pour un crime en réalité commis par une tierce personne. Ce Rudi Scherz me semble avoir été le candidat parfait pour ce rôle. Plutôt stupide, au fond, mais âpre au gain, et sans nul doute excessivement crédule.

— Suggérez-vous que quelqu'un l'aurait persuadé d'aller là-bas et de tirer au petit bonheur dans une pièce bourrée de monde ? demanda Rydesdale avec un sourire plein d'indulgence. Drôle de contrat.

130

— À mon avis, on lui aura dit qu'il s'agissait d'une blague, corrigea miss Marple. Et on l'aura bien évidemment payé pour sa peine. À savoir payé pour passer la petite annonce dans le journal, aller vérifier l'état des lieux et pour ensuite, à la date prévue, pénétrer dans la maison, mettre un masque et une cape noire et ouvrir brusquement la porte en brandissant une torche et en criant « Les mains en l'air ! ».

— Et puis tirer des coups de revolver ?

— Non, non, dit miss Marple. Il n'a jamais eu de revolver.

— Mais tout le monde a déclaré…

Rydesdale s'interrompit au beau milieu de sa phrase.

— Exactement, dit miss Marple. Personne n'aurait pu voir le revolver – même s'il en avait eu un, ce dont je doute. Je crois qu'après que Scherz eut dit : « Les mains en l'air ! », quelqu'un s'est glissé derrière lui dans le noir et a tiré ces deux coups de feu par-dessus son épaule. Ce qui l'aura terrorisé. Il se sera retourné, et c'est à ce moment-là que la tierce personne l'aura abattu, puis aura laissé tomber l'arme près du corps.

Les trois hommes regardèrent la vieille demoiselle.

— C'est là une théorie plausible, murmura sir Henry.

— Mais qui est ce M. X qui serait arrivé dans le noir ? demanda Rydesdale.

Miss Marple toussota :

— Il faudra que vous fassiez dire à Mlle Blacklock qui voulait la tuer.

Un bon point pour Mlle Bunner, songea Craddock. Une fois de plus, l'instinct prenait le pas sur l'intelligence.

— Vous pensez donc qu'on a voulu attenter à la vie de Mlle Blacklock ? demanda Rydesdale.

— Tout semble l'indiquer, en tout cas, déclara miss Marple. Bien que cela soulève un ou deux petits problèmes. Mais ce que je me demandais, en fait, c'est si l'on ne pourrait pas user d'un raccourci. Je suis certaine que quiconque a conclu cet arrangement avec Rudi Scherz lui aura intimé l'ordre de n'en souffler mot à âme qui vive, mais s'il en a parlé à quelqu'un, ce ne peut être qu'à la jeune Myrna Harris. Et il a peut-être – je dis bien peut-être – laissé échapper un indice concernant l'identité de l'individu qui lui avait proposé cette mise en scène.

— Je vais aller la voir tout de suite, décréta Craddock en se levant.

Miss Marple approuva :

— S'il vous plaît, inspecteur. Je serai soulagée quand ce sera fait. Parce qu'une fois qu'elle aura révélé tout ce qu'elle sait, elle sera beaucoup plus en sécurité.

— En sécurité… ? Oui, je vois.

Il quitta la pièce. Et le chef de la police du comté, sceptique mais bien élevé, résuma l'opinion générale :

— Il n'y a pas à dire, miss Marple, vous nous avez donné là matière à réflexion.

*

— J'ai des remords, vous savez, je vous assure que j'ai des remords, insista Myrna Harris. Et c'est vraiment très gentil à vous de ne pas m'en vouloir. Mais, vous savez, maman est du genre à faire des montagnes pour un rien. Et j'aurais eu tout l'air d'être... – comment dit-on, déjà ? – d'être complice par instigation... complice avant l'heure, quoi !

Elle parlait vite, pressée de se justifier :

— Enfin, ce que je veux dire, c'est que j'avais peur que vous ne me croyiez pas si je vous disais que j'avais pris tout ça pour de la rigolade.

L'inspecteur Craddock répéta la phrase rassurante qui était venue à bout des réticences de Myrna.

— D'accord, acquiesça-t-elle enfin. Je vais tout vous dire. Mais vous me laisserez en dehors de tout ça, si vous pouvez, à cause de maman ? Tout a commencé quand Rudi a annulé un rendez-vous qu'on avait tous les deux. On devait aller au cinéma, ce soir-là, et le voilà qui me dit qu'il ne pourra pas venir, aussi, j'étais un peu remontée contre lui... parce qu'après tout, c'était son idée, et puis que ça ne me plaisait pas de me faire poser un lapin par un étranger. Alors il m'a dit que ce n'était pas de sa faute, et moi je lui ai répondu qu'il ne fallait pas me la faire, sur quoi il a fini par me dire qu'il allait se payer une tranche de franche rigolade ce soir-là – et que ça n'allait pas lui coûter un rond, bien au contraire, et est-ce que ça ne me ferait pas plaisir de me faire offrir un bracelet-montre ? Alors j'ai répondu : « Qu'est-ce que tu entends par une tranche de rigolade ? » Et il m'a dit de ne le répéter à personne, mais qu'il allait y avoir une fête quelque part et qu'il devait organiser un faux braquage. Ensuite, il m'a montré la petite annonce qu'il avait passée dans le journal, et je n'ai pas pu m'empêcher de rire. Lui, il traitait un peu ça avec mépris. Il disait que c'était des trucs de gosses, mais que ça ne l'étonnait pas des Anglais : ils ne devenaient jamais adultes. Alors, bien sûr, je lui ai demandé de quel droit il se permettait de parler de nous comme ça, et on s'est un peu disputés, mais ça s'est finalement tassé. Seulement vous comprenez bien, n'est-ce pas, monsieur, que quand j'ai lu dans les journaux que ça n'avait rien eu d'une blague, et que Rudi avait tiré sur quelqu'un avant de se tirer dessus lui-même... eh bien, je n'ai plus su quoi faire. Je me disais que si j'avouais que j'étais au courant depuis le début, les gens croiraient que j'étais dans le coup. Et pourtant ça avait vraiment eu l'air d'une blague quand il me l'avait raconté. J'aurais juré qu'il disait la vérité. Je ne savais même pas qu'il avait un revolver. Il ne m'a jamais parlé d'en emporter un.

Craddock la rassura et lui posa la question cruciale :

— Vous a-t-il dit qui avait organisé cette fête ?

Mais là il fit chou blanc.

— Il ne m'a jamais dit qui l'avait chargé de faire ça. Personne, si ça se trouve. Je pense qu'il avait monté toute l'affaire lui-même.

— Il n'a cité aucun nom ? Il n'a même pas dit « il » ou « elle » ?

— Tout ce qu'il m'a dit, c'est qu'il allait bien se fendre la pêche. « Rien qu'à voir leurs têtes, je vais me tordre de rire. » Voilà ce qu'il m'a dit.

Il n'avait guère eu le temps de rire, songea Craddock.

*

— Ce n'est qu'une hypothèse, dit Rydesdale tandis qu'ils roulaient vers Medenham. Rien de fondé. Mettons cela sur le compte des vapeurs d'une vieille fille, et laissons tomber.

— J'aimerais mieux pas, monsieur.

— Tout ça est hautement improbable. Un mystérieux M. X qui apparaît soudain dans le noir derrière notre ami suisse. D'où vient-il ? Qui est-il ? Où était-il ?

— Il a pu entrer par la porte latérale, dit Craddock, tout comme Scherz. Ou alors, ajouta-t-il lentement, il a pu passer par la cuisine.

— Elle a pu passer par la cuisine, vous voulez dire ?

— Oui, monsieur, c'est une possibilité. Depuis le début, cette fille ne m'inspire pas confiance. Elle m'a tout l'air de ne pas valoir la corde pour la pendre, si je puis m'exprimer ainsi. Ces hurlements, cette crise d'hystérie… elle a très bien pu jouer la comédie. Elle a pu manigancer toute l'histoire, monter la tête à ce jeunot, le faire entrer au moment propice, lui tirer dessus, se précipiter dans la salle à manger, attraper son argenterie et sa peau de chamois, et se lancer dans son numéro d'hystérique.

— Ce qui est contredit par le fait que… euh – comment s'appelle-t-il, déjà ? – ah oui, Edmund Swettenham, affirme que la porte était fermée à clef de l'extérieur, et qu'il a tourné la clef dans la serrure pour la libérer. Il y a d'autres portes qui communiquent avec cette partie de la maison ?

— Oui, il y en a une, juste sous l'escalier, qui mène à l'escalier de service et à la cuisine… mais, apparemment, la poignée est cassée depuis trois semaines et personne n'est encore venu la réparer. En attendant, impossible de l'ouvrir. Et j'avoue que cette histoire me paraît juste. J'ai vu la tige métallique et les deux poignées sur une étagère du vestibule, près de ladite porte, et elles étaient couvertes de poussière – ce qui n'empêche qu'un professionnel trouverait moyen de passer par là sans problème.

— Nous ne ferions pas mal d'éplucher le dossier de cette fille. Voyez si ses papiers sont en règle. Encore que tout cela me paraisse bien hypothétique.

Une fois de plus, le chef de la police adressa un regard interrogateur à son subordonné.

— Je sais, monsieur, répondit posément Craddock. Bien sûr, si vous estimez qu'il faut clore le dossier, il le faut. Mais j'aimerais travailler dessus encore quelque temps.

Il eut la surprise d'entendre son patron lui exprimer son approbation :

— C'est bien, mon garçon.

— Nous pouvons partir du revolver. Si notre hypothèse est exacte, il n'appartenait pas à Scherz et, en tout état de cause, personne jusqu'à présent n'a su nous dire si Scherz possédait une arme.

— Il est de marque allemande.

— Je sais, monsieur. Mais le pays fourmille d'armes de fabrication étrangère. Tous les Américains en ont rapporté après la guerre, et nos hommes aussi. Ce n'est donc pas un élément significatif.

— Vous avez raison. Y a-t-il d'autres pistes ?

— Il doit bien y avoir un mobile. Si notre théorie est valable, l'histoire de vendredi n'était ni une simple blague ni un hold-up ordinaire mais une tentative de meurtre prémédité. On a tenté de tuer Mlle Blacklock. Mais pourquoi ? Il me semble que si quelqu'un connaît la réponse, ce ne peut-être que Mlle Blacklock elle-même.

— Apparemment, elle refuse pourtant de le croire.

— Elle se refuse à croire que Rudi Scherz ait voulu la tuer. Et elle a raison. Mais il y a autre chose, monsieur.

— Oui ?

— L'assassin risque de faire une nouvelle tentative.

— Ce qui, évidemment, confirmerait notre hypothèse, ironisa le chef de la police. Au fait, prenez soin de miss Marple, voulez-vous ?

— Miss Marple ? Pourquoi ?

— J'ai cru comprendre qu'elle allait s'installer au presbytère de Chipping Cleghorn et se rendre deux fois par semaine à Medenham Wells pour sa cure. Il semble que Mme Machin-chouette soit la fille d'une vieille amie à elle. En fait de petite vieille, elle a plutôt du nez et de la cervelle. Mais enfin, je suppose qu'elle n'a pas une vie rigolote et que fouiner à la recherche d'un éventuel meurtrier y ajoute un peu de piment.

— J'aurais préféré qu'elle reste où elle est, dit sombrement Craddock.

— Vous avez peur de l'avoir dans les jambes ?

— Ce n'est pas ça, monsieur, mais c'est une gentille petite vieille. Je ne voudrais pas qu'il lui arrive malheur… dans l'hypothèse, bien sûr, où notre théorie serait fondée.

9

OÙ IL EST QUESTION D'UNE PORTE

— Désolé de vous déranger de nouveau, mademoiselle Blacklock…

— Oh ! ce n'est rien. J'imagine que, l'enquête étant ajournée d'une semaine, vous comptez en profiter pour rassembler de nouvelles preuves ?

L'inspecteur Craddock acquiesça :

— Pour commencer, mademoiselle Blacklock, Rudi Scherz n'était pas le fils du propriétaire de l'Hôtel des Alpes, à Montreux. Il semble qu'il ait commencé sa carrière comme infirmier dans un hôpital de Berne. De nombreux patients s'y sont plaints de la disparition de bijoux. Sous un autre nom, il a été serveur dans une petite station de sports d'hiver. Là, sa spécialité était d'établir des doubles des notes de restaurant, sur lesquels figuraient des plats non mentionnés sur les originaux. Bien entendu, il se mettait la différence dans la poche. Ensuite il a travaillé dans un grand magasin de Zurich. À l'époque où il y était, on a constaté une augmentation du nombre des vols à l'étalage, qui apparemment n'étaient pas imputables aux seuls clients.

— En fait, c'était un voleur à la petite semaine, trancha Mlle Blacklock. J'avais donc raison de penser que je ne l'avais jamais rencontré.

— En effet. La police suisse commençait à s'intéresser à lui d'un peu trop près. Il est donc venu en Angleterre avec de faux papiers parfaitement imités et s'est fait embaucher au Royal Spa. Quelqu'un vous y a sans doute signalée à lui et il aura fait semblant de vous reconnaître.

— Parfait terrain de chasse, grinça Mlle Blacklock. Le Royal Spa coûte les yeux de la tête, et des gens très riches y séjournent. Certains ne vérifient pas leurs notes, je suppose.

— C'est vrai, dit Craddock. Il pouvait s'attendre à récolter un bon butin.

Mlle Blacklock fronça les sourcils :

— Je l'imagine sans peine. Mais pourquoi venir à Chipping Cleghorn ? Qu'espérait-il trouver de mieux ici que dans ce palace ?

— Vous maintenez qu'il n'y a pas le moindre objet de grande valeur dans la maison ?

— Puisque je vous le dis. Je suis quand même bien placée pour le savoir. Je peux vous garantir, inspecteur, que nous ne recelons aucun Rembrandt inconnu ni quoi que ce soit de ce genre.

— En ce cas, il semble que votre amie Mlle Bunner ait eu raison. Il est venu pour vous tuer.

(« Tu vois, Letty, qu'est-ce que je te disais ? »

« Oh, ne sois pas ridicule, Bunny ! »)

— Car enfin l'idée est-elle après tout si ridicule que ça ? reprit Craddock. Personnellement, je pense que c'est la vérité, vous savez.

Mlle Blacklock regarda le policier dans le blanc des yeux :

— Bon, mettons les choses au point. Vous croyez réellement que ce garçon est venu faire son apparition après avoir passé une petite annonce pour que la moitié du village, brûlant de curiosité, soit présente à l'heure dite et…

— Mais il ne s'attendait peut-être pas à ce que ces gens viennent ! coupa Mlle Bunner. Il ne s'agissait sans doute que d'un monstrueux avertissement – à *ton* intention, Letty, et à ta seule intention –, voilà comment je l'ai interprétée sur le moment. Un *meurtre sera commis*… j'ai tout de suite senti au plus profond de moi que c'était macabre… Si tout s'était passé comme prévu, il t'aurait tuée, il serait reparti comme il était venu – et comment aurait-on jamais pu découvrir qui était l'assassin ?

— Tu n'as pas tort, reconnut Mlle Blacklock, mais…

— Je savais bien que cette petite annonce n'était pas une plaisanterie, Letty. Je te l'avais bien dit. Et prends Mitzi, par exemple. Elle aussi, elle a eu une peur bleue !

— À propos de Mitzi, intervint Craddock. J'aimerais en savoir un peu plus sur le compte de cette jeune femme.

— Tous ses papiers sont parfaitement en règle.

— Je n'en doute pas, ironisa l'inspecteur. Les papiers de Scherz avaient l'air parfaitement en règle, eux aussi.

— Mais, encore une fois, pourquoi ce Rudi Scherz aurait-il voulu m'assassiner ? C'est ce que vous ne semblez pas pressé de m'expliquer, inspecteur.

— Il y a peut-être eu quelqu'un derrière Scherz, répondit lentement le policier. Avez-vous songé à cela ?

Il avait usé là d'une métaphore tout en se disant que, si la théorie de miss Marple se révélait exacte, ces mots pourraient être également pris au sens propre. Ils ne firent en tout cas pas grande impression sur Mlle Blacklock, qui paraissait toujours aussi sceptique.

— Cela ne répond pas à ma question, dit-elle. Pourquoi, au nom du ciel, quelqu'un voudrait-il me tuer, *moi* ?

— Cette réponse-là, justement, c'est à vous de me la donner, mademoiselle Blacklock.

— Eh bien, je n'en sais rien ! La voilà, ma réponse. Je n'ai pas d'ennemis. Pour autant que je sache, j'ai toujours vécu en parfaite harmonie avec mes voisins. Je ne sais rien de compromettant sur personne. Cette idée est parfaitement grotesque ! Et si vous sous-entendez que Mitzi a quelque chose à voir dans cette histoire, je puis vous dire que c'est tout aussi saugrenu.

Comme Mlle Bunner vient de vous le signaler, elle a été saisie d'une peur bleue à la lecture de cette annonce dans la *Gazette*. Au point qu'elle a même voulu plier bagage et quitter la maison sur-le-champ.

— Il s'agissait peut-être là d'une manœuvre de sa part. Elle savait sans doute que vous la pousseriez à changer d'avis.

— Évidemment, si vous êtes décidé à camper sur vos positions, vous aurez toujours réponse à tout. Mais je vous assure que si Mitzi m'avait soudain Dieu sait pourquoi prise en grippe, elle m'aurait peut-être concocté un bouillon d'onze heures mais ne serait jamais allée jusqu'à organiser cette séance de grand-guignol.

« Tout cela est parfaitement absurde. J'ai l'impression que vous autres policiers êtes obsédés par vos préjugés contre les étrangers. Que Mitzi puisse mentir comme un arracheur de dents, je vous l'accorde. Mais qu'elle soit capable de commettre un meurtre de sang-froid, alors là, non. Allez donc la cuisiner si ça vous chante. Seulement, quand elle aura entamé sa énième crise d'hystérie et sera partie s'enfermer dans sa chambre en hurlant, je vous signale que c'est à vous que je vais demander de préparer le déjeuner. Par-dessus le marché, Mme Harmon doit venir prendre le thé cet après-midi avec une vieille dame qui séjourne actuellement chez elle et je voulais que Mitzi prépare quelques petits gâteaux… et voilà le moment que vous choisissez pour la mettre hors de ses gonds ! Vous ne pourriez vraiment pas envisager de soupçonner quelqu'un d'autre ?

*

Craddock se rendit à la cuisine. Il posa à Mitzi les mêmes questions que la première fois, et obtint les mêmes réponses.

Oui, elle avait fermé la porte d'entrée à clef peu après 16 heures. Non, il n'en allait pas de même tous les jours, mais cet après-midi-là, elle était inquiète à cause de cette « abominable petite annonce ». Inutile, en revanche, de fermer à clef la porte latérale, car Mlle Blacklock et Mlle Bunner l'empruntaient pour aller enfermer les canards et nourrir les poules, et c'est par là que Mme Haymes rentrait de son travail.

— Mme Haymes a déclaré qu'elle avait fermé cette porte en rentrant, à 17 h 30.

— Ah ! Et vous la croyez… Oh oui, vous la croyez !

— Vous pensez que nous ne devrions pas la croire ?

— Quelle importance, ce que je pense ? Vous ne me croirez pas, moi.

— Imaginons quand même que je vous donne une chance. Vous estimez que Mme Haymes n'a pas fermé cette porte à clef ?

— J'estime qu'elle a pris bien soin de ne pas le faire.

— Qu'entendez-vous par là ? demanda Craddock.

— Ce jeune homme, il ne travaille pas seul. Non, il sait où il doit aller, il sait que quand il viendra, il trouvera une porte ouverte – ce sera bien pratique !

144

— Qu'essayez-vous de nous dire ?

— Ça sert à quoi, ce que je dis ? Vous n'écoutez pas. Vous dites que je suis une pauvre réfugiée qui dit des mensonges. Vous dites qu'une dame anglaise rose et blonde, elle, oh ! non, elle ne ment pas… elle est si britannique… si honnête. Alors, elle, vous la croyez, et pas moi. Mais moi, je pourrais vous en dire. Oh oui, je pourrais vous en dire !

Et elle posa avec fracas une casserole sur le feu.

Craddock se demanda s'il devait attacher de l'importance à ce qui n'était peut-être qu'un mouvement de colère.

— Nous prenons note de tout ce qu'on veut bien nous dire, déclara-t-il.

— Je ne vous dirai rien du tout. À quoi bon ? Vous êtes tous les mêmes. Les pauvres réfugiés, vous les persécutez, vous les méprisez. Si je vous dis que quand, une semaine plus tôt, ce garçon vient demander de l'argent à Mlle Blacklock et qu'elle l'envoie dans les roses, comme vous dites… et si je vous dis qu'après ça je l'entends, lui, qui parle avec Mme Haymes – oui, dehors, dans le pavillon –, vous dites que j'ai tout inventé !

Et il est en effet probable que vous êtes en train de l'inventer, songea Craddock, qui poursuivit tout haut :

— Vous ne pouviez pas entendre ce qui se disait dans le pavillon.

— Là, vous vous trompez ! triompha Mitzi. Je sors chercher des orties – c'est du très bon légume, les orties. Ils ne me croient pas, mais je les fais cuire sans leur dire. Et alors je les entends discuter dans le pavillon. Il lui dit : « Mais où est-ce que je peux me cacher ? » Et elle lui répond : « Je vais te montrer », et ensuite elle lui dit : « À six heures et quart. » Et du coup, moi, je me dis : « *Ach so !* C'est comme ça que tu te conduis, toi, la grande dame ! Une fois que tu es rentrée du travail, tu vas retrouver un homme. Et tu le fais entrer dans la maison. » Mlle Blacklock, je me dis, elle n'aimera pas cela. Elle va te renvoyer. Alors je me dis : Je vais regarder et écouter, et puis je raconterai tout à Mlle Blacklock. Mais maintenant, je comprends j'avais tort. Ce n'était pas pour l'amour qu'elle complotait, c'était pour voler et pour tuer. Mais vous allez dire que j'ai tout inventé. Méchante Mitzi, vous allez dire, je vais l'envoyer en prison.

Craddock réfléchissait. Peut-être avait-elle tout inventé. Mais peut-être était-il également possible que ce soit la vérité.

— Vous êtes sûre que c'est à Rudi Scherz qu'elle parlait ? s'enquit-il prudemment.

— Bien sûr, je suis sûre ! Il s'en va et je le vois quitter l'allée pour aller au pavillon. Et tout de suite après, continua-t-elle d'un air de défi, je sors voir s'il y a de belles pousses d'orties bien vertes.

L'inspecteur se demanda si on trouvait de belles pousses d'orties bien vertes en octobre. Mais force lui fut d'admettre que Mitzi avait sans doute invoqué le premier prétexte venu pour justifier ce qui n'était qu'indiscrétion pure et simple.

— Vous n'avez rien entendu d'autre que ce que vous venez de me dire ?

Mitzi prit un air furibond :

— Cette Mlle Bunner, celle qui a un long nez, elle m'appelle encore et encore : Mitzi ! Mitzi ! Alors je dois partir. Oh ! elle, je ne peux pas la supporter… Toujours elle se mêle de tout. Elle dit qu'elle va m'apprendre à faire la cuisine. *Sa* cuisine ! Ça a le goût… oui, tout ce qu'elle fait… ça a le goût de lavasse, de lavasse, de lavasse !

— Pourquoi ne m'avez-vous pas dit tout cela l'autre jour ? gronda Craddock.

— Parce que j'avais oublié – je n'ai pas pensé… Seulement après je me dis : c'est là que tout a été manigancé, manigancé avec elle !

— Vous êtes certaine qu'il s'agissait de Mme Haymes ?

— Oh oui, je suis certaine ! Ça, je suis très certaine. C'est une voleuse, cette Mme Haymes. Une voleuse et une complice d'autres voleurs. Ce qu'elle gagne pour travailler dans le jardin, c'est pas assez pour une grande dame, non ! Il faut qu'elle vole Mlle Blacklock qui a été si bonne pour elle. Oh ! elle est mauvaise, mauvaise, mauvaise, celle-là !

— Supposons, dit l'inspecteur en la regardant avec attention, que quelqu'un dise que c'était vous qui parliez avec Rudi Scherz ?

Cette suggestion eut moins d'effet qu'il ne l'avait espéré. Mitzi se contenta de grogner en secouant la tête.

— Si quelqu'un dit qu'il me voit avec lui, c'est mensonge, mensonge ! affirma-t-elle d'un ton méprisant. C'est facile de raconter des mensonges sur les gens, mais en Angleterre, il faut apporter des preuves. C'est ce que dit Mlle Blacklock, et c'est vrai, n'est-ce pas ? Je ne parle pas avec les meurtriers et les voleurs. Et aucun policier anglais ne dira le contraire. Et comment est-ce que je peux préparer le déjeuner si vous êtes là à parler, parler sans arrêt ? Sortez de ma cuisine, s'il vous plaît. Je veux faire maintenant une sauce très compliquée.

Craddock obtempéra. Ses soupçons envers Mitzi étaient quelque peu ébranlés. Elle avait parlé de Phillipa Haymes avec beaucoup de conviction. Mitzi était certainement une menteuse, il n'en doutait pas ; mais il se dit qu'il y avait peut-être un fond de vérité dans cette histoire. Il décida d'en parler à Phillipa. Lorsqu'il l'avait interrogée, elle lui avait fait l'effet d'une jeune femme bien élevée et sans histoire. Il ne l'avait pas un instant soupçonnée.

En traversant le vestibule, perdu dans ses pensées, il se trompa de porte. Mlle Bunner, qui descendait l'escalier, s'empressa de le remettre dans le droit chemin.

— Pas celle-là, lui signala-t-elle. Elle n'ouvre pas. La prochaine à votre gauche. C'est à s'y perdre, non, avec toutes ces portes ?

— Il y en a beaucoup, en effet, acquiesça Craddock en parcourant des yeux le long vestibule.

— D'abord, il y a la porte du vestiaire, expliqua aimablement Mlle Bunner. Ensuite, le placard, puis la salle à manger, de ce côté. De l'autre côté, la porte condamnée que vous tentiez d'ouvrir, puis celle du salon à proprement parler, puis le placard à vaisselle, la petite pièce aux fleurs, et tout au bout la porte latérale. C'est très déroutant. Surtout ces deux-là, qui sont si rapprochées. Je me trompe souvent. Avant, il y avait une table devant, en fait, mais nous l'avons changée de place, là, contre le mur.

Craddock avait remarqué, machinalement, une ligne horizontale très fine sur la porte qu'il avait essayé d'ouvrir. C'était donc une trace laissée par la table. Une idée germa vaguement dans son esprit, et il demanda :

— Vous l'avez changée de place ? Il y a combien de temps ?

Par chance, avec Dora Bunner, il était inutile de justifier ses questions. N'importe quelle demande, sur n'importe quel sujet, paraissait tout à fait naturelle à la volubile Mlle Bunner, qui était ravie de fournir des informations, même les plus insignifiantes.

— Voyons, c'était il y a peu de temps, en fait. Dix ou quinze jours, peut-être.

— Et pour quelle raison l'a-t-on fait ?

— Je ne m'en souviens pas au juste. À cause des fleurs, je crois. Phillipa avait fait un gros bouquet – elle fait des bouquets superbes – dans les tons d'automne, avec des brassées de feuillage et de graminées, et il était si énorme qu'on s'y prenait les cheveux en passant, alors Phillipa a dit : « Pourquoi ne pas déplacer la table ? Les fleurs ressortiront d'ailleurs mieux contre un mur nu que contre les battants de la porte. » Seulement ça nous a obligées à décrocher la gravure de Wellington à Waterloo. Je ne l'aimais pas beaucoup, de toute façon. Nous l'avons mise sous l'escalier.

— Ce n'est donc pas une fausse porte ? demanda Craddock en l'examinant de plus près.

— Oh ! non, c'est une vraie, si c'est ce que vous voulez dire. C'était la porte du petit salon, mais, quand les deux pièces ont été réunies, on n'a plus eu besoin des deux portes, alors on a condamné celle-ci.

— Condamné ?

Craddock poussa un peu le battant, en douceur :

— Vous voulez dire qu'elle est clouée ? Ou juste fermée à clef ?

— Oh ! fermée à clef, je crois, et verrouillée.

Il aperçut le verrou en haut, au niveau du chambranle, et décida de l'actionner. Il céda très facilement, trop facilement…

— Quand a-t-on ouvert cette porte pour la dernière fois ? demanda-t-il à Mlle Bunner.

— Oh ! il doit y avoir des années de cela. Pas depuis que je suis là, en tout cas.

— Vous savez où se trouve la clef ?

— Il y a tout un tas de clefs dans le tiroir du vestibule. Elle est probablement avec les autres.

Craddock la suivit, et elle lui montra, au fond d'un tiroir, un monceau de vieilles clefs rouillées. Il les examina, en choisit une qui ne ressemblait pas aux autres et retourna à la porte du petit salon. La clef tourna sans difficulté, et la porte s'entrebâilla sans bruit.

— Oh ! faites attention ! s'écria Mlle Bunner. Il y a peut-être quelque chose de l'autre côté... Nous ne l'ouvrons jamais.

— Vraiment ? fit l'inspecteur.

Son visage s'était assombri. Et il ne mâcha pas ses mots :

— Cette porte a été ouverte très récemment, mademoiselle Bunner. La serrure est parfaitement graissée, ainsi que les gonds.

Elle écarquilla les yeux et le fixa d'un air stupide :

— Mais qui a pu faire ça ?

— C'est ce que j'ai la ferme intention de découvrir, décréta Craddock.

X venait-il de l'extérieur ? songea-t-il. Non... X était là, dans la maison... X était dans le salon ce soir-là...

10

PIP ET EMMA

Mlle Blacklock lui accorda cette fois une plus grande attention. C'était une femme intelligente, comme il l'avait deviné, et elle saisit le sens implicite de ses paroles.

— En effet, reconnut-elle volontiers. Voilà qui modifie les données du problème... Personne n'a jamais reçu l'autorisation de toucher à cette porte. À ma connaissance, personne n'y a d'ailleurs touché.

— Vous comprenez ce que cela signifie, insista l'inspecteur. Quand les lampes se sont éteintes ce soir-là, n'importe laquelle des personnes présentes dans le salon aurait pu se glisser hors de la pièce par cette porte, se placer derrière Rudi Scherz et vous tirer dessus.

— Sans que quiconque le voie, l'entende ou remarque quoi que ce soit ?

— Sans que quiconque le voie, l'entende ou remarque quoi que ce soit. Souvenez-vous : quand la lumière s'est éteinte, les gens se sont mis à s'agiter, à pousser des exclamations, à se bousculer. Et après ça, tout ce qu'ils ont pu voir, ç'a été le faisceau aveuglant de la torche électrique.

— Et vous croyez, demanda lentement Mlle Blacklock, que l'une de ces personnes, l'un de mes charmants voisins, s'est faufilé hors du salon et a essayé de m'assassiner ? Moi ? Mais pourquoi ? Pour l'amour du ciel, pourquoi ?

— Quelque chose me dit que vous devez connaître la réponse à cette question, mademoiselle Blacklock.

— Mais ce n'est pas le cas, inspecteur. Je vous assure.

— Eh bien, commençons par le commencement. Qui hériterait de votre argent si vous veniez à mourir ?

Mlle Blacklock répondit de mauvaise grâce :

— Patrick et Julia. J'ai légué le mobilier de cette maison, ainsi qu'une petite rente annuelle, à Bunny. En fait, je n'ai pas grand-chose à laisser derrière moi. Je possédais un portefeuille d'actions allemandes et italiennes qui ne valent plus un sou. Et avec les impôts qui augmentent tous les jours, et les dividendes des investissements qui s'amenuisent au même rythme, je vous prie de croire que ça ne vaut pas la peine de m'assassiner – d'autant que j'ai placé toutes mes liquidités dans une rente il y a environ un an.

— Vous possédez quand même du bien, mademoiselle Blacklock. Et vos neveu et nièce en hériteraient.

— Alors Patrick et Julia auraient l'intention de m'assassiner ? Je n'y crois pas un instant. Ils ne sont pas fauchés à ce point.

— En êtes-vous certaine ?

— Non. Je reconnais que je ne sais que ce qu'ils ont bien voulu me dire… Mais je ne m'en refuse pas moins à les soupçonner. Un jour, m'assassiner sera peut-être rentable, mais pas pour le moment.

— Qu'entendez-vous par le fait que vous assassiner sera peut-être un jour rentable ? demanda aussitôt l'inspecteur.

— Tout simplement qu'un jour – et probablement même très bientôt – il est vraisemblable que je serai une femme riche.

— Voilà qui est intéressant. Pourriez-vous m'expliquer comment ?

— Certainement. Vous l'ignorez peut-être, mais pendant plus de vingt ans, j'ai été la secrétaire et plus proche collaboratrice de Randall Goedler.

Craddock fut aussitôt tout ouïe. Randall Goedler avait été un grand nom du monde des affaires. Ses spéculations audacieuses, et la publicité dont il savait s'entourer, avaient fait de lui une personnalité très en vue. Il restait dans toutes les mémoires. Si les souvenirs du policier étaient exacts, il avait dû mourir en 1937 ou 1938.

— Tout cela n'était bien évidemment pas de votre temps, continua Mlle Blacklock, mais vous avez quand même dû en entendre parler.

— Oh ! oui. Il était millionnaire, n'est-ce pas ?

— Oh ! plusieurs fois millionnaire... bien que ses finances aient connu des hauts et des bas. Il n'hésitait pas à miser la majeure partie de ses revenus sur un nouveau coup.

Elle s'animait en parlant, et ses yeux brillaient à l'évocation de ces souvenirs :

— Quoi qu'il en soit, il est mort richissime. Il n'avait pas d'enfants. Il a laissé sa fortune par fidéicommis à sa femme, étant entendu qu'au décès de cette dernière le tout me reviendrait.

Un vague souvenir revint à la mémoire de l'inspecteur.

« La secrétaire dévouée héritera d'une fortune colossale »... ou quelque chose d'approchant.

— Ce qui fait que j'ai, depuis environ douze ans, un excellent mobile pour tuer Mme Goedler, reprit Mlle Blacklock avec malice. Mais cela ne vous est guère utile, n'est-ce pas ?

— Pardonnez-moi de vous poser cette question, mais Mme Goedler n'a-t-elle pas désapprouvé la décision de son mari ?

Mlle Blacklock paraissait à présent beaucoup s'amuser :

— Ne prenez pas la peine de vous montrer si discret. En fait, vous aimeriez savoir si j'étais la maîtresse de Randall Goedler ? Eh bien il se trouve que non. Je ne crois pas que Randall ait jamais éprouvé la moindre inclination pour moi – ni moi pour lui, d'ailleurs. Il était amoureux de Belle – sa femme –, et il l'a été jusqu'à sa mort. Je crois qu'en rédigeant ce testament,

155

il a simplement voulu me témoigner sa gratitude. Voyez-vous, inspecteur, à ses tout débuts, alors que Randall ne possédait pas encore une bonne assise financière, il a frôlé la catastrophe. C'était l'affaire d'à peine quelques milliers de livres actuelles. Mais ce qui était en jeu, c'était un coup énorme, fantastique ; il fallait un culot monstre, comme ç'a été le cas pour la plupart de ses opérations ; seulement il lui manquait cette petite somme pour l'entreprendre. Je suis venue à la rescousse. Je disposais de quelques économies. Et je croyais en Randall. Je lui ai donné jusqu'à mon dernier sou. L'affaire a marché. Et une semaine plus tard, il était immensément riche.

« Après ça, il m'a traitée plus ou moins en associée. Ah ! ç'a été une époque passionnante ! soupira-t-elle. Je m'amusais énormément. Mais mon père est mort, et mon unique sœur est tombée gravement malade. J'ai dû tout laisser tomber pour aller m'occuper d'elle. Randall est mort quelques années plus tard. J'avais gagné pas mal d'argent durant nos années d'association, et je ne m'attendais pas vraiment à ce qu'il me laisse quelque chose. Mais j'ai été très touchée et très fière d'apprendre que, si Belle mourait avant moi – et elle était de ces personnes fragiles dont on dit qu'elles ne vivront pas longtemps –, j'hériterais de toute sa fortune. Je crois qu'en fait le pauvre homme ne savait pas à qui léguer cet argent. Belle est adorable, et cette décision l'a ravie. C'est vraiment un ange. Elle vit en Écosse. Je ne l'ai pas revue depuis des années – nous nous écrivons à Noël, et c'est tout. Voyez-vous, juste avant la guerre, j'ai accompagné ma sœur dans un sanatorium, en Suisse. Elle y est morte de la tuberculose.

Elle se tut quelques instants, puis reprit :

— Cela fait à peine plus d'un an que je suis rentrée en Angleterre.

— Vous dites que vous serez peut-être riche très bientôt. Dans combien de temps ?

— J'ai appris par l'infirmière qui s'occupe de Belle Goedler qu'elle décline de jour en jour. Il se peut que ce soit l'affaire de quelques semaines.

Elle ajouta tristement :

— L'argent n'a désormais plus guère d'importance à mes yeux. J'en ai suffisamment pour subvenir à mes modestes besoins. Il y a encore quelques années, j'aurais aimé recommencer à boursicoter, mais maintenant… Bah ! on vieillit. Quoi qu'il en soit, inspecteur, vous comprendrez à présent que si Patrick et Julia voulaient me supprimer par intérêt, ils seraient fous de ne pas attendre quelques semaines de plus.

— D'accord, mais que se passerait-il si vous veniez à disparaître avant Mme Goedler ? À qui irait l'argent ?

— Tiens ! je ne m'étais jamais posé la question. À Pip et Emma, je suppose…

Face au regard interloqué de Craddock, Mlle Blacklock eut un grand sourire :

— Ça a l'air d'une histoire de fous, n'est-ce pas ? J'imagine cependant que, si je devais mourir avant Belle, l'argent irait à la descendance directe – si c'est bien le terme exact – de l'unique sœur de Randall, Sonia. Randall et elle étaient brouillés. Elle avait épousé un homme qu'il considérait comme un escroc, voire même pire.

— Et c'était vraiment un escroc ?

— Oui, sans discussion possible, à mon avis. Mais je crois que les femmes le trouvaient très séduisant. Il était grec, ou roumain, ou je ne sais plus trop quoi… et comment s'appelait-il, déjà ? – ah oui, Stamfordis, Dmitri Stamfordis.

— Randall Goedler a déshérité sa sœur quand elle a épousé cet individu ?

— Oh ! mais Sonia, de son côté, était une femme très riche. Randall avait déjà placé pas mal d'argent sur sa tête en faisant en sorte que son mari ne puisse, dans la mesure du possible, pas y toucher. Mais je crois que, quand les notaires ont insisté pour qu'il désigne quelqu'un, au cas où je mourrais avant Belle, il a fini par désigner à contrecœur la descendance de Sonia, simplement parce qu'il ne voyait personne d'autre et qu'il n'était pas du genre à léguer sa fortune à des œuvres de charité.

— Et il y avait des enfants ?

— Eh bien, il y a Pip et Emma.

Elle rit :

— Je reconnais que ce sont des noms ridicules. Tout ce que je sais, c'est que Sonia avait un jour écrit à Belle, après son mariage, pour lui demander de dire à Randall qu'elle était très heureuse, et qu'elle venait de mettre au monde des jumeaux baptisés Pip et Emma.

À ma connaissance, elle n'a plus jamais écrit par la suite. Mais peut-être Belle pourra-t-elle vous en dire plus.

Son propre récit semblait avoir beaucoup amusé Mlle Blacklock. Or l'inspecteur, lui, ne trouvait pas ça drôle du tout :

— En résumé, si vous aviez été tuée l'autre soir, il y a au moins de par le monde deux personnes qui auraient hérité d'une fortune considérable. Vous avez tort, mademoiselle Blacklock, de dire que personne n'a de raison de souhaiter votre mort. Il y a, au bas mot, deux jeunes gens à qui elle profiterait au plus haut point. Quel âge auraient le frère et la sœur ?

Mlle Blacklock fronça le sourcil :

— Voyons un peu… 1922… Non, j'ai du mal à me souvenir… Environ vingt-cinq ou vingt-six ans, j'imagine.

Elle avait repris tout son sérieux :

— Mais vous ne pensez tout de même pas…

— Je pense que quelqu'un vous a tiré dessus dans l'intention de vous tuer. Et je pense aussi que ce quelqu'un pourrait fort bien s'aviser de recommencer. Je vais vous demander, si ça ne vous ennuie pas, de vous montrer très vigilante, mademoiselle Blacklock. Une tentative de meurtre a échoué. Il se peut qu'une autre soit programmée pour très bientôt.

*

Phillipa Haymes se redressa et repoussa une mèche de son front moite. Elle désherbait un parterre de fleurs :

— Oui, inspecteur ?

Elle lui avait jeté un regard interrogateur. Le policier se livra quant à lui à un examen plus attentif que la première fois. Oui, c'était une belle fille, de type résolument anglais avec ses cheveux d'un blond cendré et son visage oblong. Elle avait le menton volontaire et une moue têtue. On sentait en elle une certaine retenue… et une non moins certaine tension. Elle avait les yeux bleus, et son regard décidé ne laissait rien filtrer de ses pensées. Tout à fait le genre de fille capable de garder un secret, se dit le policier.

— Je suis désolé de venir toujours vous déranger dans votre travail, madame Haymes, mais je ne pouvais pas attendre que vous rentriez déjeuner. De plus, je me suis dit qu'il nous serait plus facile de parler ici, loin de Little Paddocks.

— Oui, inspecteur ?

Sa voix ne trahissait aucune émotion, et très peu d'intérêt. Mais elle semblait sur ses gardes – ou était-ce le fruit de son imagination ?

— On m'a fait une certaine déclaration, ce matin. Une déclaration vous concernant.

Phillipa haussa légèrement les sourcils.

— Vous m'avez dit, madame Haymes, que vous ne connaissiez pas cet homme, ce Rudi Scherz ?

— Oui.

— Qu'avant de le voir mort, vous ne l'aviez jamais rencontré, c'est bien cela ?

— Tout à fait. Je ne l'avais jamais vu de ma vie.

— Vous n'auriez pas, par exemple, eu une conversation avec lui dans le pavillon d'été de Little Paddocks ?

— Dans le pavillon d'été ?

Il aurait juré déceler de la peur dans la voix de la jeune femme.

— Oui, madame Haymes.

— Qui a dit ça ?

— On m'a déclaré que vous aviez eu une conversation avec ce Rudi Scherz, qu'il vous avait demandé où il pouvait se cacher, et que vous lui aviez répondu que vous alliez lui montrer. Et on a mentionné une heure, 18 h 15. C'est à peu près l'heure à laquelle Rudi Scherz est arrivé de l'arrêt d'autocar le soir du hold-up.

Il y eut quelques instants de silence. Puis Phillipa émit un petit rire méprisant. Et elle eut soudain l'air de s'amuser.

— J'ignore qui vous a raconté ça, rétorqua-t-elle. Mais enfin ce n'est pas sorcier à deviner. C'est un racontar stupide et maladroit… et abject par-dessus le marché. Je ne sais pas pourquoi, mais Mitzi semble me détester moi encore plus que les autres.

— Vous niez les faits ?

— Bien sûr ! C'est complètement faux… Je n'ai jamais rencontré Rudi Scherz de ma vie, et ce matin-là, j'étais loin de la maison. J'étais ici, en train de travailler.

— Quel matin ? demanda doucement l'inspecteur.

La jeune femme battit des paupières un moment avant de répondre :

— Tous les matins. Je suis ici tous les matins. Je ne quitte mon travail qu'à 13 heures.

Et elle ajouta avec mépris :

— Rien ne sert d'écouter ce que raconte Mitzi. Elle ment comme elle respire.

*

— Et voilà, dit Craddock en repartant, accompagné du sergent Fletcher. Deux jeunes femmes dont les déclarations se contredisent complètement. Laquelle des deux suis-je censé croire ?

— Tout le monde est d'accord pour dire que cette étrangère raconte n'importe quoi, dit Fletcher. Mon expérience des étrangers m'a appris qu'il leur est plus facile de mentir que de dire la vérité. Par ailleurs, il est clair qu'elle ne porte pas Mme Haymes dans son cœur.

— Donc, à ma place, vous feriez confiance à Mme Haymes ?

— À moins que vous n'ayez de bonnes raisons de croire le contraire, monsieur.

Et Craddock n'en avait pas – du moins pas vraiment, en dehors du souvenir de deux yeux bleus au regard trop fixe, et des mots « ce matin-là », prononcés trop vite. Car, pour autant qu'il s'en souvienne, il n'avait pas précisé si la conversation avait eu lieu le matin ou l'après-midi.

Cela dit, Mlle Blacklock – ou, sinon Mlle Blacklock, fort probablement Mlle Bunner – avait peut-être mentionné la visite de ce jeune étranger venu tenter de soutirer de quoi retourner en Suisse. Et Phillipa Haymes aurait pu tout naturellement en conclure que la conversation s'était déroulée ce matin-là.

Il n'en restait pas moins qu'il avait bien cru déceler une note d'inquiétude dans la voix de la jeune femme tandis qu'elle demandait : « Dans le pavillon d'été ? »

Il décida qu'il lui faudrait se repencher sur la question.

*

Il faisait très bon dans le jardin du presbytère. Un soudain regain de chaleur automnale s'était installé sur l'Angleterre. L'inspecteur Craddock n'arrivait jamais à se rappeler s'il s'agissait de l'été de la Saint-Luc ou de celui de la Saint-Martin – tout ce qu'il pouvait dire, c'est que ce genre d'arrière-saison était bien agréable, et vous rendait assez apathique. Il était vautré sur une chaise longue que lui avait apportée la dynamique Bunch avant de se rendre à une réunion de mères de famille. Bien emmitouflée dans ses châles, une couverture sur les genoux, miss Marple tricotait, assise à côté de lui. Le soleil, le calme, le cliquetis régulier des aiguilles à tricoter, tout complotait à plonger l'inspecteur dans une douce somnolence. Et pourtant, dans le même temps, un recoin de son esprit était habité par un sentiment de cauchemar. Comme dans un rêve familier, où une menace invisible se développe dans l'ombre, et transforme soudain l'extase en horreur.

— Vous ne devriez pas être là, dit-il brusquement.

Le cliquetis des aiguilles s'interrompit. Les doux yeux d'un bleu de porcelaine le contemplèrent d'un air pensif.

— Je vois ce que vous voulez dire, répondit-elle. Vous êtes un garçon très consciencieux. Mais tout va très bien. Le père de Bunch – c'était le pasteur de notre paroisse, un homme d'une parfaite érudition – et sa mère – une femme des plus remarquables, d'une nature très spirituelle – sont de vieux amis. Il est tout naturel que, lorsque je suis à Medenham, je vienne séjourner chez Bunch pendant quelque temps.

— C'est possible, mais... mais ne fouinez pas trop. J'ai... j'ai le pressentiment – je vous assure – que c'est dangereux.

Miss Marple eut un petit sourire :

— Que voulez-vous, nous autres vieilles femmes sommes connues pour notre propension à toujours fouiner partout. Ce qui paraîtrait bizarre, et que tout le monde remarquerait, serait que je ne le fasse pas. Prendre des nouvelles d'amis communs disséminés de par le monde, demander si on se souvient de tel événement, et si on se rappelle qui a épousé la fille de lady Unetelle, tout cela peut se révéler utile, non ?

— Utile ? répéta l'inspecteur, l'esprit brumeux.

— Utile dès lors qu'il s'agit de savoir si les gens sont vraiment ce qu'ils prétendent être, expliqua miss

Marple. Parce que c'est cela qui vous inquiète, n'est-ce pas ? Et c'est ce qui a vraiment changé, dans le monde, depuis la guerre. Prenez Chipping Cleghorn, par exemple. Cet endroit ressemble beaucoup à St Mary Mead, où j'habite. Il y a quinze ans, tout le monde savait qui était son voisin. Les Bantry dans leur grande maison, et les Hartnell, les Price Ridley, les Weatherby… Leurs parents, leurs grands-parents, ou leurs oncles et tantes, avaient vécu là avant eux. Quand des nouveaux venus s'installaient, ils arrivaient avec des lettres de recommandation, ou ils avaient servi dans le même régiment, ou sur le même navire, qu'un des habitants. Si par extraordinaire quelqu'un de vraiment inconnu de tous débarquait sans crier gare, eh bien, il faisait tache. Tout le monde s'interrogeait à son sujet, et chacun n'était rassuré qu'une fois sa curiosité satisfaite.

Elle dodelina de la tête :

— Mais de nos jours, tout a changé. Tous les villages, tous les hameaux sont peuplés de gens qui sont venus s'y installer sans y avoir la moindre attache. On a vendu les manoirs, rénové les cottages. Les gens arrivent, et tout ce que l'on sait d'eux c'est ce qu'ils veulent bien nous dire. Voyez-vous, ils viennent du monde entier. Ils arrivent des Indes, de Hong-Kong, de Chine… et puis il y a ceux qui vivaient en France, en Italie, dans des endroits où la vie ne coûtait pas cher, ou sur des îles perdues… d'autres encore, qui ont gagné un peu d'argent et peuvent se permettre de prendre leur retraite. Et ainsi personne ne sait plus qui sont ses voisins. Vous pouvez avoir chez vous des cuivres de Bénarès et parler de *tiffin* et de *chota hazri*, vous pouvez avoir des photos de Taormina et disserter sur l'Église d'Angleterre et la bibliothèque paroissiale, comme Mlle Hinchliffe et Mlle Murgatroyd. Vous pouvez arriver du midi de la France, ou avoir passé votre vie en Extrême-Orient. Les gens vous acceptent selon vos propres critères. Ils n'attendent plus, pour venir vous rendre visite, d'avoir reçu une lettre d'un ami disant que les Untel sont des gens charmants, et qu'il les connaît depuis toujours.

Et ça, songeait confusément Craddock, c'était exactement ce qui l'obsédait : il ne savait pas. Tous ces gens n'étaient que des visages, des personnalités attestées par des carnets de rationnement et des cartes d'identité – de belles cartes bien nettes et numérotées, sans photographie ni empreintes digitales. N'importe qui pouvait, avec un minimum d'efforts, se procurer une carte d'identité – et c'était un peu à cause de ça que les liens subtils qui régissaient autrefois la vie sociale dans la campagne anglaise s'étaient relâchés. En ville, personne ne s'attendait à connaître son voisin. Et maintenant, à la campagne, personne ne le connaissait plus non plus, même si on en conservait encore parfois l'illusion…

À cause de cette porte aux gonds bien graissés, Craddock savait que l'un des invités de Mlle Blacklock n'était en rien l'aimable voisin qu'il prétendait être.

Et c'est pourquoi il avait peur pour miss Marple, si frêle et si âgée, et à qui rien n'échappait…

— Nous pouvons, dans une certaine mesure, vérifier l'identité de tous ces gens, dit-il.

Mais il savait que ce n'était pas si facile. Les Indes, la Chine, Hong-Kong, le midi de la France… C'était beaucoup plus compliqué que quinze ans plus tôt. Il y avait des gens, il ne le savait que trop bien, qui circulaient dans le pays sous une fausse identité – empruntée à une personne décédée brutalement lors d'un « incident » survenu en ville. Il existait des réseaux qui achetaient des identités, fabriquaient de fausses cartes de rationnement et d'identité – des centaines de petites escroqueries se montaient dans le pays. On pouvait contrôler, mais cela prendrait du temps – et le sien était compté, car la veuve de Randall Goedler n'en avait plus pour longtemps à vivre.

C'est à ce moment que, fatigué, abruti par le soleil, il parla à miss Marple de Randall Goedler, de Pip et d'Emma :

— Nous n'avons que deux prénoms. Et encore, des surnoms ! Peut-être n'existent-ils même pas. Ce sont peut-être d'honorables citoyens, vivant quelque part en Europe. À l'inverse, il se peut que l'un d'eux, ou même les deux, se trouve à Chipping Cleghorn en ce moment.

Environ vingt-cinq ans… Qui correspondait à cette tranche d'âge ?

Il exprima ses pensées à haute voix :

— Ces prétendus neveu et nièce – ou ces cousins, je ne sais plus… je me demande quand elle les a vus pour la dernière fois.

167

— Voulez-vous que je me renseigne pour vous ? proposa gentiment miss Marple.

— Écoutez-moi bien, miss Marple, je vous en conjure, ne…

— Ce ne sera pas difficile, inspecteur, ne vous mettez pas martel en tête. Et ce sera plus discret si c'est moi, parce que cela n'aura rien d'officiel, voyez-vous. S'il y a vraiment du louche, mieux vaut ne pas les mettre sur leurs gardes.

Pip et Emma, songeait Craddock. Pip et Emma ? Il était obsédé par Pip et Emma. Ce jeune homme séduisant et frondeur, cette jolie fille au regard froid…

— Il se peut que j'en sache plus sur leur compte dans quarante-huit heures, déclara-t-il. Je vais me rendre en Écosse. Mme Goedler, si elle est en état de parler, doit en savoir pas mal à leur sujet.

— C'est une excellente idée, approuva miss Marple.

Elle ajouta, hésitante :

— J'espère que vous avez recommandé la prudence à Mlle Blacklock ?

— Oui, je l'ai mise en garde. Et je vais laisser un homme ici, pour exercer une surveillance discrète.

Il évita le regard de miss Marple, qui disait clairement que la surveillance discrète d'un policier ne servirait pas à grand-chose si l'assassin appartenait au cercle familial.

— Et n'oubliez pas, dit-il en la regardant droit dans les yeux, que, vous aussi, je vous ai mise en garde.

— Je vous garantis, inspecteur, que je suis capable de veiller sur ma propre sécurité.

11

MISS MARPLE VIENT PRENDRE LE THÉ

Si Letitia Blacklock avait l'esprit ailleurs quand Mme Harmon vint prendre le thé accompagnée d'une invitée qui résidait chez elle – donc, miss Marple –, l'invitée en question ne risquait pas de s'en rendre compte, car il s'agissait de leur première rencontre.

La vieille demoiselle était charmante, avec son bavardage inoffensif. Il s'avéra aussitôt qu'elle faisait partie de ces vieilles personnes qui sont hantées par la peur des cambrioleurs.

— Ils peuvent pénétrer n'importe où, ma chère, affirma-t-elle à son hôtesse, absolument n'importe où, de nos jours, avec toutes ces nouvelles méthodes américaines. Moi, je m'en tiens à un système très démodé : chaîne et judas. Ils peuvent toujours crocheter une serrure ou tirer un verrou, mais une chaîne de cuivre et un judas les mettent en échec. Avez-vous déjà essayé ça ?

— Je crains que nous ne soyons pas experts en verrous et serrures, dit gaiement Mlle Blacklock. Il n'y a pas grand-chose à voler, ici.

— Installez donc une chaîne sur votre porte d'entrée, conseilla miss Marple. Ainsi, la bonne peut se contenter d'entrouvrir pour voir qui est là, et ils ne peuvent pas entrer de force.

— Je suis sûre que Mitzi, notre réfugiée d'Europe centrale, adorerait cela.

— Ce hold-up a dû être vraiment très éprouvant, dit miss Marple. Bunch me l'a raconté.

— J'étais morte de peur, renchérit Bunch.

— Ç'a été une expérience extrêmement angoissante, admit Mlle Blacklock.

— Il était vraiment providentiel que cet homme trébuche et se tue accidentellement. Ces cambrioleurs sont si violents, de nos jours. Comment est-il entré ?

— Eh bien, je dois avouer que nous ne fermons pas nos portes à clef.

— Oh, Letty ! s'exclama Mlle Bunner. J'ai oublié de te dire que l'inspecteur s'était comporté très bizarrement, ce matin. Il a insisté pour ouvrir la deuxième porte – tu sais, celle qui est condamnée, là-bas au bout. Il a cherché la clef partout, et il a dit que les gonds avaient été graissés. Mais je ne vois pas pourquoi, étant donné que...

Elle aperçut trop tard le signe de son amie lui intimant de se taire et s'interrompit, bouche bée.

— Oh ! Lotty, je suis si... Pardon, je veux dire, pardonne-moi, Letty... Oh ! comme je suis stupide.

— Cela ne fait rien, dit Mlle Blacklock, visiblement agacée. Mais je ne crois pas que l'inspecteur Craddock tienne à ce que l'on parle de tout cela. Je ne savais pas que tu étais présente pendant sa petite expérience, Dora. Vous me comprenez, n'est-ce pas, madame Harmon ?

— Bien sûr, dit Bunch. Nous n'en soufflerons mot à personne, n'est-ce pas, tante Jane ? Mais je me demande pourquoi il a...

Elle s'abîma dans ses pensées. Mlle Bunner s'agita, l'air malheureux, et finit par exploser :

— Il faut toujours que je dise ce qu'il ne faut pas dire... Mon Dieu, je ne suis pour toi qu'un fardeau, Letty.

— Tu m'es d'un grand soutien, Dora, s'empressa d'ajouter Mlle Blacklock. Et de toute façon, dans un petit village comme Chipping Cleghorn, personne n'a vraiment de secret.

— Ça, c'est on ne peut plus exact, approuva miss Marple. Je suis épouvantée par la vitesse extravagante avec laquelle le moindre potin se propage. Les domestiques, bien sûr, mais pas seulement eux, car il n'y en a plus guère, de nos jours. Il reste les femmes de ménage, qui sont sans doute encore pires, car elles passent de maison en maison et colportent les nouvelles.

— Oh ! fit soudain Bunch Harmon. J'ai compris ! Bien sûr, si la deuxième porte s'ouvre aussi, quelqu'un a pu sortir de cette pièce à la faveur de l'obscurité et commettre le hold-up... Seulement ce n'est pas le cas, puisque le coupable est l'homme de l'hôtel Royal Spa.

Ou alors ce n'était pas lui ? Non, je ne vois vraiment pas…

Elle se renfrogna.

— Ça s'est donc déroulé dans cette pièce ? demanda miss Marple tout en se répandant en torrents d'excuses. Je dois vous sembler d'une curiosité bien malvenue, mademoiselle Blacklock, mais cette histoire est tellement passionnante… exactement du genre de celles qu'on lit dans les journaux… Je brûle que vous me racontiez tout cela pour que je puisse me figurer la scène, si vous voyez ce que je veux dire…

Miss Marple eut aussitôt droit aux récits conjugués, confus et volubiles de Bunch et de Mlle Bunner, entre-coupés de quelques commentaires et rectificatifs de Mlle Blacklock.

Sur ces entrefaites, Patrick fit son entrée et se mit de bonne grâce au diapason, allant jusqu'à interpréter lui-même le rôle de Rudi Scherz.

— Et tante Letty se trouvait ici, dans le coin, près de l'arcade… Allez-y, ma tante.

Mlle Blacklock obéit, puis l'on montra à miss Marple les impacts de balles.

— C'est la providence… c'est inimaginable à quel point vous l'avez échappé belle, souffla cette dernière.

— J'allais offrir des cigarettes à mes invités, expliqua Mlle Blacklock en désignant le coffret d'argent posé sur la table.

— Les gens sont si négligents quand ils fument, gronda Mlle Bunner d'un ton réprobateur. On ne respecte plus les beaux meubles comme on le faisait autrefois. Regardez l'affreuse trace de cigarette que quelqu'un a laissée sur cette jolie marqueterie. C'est une honte !

Mlle Blacklock soupira :

— Je crains bien qu'on n'accorde parfois trop de prix à ses biens matériels.

— Mais c'est une si jolie table, Letty.

Mlle Bunner portait aux biens de son amie la même vénération que s'ils avaient été les siens propres. Bunch Harmon avait toujours trouvé que c'était chez elle un trait de caractère particulièrement attachant. Cette femme ne manifestait jamais le moindre signe d'envie.

— C'est une table superbe, renchérit poliment miss Marple. Et la lampe de porcelaine qui se trouve dessus est ravissante.

Une fois de plus, ce fut Mlle Bunner qui accepta le compliment, comme si l'objet lui avait appartenu :

— N'est-ce pas qu'elle est belle ? C'est de la porcelaine de Dresde. Il y en a deux. L'autre se trouve dans la chambre d'amis, je crois.

— Tu sais où tout se trouve dans la maison, Dora… ou du moins tu crois le savoir, la taquina Mlle Blacklock. Tu te soucies bien plus de mes affaires que je ne le fais moi-même.

Mlle Bunner rougit.

— J'aime beaucoup les belles choses, répondit-elle, d'un ton à la fois rêveur et plein de défi.

— Je dois avouer, dit miss Marple, que je tiens moi-même beaucoup aux quelques objets que je possède…

ils me rappellent tant de souvenirs, voyez-vous. C'est comme les photographies. De nos jours, les gens n'ont presque plus de photographies. Moi, j'aime garder tous les portraits de mes neveux et nièces quand ils étaient bébés, puis enfants…

— Tu en as une affreuse de moi à l'âge de trois ans, dit Bunch. J'ai un fox-terrier dans les bras, et je louche.

— Je suppose que votre tante a beaucoup de photos de vous ? reprit miss Marple en se tournant vers Patrick.

— Oh ! nous ne sommes que cousins éloignés, répondit le jeune homme.

— Je crois qu'Elinor m'en a envoyé une de toi quand tu étais bébé, Pat, dit Mlle Blacklock. Mais je crains de ne pas l'avoir gardée. En fait, jusqu'au jour où elle m'a écrit pour me dire que vous étiez ici tous les deux, j'avais oublié combien d'enfants elle avait et comment ils s'appelaient.

— Encore un signe des temps, s'émut miss Marple. De nos jours, on ne connaît pratiquement plus ses parents les plus jeunes. Autrefois, avec toutes ces réunions de famille, c'eût été impossible.

— La dernière fois que j'ai vu la mère de Pat et Julia, c'était à un mariage, il y a trente ans, dit Mlle Blacklock. Elle était ravissante.

— Et c'est pourquoi elle a de si beaux enfants, commenta Patrick avec un large sourire.

— Votre vieil album de photos est merveilleux, déclara Julia. Vous vous souvenez, tante Letty, nous l'avons regardé, l'autre jour. Ces chapeaux !

— Et dire que nous nous trouvions si élégantes, soupira Mlle Blacklock.

— Ne vous en faites pas, tante Letty, dit Patrick. Dans trente ans, Julia tombera sur une photo d'elle, et elle trouvera qu'elle avait une drôle de dégaine !

— Est-ce que vous l'avez fait exprès, tante Jane ? demanda Bunch à miss Marple sur le chemin du retour. De parler des photos, je veux dire ?

— Eh bien, ma chérie, il est très intéressant de savoir que Mlle Blacklock ignorait à quoi ressemblaient ses deux jeunes neveux... Oui, je pense que cela va énormément intéresser l'inspecteur Craddock.

12

ACTIVITÉS MATINALES À CHIPPING CLEGHORN

Edmund Swettenham s'assit en équilibre plutôt instable sur un rouleau de jardin.

— Bonjour, Phillipa, dit-il.

— Bonjour.

— Vous êtes très occupée ?

— Pas trop.

— Qu'est-ce que vous faites ?

— Ça ne se voit pas ?

— Non. Je ne suis pas jardinier. Apparemment, vous êtes en train de tripoter de la terre.

— Je suis en train de repiquer les laitues d'hiver.

— Repiquer ? Quel mot bizarre ! C'est comme piqueur, je viens seulement d'en découvrir le sens exact. J'avais toujours cru que c'était un terme de couture.

— Vous vouliez quelque chose en particulier ? demanda froidement Phillipa.

— Oui, je voulais vous voir.

Phillipa lui adressa un regard furtif :

— Je préférerais que vous ne veniez pas tout le temps ici. Mme Lucas ne va pas apprécier.

— Elle vous interdit d'avoir des soupirants ?

— Ne soyez pas stupide.

— Soupirant. Encore un joli mot. Il correspond parfaitement à mon attitude. Respectueux… acceptant de se tenir à distance… mais plein de persévérance.

— Allez-vous-en, je vous en prie, Edmund. Vous n'avez rien à faire ici.

— Vous vous trompez, répliqua Edmund, triomphant. J'ai quelque chose à faire ici. Mme Lucas a appelé madame mère ce matin pour lui dire qu'elle avait beaucoup de courgettes.

— Des tonnes, en effet.

— Et qu'elle voudrait échanger une ou deux courgettes contre un pot de miel.

— Vous n'y gagnez pas au change ! Les courgettes sont invendables en ce moment, tout le monde en a trop.

— Naturellement. C'est pour ça que Mme Lucas a téléphoné. La dernière fois, si je me souviens bien, elle avait proposé d'échanger du lait écrémé – je dis bien écrémé – contre des laitues. Ce n'était pas encore tout à fait la saison des laitues, et elles coûtaient environ un shilling pièce.

Phillipa ne répondit pas.

177

Edmund sortit de sa poche un pot de miel :

— Voici donc mon alibi, si vous m'autorisez cet emploi très libre et inadéquat du terme. Si Mme Lucas montre le bout de son nez par la porte de la remise, je suis venu chercher des courgettes. Il n'est absolument pas question de badinage entre nous.

— Je vois.

— Vous arrive-t-il de lire Tennyson ? demanda Edmund sur le ton de la conversation.

— Pas très souvent.

— Vous devriez. Tennyson ne va pas tarder à revenir à la mode. Quand vous allumerez la radio, le soir, ce seront les *Idylles du Roi* que vous entendrez au lieu du sempiternel Trollope. J'ai toujours considéré cet engouement pour Trollope comme du pur snobisme. Un peu de Trollope, ça va, mais il ne faut pas en abuser. Mais, pour en revenir à Tennyson, avez-vous lu *Maud* ?

— Une fois, il y a longtemps.

— C'est bourré de notations très justes. « Incorrectement irréprochable, glacialement ordinaire, splendidement insignifiante », cita-t-il d'une voix douce. C'est tout vous, Phillipa.

— On ne peut pas dire que ce soit très flatteur !

— Ce n'est pas censé l'être. Ce pauvre type est devenu fou de Maud, comme je suis fou de vous.

— Ne soyez pas stupide, Edmund.

— Bon Dieu, Phillipa, pourquoi êtes-vous telle que vous êtes ? Que se passe-t-il dans cette tête aux traits splendidement réguliers ? À quoi pensez-vous ? Quels

sentiments éprouvez-vous ? Êtes-vous heureuse, malheureuse, effrayée, ou quoi ? Il doit bien y avoir
quelque chose.

— Ce que je pense ne regarde que moi, énonça cal-
mement Phillipa.

— Cela me regarde aussi. Je veux vous faire parler.
Je veux savoir ce qui se passe dans votre petite tête
silencieuse. J'ai le droit de savoir. Vraiment. Je n'avais
pas la moindre intention de tomber amoureux de vous.
Je voulais écrire mon livre tranquillement dans mon
coin. Un si bon livre, tout entier consacré aux misères
de ce monde. C'est incroyablement facile de parler
brillamment du malheur d'autrui. Ce n'est qu'une
question d'habitude, en fait. Oui, j'en ai soudain eu la
certitude en lisant une biographie de Burne Jones.

Phillipa avait cessé de repiquer ses laitues. Intriguée, elle fixait le jeune homme en fronçant les
sourcils :

— Qu'est-ce que Burne Jones a à voir là-dedans ?

— Tout. C'est quand on a tout lu sur les préraphaé-
lites que l'on comprend ce qu'est la mode. Ils étaient
tous follement chaleureux, ils parlaient l'argot, ils
riaient, ils plaisantaient, la vie était belle et tout était
merveilleux. Et en fait, ce n'était qu'une mode. Ils
n'étaient pas plus heureux ou chaleureux que nous. Et
nous ne sommes pas plus malheureux qu'eux. Tout est
une question de mode, je vous dis. Après la dernière
guerre, il y a eu un engouement pour le sexe. Maintenant, tout n'est que frustration. Mais c'est sans importance. Pourquoi discutons-nous de tout cela ? J'avais

commencé à parler de nous. Mais j'ai eu peur, et j'ai détourné la conversation. Tout ça parce que vous ne m'aidez pas.

— Que voulez-vous que je fasse ?

— Parlez ! Racontez-moi des choses. C'est à cause de votre mari ? Vous l'adoriez et, depuis qu'il est mort, vous êtes rentrée dans votre coquille. C'est ça ? D'accord, vous l'adoriez, et il est mort. Eh bien, d'autres femmes ont perdu leur mari – des tas d'autres – et certaines d'entre elles l'adoraient. Vous les rencontrez dans un bar, elles vous racontent leur vie, elles pleurnichent un peu quand elles sont assez saoules, et ensuite elles veulent coucher avec vous pour se consoler. C'est une façon comme une autre d'oublier, je suppose. Il faut tourner la page, Phillipa. Vous êtes jeune, et extrêmement séduisante... et je vous aime comme un fou. Parlez-m'en, de votre satané mari, dites-moi comment il était.

— Il n'y a rien à en dire. Nous nous sommes rencontrés, et nous nous sommes mariés.

— Vous deviez être très jeune.

— Trop jeune.

— Vous n'étiez donc pas heureuse avec lui ? Allez-y, continuez, Phillipa.

— Il n'y a rien à ajouter. Nous nous sommes mariés. Nous étions aussi heureux que la plupart des gens, j'imagine. Harry est né. Ronald a rejoint le corps expéditionnaire. Il... il a été tué en Italie.

— Et maintenant il y a Harry ?

— Et maintenant il y a Harry.

— Je l'aime bien, Harry. C'est un gentil gamin. Lui aussi m'aime bien. On s'entend bien. Qu'en pensez-vous, Phillipa ? Et si on se mariait ? Vous pourrez continuer à jardiner, et moi à écrire mon livre, et pendant les vacances, nous arrêterons tout pour prendre du bon temps. Avec un peu de tact, nous pouvons nous débrouiller pour ne pas être obligés de vivre avec ma mère. Elle pourra se saigner un peu pour aider son fils dévoué. Je suis un parasite, j'écris des livres ineptes, je suis myope, et je parle trop. Ça, c'est le pire. Vous ne voulez pas essayer ?

Phillipa le dévisagea. Elle vit un grand garçon plutôt grave, au visage soucieux, portant de grandes lunettes. Ses cheveux blonds étaient ébouriffés et il l'enveloppait d'un regard plein d'une affection rassurante.

— Non, dit Phillipa.

— C'est un non définitif ?

— Définitif.

— Pourquoi ?

— Vous ne savez rien de moi.

— C'est tout ?

— Vous ne connaissez rien à rien.

— C'est peut-être vrai, reconnut le jeune homme après réflexion. Mais qui peut prétendre y connaître quoi que ce soit ? Phillipa, mon adorée…

Il s'interrompit.

Des aboiements stridents et prolongés se rapprochaient rapidement.

— *Des Pékinois dans le jardin du manoir* (chantait Edmund)

Tandis que tombait le soir (sauf qu'il est 11 heures du matin)

Phil, Phil, Phil, Phil,

Se lamentaient-ils dans le noir…

« Votre nom ne sonne pas bien avec le reste. On dirait une Ode à un stylo. Vous n'auriez pas un deuxième prénom ?

— Joan. Allez-vous-en, je vous en prie. C'est Mme Lucas.

— Joan, Joan, Joan, Joan. C'est mieux, mais ça ne colle toujours pas. *Quand Joan engluée de graisse récure ses casseroles…* Ce n'est pas une image très reluisante de la vie conjugale.

— Mme Lucas… Elle arrive !

— Oh, bon sang ! maugréa Edmund. Donnez-moi une de ces fichues courgettes.

*

Le sergent Fletcher avait Little Paddocks pour lui tout seul.

C'était le jour de congé de Mitzi. Elle prenait toujours le car de 11 heures pour Medenham Wells. Il avait été convenu avec Mlle Blacklock que ce serait le sergent Fletcher qui garderait la maison, car elle descendait au village avec Mlle Bunner.

Fletcher se mit rapidement au travail. Un habitant de la maison avait graissé ces gonds et débloqué cette porte afin de pouvoir quitter discrètement le salon dès que les lumières s'éteindraient. Cela excluait Mitzi, qui n'aurait pas eu besoin d'emprunter ce passage.

Qui restait-il ? Fletcher se dit qu'on pouvait également éliminer les voisins, ne voyant pas comment ils auraient trouvé l'occasion de venir graisser les gonds de la porte. Restaient donc Patrick et Julia Simmons, Phillipa Haymes, et peut-être Dora Bunner. Les jeunes Simmons se trouvaient à Milchester, Phillipa Haymes à son travail. Le sergent avait donc le champ libre pour inspecter la maison et découvrir d'éventuels secrets. Mais la maison resta désespérément muette. Fletcher, qui s'y entendait en électricité, ne trouva rien dans l'installation électrique qui puisse lui apprendre comment les plombs avaient sauté. Un rapide examen des chambres à coucher se révéla vain. Dans celle de Phillipa Haymes, il vit des photos d'un petit garçon au regard grave, un autre cliché plus ancien de l'enfant, une pile de lettres d'écolier, un ou deux programmes de théâtre. Un des tiroirs de Julia était plein de clichés pris dans le midi de la France. Des photos de baignades, une villa entourée de mimosas. Celle de Patrick contenait quelques souvenirs de la Marine. Dora Bunner n'avait que peu d'objets personnels, tous très banals.

Pourtant, songea Fletcher, l'une de ces personnes avait bien dû graisser les gonds de cette porte.

Il fut interrompu dans ses réflexions par un bruit provenant du rez-de-chaussée. Il se précipita sur le palier et regarda du haut des marches.

Mme Swettenham traversait le vestibule, un panier au bras. Elle jeta un coup d'œil dans le salon, retraversa le vestibule et pénétra dans la salle à manger. Elle en ressortit sans son panier.

Une latte de parquet craqua sous le pied de Fletcher. Mme Swettenham leva la tête.

— C'est vous, mademoiselle Blacklock ? cria-t-elle.

— Non, madame Swettenham, c'est moi, répondit le policier.

Elle laissa échapper un petit cri.

— Oh, vous m'avez fait peur ! J'ai cru que c'était encore un cambrioleur.

Fletcher descendit l'escalier.

— Cette maison n'a pas l'air bien protégée contre les cambrioleurs, remarqua-t-il. N'importe qui peut donc entrer comme bon lui semble ?

— Je suis juste venue apporter des coings, expliqua Mme Swettenham. Mlle Blacklock voulait faire de la gelée de coings, et il n'y a pas de cognassier dans son jardin. Je les ai posés dans la salle à manger.

Elle sourit :

— Oh ! je vois, vous vous demandez comment je suis entrée ? Eh bien, je suis passée par la porte latérale. Ces allées et venues entre voisins sont fréquentes, sergent. Personne ne songerait à fermer une porte à clef avant la tombée de la nuit. Cela ne serait pas commode d'apporter quelque chose sans pouvoir entrer le déposer. Ce n'est plus comme dans le temps, où il suffisait de sonner pour qu'un domestique vienne ouvrir.

Mme Swettenham poussa un soupir :

— En Inde, je me souviens, nous avions dix-huit domestiques – dix-huit, sans compter l'aya… Cela paraissait tout naturel. Et à la maison, quand j'étais enfant, il y en avait toujours trois, bien que mère ait toujours pensé que c'était une vraie misère que de ne pas pouvoir s'offrir une aide-cuisinière. Je dois dire que je trouve la vie très bizarre, de nos jours, sergent. Bien sûr, il ne faut pas se plaindre. Quand on pense aux mineurs qui attrapent la psittacose – non, ça, c'est la maladie des perroquets – et qui sont obligés de quitter la mine pour devenir jardiniers alors qu'ils ne savent pas distinguer une mauvaise herbe d'un épinard… Mais je ne voudrais pas vous retenir, ajouta-t-elle en se dirigeant vers la porte. J'imagine que vous êtes très occupé. J'espère qu'il ne se passera plus rien.

— Pourquoi voudriez-vous qu'il se passe quelque chose, madame Swettenham ?

— En vous voyant ici, je me demandais… J'ai pensé qu'il s'agissait peut-être d'une bande de malfaiteurs. Vous direz à Mlle Blacklock que je lui ai apporté des coings, n'est-ce pas ?

Mme Swettenham prit congé. Fletcher resta un moment sous le choc. Il avait supposé – à tort, comme il venait de s'en rendre compte – que seul un membre de la maisonnée avait pu graisser les gonds. Il voyait à présent son erreur. Un intrus n'avait qu'à attendre que Mitzi aille prendre le car en l'absence de Letitia Blacklock et Dora Bunner. Rien de plus facile. Ce qui signifiait qu'il ne pouvait rayer de sa liste aucune des personnes présentes ce soir-là dans le salon.

*

— Murgatroyd !

— Oui, Hinch ?

— J'ai réfléchi à quelque chose.

— Ah bon ?

— Oui, mon intellect supérieur s'est mis en action. Tu sais, Murgatroyd, il y a décidément du louche dans l'histoire de l'autre soir.

— Du louche ?

— Oui. Relève tes cheveux, et prends cette truelle. Tu vas faire comme si c'était un revolver.

— Oh ! dit Murgatroyd, nerveuse.

— Allons, elle ne va pas te mordre ! Maintenant, viens près de la porte de la cuisine. Tu joueras le cambrioleur. Mets-toi là. Maintenant, tu entres dans la cuisine pour braquer une bande d'abrutis. Prends la torche, et allume-la.

— Mais on est en plein jour !

— Un peu d'imagination, Murgatroyd. Allume-la.

Son amie obéit, en plaçant maladroitement la truelle sous son autre bras.

— Bon, dit Mlle Hinchliffe. Vas-y. Souviens-toi du temps où tu jouais le rôle d'Hermia dans le *Songe d'une nuit d'été* au Women's Institute. Joue le jeu. Donne-toi à fond. « Les mains en l'air ! » Voilà ton texte, et ne gâche pas tout en disant « s'il vous plaît » !

Mlle Murgatroyd leva docilement la torche, brandit la truelle et se dirigea vers la porte de la cuisine.

Faisant passer la torche dans sa main droite, elle tourna rapidement la poignée et avança, reprenant la torche de la main gauche.

— Les mains en l'air ! pépia-t-elle.

Et elle ajouta, contrariée :

— Mon Dieu, c'est très difficile, Hinch.

— Pourquoi ?

— À cause de la porte. C'est une porte à battants, elle n'arrête pas de se refermer, et j'ai les deux mains prises.

— Exactement, tonna Mlle Hinchliffe. Et la porte du salon de Little Paddocks est pareille. Ce n'est pas une porte à battants comme celle-ci, mais elle n'arrête pas de se refermer toute seule. C'est d'ailleurs pour ça que Letty Blacklock a acheté ce magnifique butoir de verre chez Elliot, dans la grand-rue. Je dois reconnaître que je ne lui ai jamais pardonné de m'avoir devancée. J'avais réussi à pousser ce vieux grigou à baisser son prix. Il était déjà descendu de huit guinées à six livres dix, et voilà que Blacklock arrive et achète ce satané butoir. Je n'en avais jamais vu d'aussi beau ; ce n'est pas souvent qu'on trouve des bulles de verre de si grand format.

— Peut-être que le cambrioleur s'en est servi pour bloquer la porte, suggéra Mlle Murgatroyd.

— Réfléchis un peu, Murgatroyd. Comment aurait-il fait ? Il ouvre brutalement la porte, dit « Un instant, je vous prie », se penche pour placer le butoir, puis conclut en disant : « Les mains en l'air » ? Essaie de retenir la porte avec ton épaule.

— Ce n'est toujours pas pratique, gémit Mlle Murgatroyd.

— Justement, dit son amie. Un revolver, une torche, et une porte à maintenir ouverte – ce n'est pas un peu trop, non ? Qu'est-ce que tu as à répondre à ça ?

Mlle Murgatroyd ne tenta pas d'apporter la moindre réponse. Elle se contenta de regarder son impérieuse amie avec admiration, attendant qu'elle éclaire sa lanterne.

— Nous savons qu'il avait un revolver, parce qu'il a tiré, dit Mlle Hinchliffe. Et nous savons qu'il avait une torche, parce que nous l'avons tous vue – à moins que nous n'ayons tous été victimes d'une hypnose collective, comme dans le coup de la corde indienne (quel raseur, cet Easterbrook, avec ses histoires indiennes !) ; la question est donc la suivante : quelqu'un lui a-t-il tenu la porte ?

— Mais qui aurait pu faire ça ?

— Eh bien, toi, par exemple. Si je me souviens bien, tu étais juste derrière cette porte quand les lumières se sont éteintes.

Mlle Hinchliffe rit de bon cœur :

— Tu as tout du personnage éminemment suspect, pas vrai, Murgatroyd ? Note qu'à te voir, on ne le dirait pas ! Allez, donne-moi cette truelle – encore heureux que ce ne soit pas un vrai revolver. Tu te serais débrouillée pour te tirer dessus !

— Ça c'est extraordinaire, murmura le colonel Easterbrook. Tout à fait extraordinaire, Laura.

— Quoi donc, mon chéri ?

— Viens donc voir dans ma garde-robe une minute.

— Que se passe-t-il, chéri ?

Mme Easterbrook apparut dans l'encadrement de la porte.

— Tu te souviens quand je t'ai montré mon vieux revolver ?

— Oh ! oui, Archie, cet affreux machin noir !

— Oui. Un souvenir des Boches. Il était bien dans ce tiroir, non ?

— Oui.

— Eh bien, il n'y est plus.

— Archie, c'est extraordinaire !

— Tu ne l'aurais pas changé de place, par hasard ?

— Oh ! non, je n'oserais jamais toucher à cette horreur.

— Tu crois que c'est la mère Machin qui l'a déplacé ?

— Oh ! ça m'étonnerait beaucoup. Mme Butt ne ferait jamais une chose pareille. Veux-tu que je lui demande ?

— Non, il ne vaut mieux pas. Je ne voudrais pas qu'elle se mette à bavarder. Dis-moi, te souviens-tu à quel moment je t'ai montré ce revolver ?

— Oh ! c'était il y a une semaine, environ. Tu rouspétais à propos de tes cols et de la blanchisserie, et tu

189

as ouvert le tiroir en grand. Il se trouvait tout au fond, et je t'ai demandé ce que c'était.

— Oui, c'est juste. Il y a environ une semaine. Tu ne te souviens pas de la date ?

Mme Easterbrook réfléchit, les paupières closes, le cerveau en ébullition.

— Bien sûr, dit-elle. C'était samedi. Le jour où nous devions aller au cinéma, mais nous n'y sommes pas allés, en fin de compte.

— Hum… tu es sûre que ce n'était pas avant ? Mercredi ? Jeudi ? Ou même un jour de la semaine précédente ?

— Non, chéri, répondit Mme Easterbrook. Je me rappelle parfaitement. C'était le samedi 30. Cela paraît loin à cause de toutes les histoires qu'il y a eu depuis. Et je peux même te dire pourquoi je m'en souviens. Parce que c'était le lendemain du hold-up chez Mlle Blacklock. Et quand j'ai vu ton revolver, cela m'a rappelé les coups de feu de la veille.

— Ah ! dit le colonel Easterbrook, alors ça me soulage d'un grand poids.

— Mais pourquoi, Archie ?

— Parce que si ce revolver avait disparu avant les coups de feu… eh bien, ça aurait pu vouloir dire que cet Helvète me l'avait chapardé.

— Mais comment aurait-il su que tu en avais un ?

— Ces bandes ont des réseaux d'information très efficaces. Ils finissent par tout savoir sur un endroit et ses habitants.

— Tu sais tant de choses, Archie !

— Eh oui. J'ai vu pas mal de choses, dans ma vie. Enfin, comme tu es certaine d'avoir vu mon revolver après le hold-up, l'affaire est réglée. Le revolver dont s'est servi ce type ne pouvait pas être le mien, n'est-ce pas ?

— Bien sûr que non.

— Quel soulagement ! Il aurait fallu que j'aille trouver la police. Et ils posent toujours des tas de questions embarrassantes. Bien obligés. Pour tout dire, je n'ai jamais eu de permis pour cette arme. Après une guerre, on a tendance à oublier toutes ces lois qui ne valent qu'en temps de paix. Je le considérais comme un souvenir de guerre, pas comme une arme.

— Bien sûr, je comprends.

— Il n'empêche que j'aimerais bien savoir où est passé ce satané revolver.

— Peut-être que c'est Mme Butt qui l'a pris. Elle m'a toujours parue honnête, mais peut-être qu'après le hold-up elle a eu peur, et qu'elle s'est dit qu'il valait mieux avoir une arme à la maison. Bien sûr, elle n'avouera jamais une chose pareille. Je ne lui poserai même pas la question. Elle pourrait se froisser. Et que ferions-nous, alors ? La maison est si grande – je ne pourrais jamais...

— C'est vrai, dit le colonel Easterbrook. Il vaut mieux ne rien dire.

13

ACTIVITÉS MATINALES À CHIPPING CLEGHORN (suite)

Miss Marple franchit la grille du presbytère et emprunta le sentier qui débouchait dans la rue principale.

S'appuyant sur la solide canne en frêne du révérend Julian Harmon, elle marchait d'un bon pas.

Elle passa devant le pub de La Vache Rouge et la boucherie, puis s'arrêta quelques instants devant la boutique de M. Elliot, l'antiquaire, pour contempler la vitrine. Le magasin était astucieusement situé à côté du salon de thé L'Oiseau Bleu, permettant ainsi à l'automobiliste fortuné, après s'être désaltéré d'une bonne tasse de thé et restauré d'une « pâtisserie maison » – doux euphémisme pour un gâteau de couleur safran –, de se laisser tenter par la vitrine avantageuse de M. Elliot.

Dans l'antique vitrine en rotonde de M. Elliot, il y en avait pour tous les goûts. Deux verres de Waterford reposaient dans un impeccable seau à glace. Un bureau de noyer, fait de bric et de broc, se proclamait « affaire à saisir », et une table, dans la vitrine même, servait de présentoir à un assortiment de heurtoirs bon marché et de lutins pittoresques, quelques porcelaines de Dresde ébréchées, un ou deux larges colliers de fausses perles, un mug portant l'inscription « Souvenir de Tunbridge Wells » et quelques couverts en argent dépareillés de l'époque victorienne.

Miss Marple était plongée dans la contemplation de la vitrine, et M. Elliot, vieille araignée obèse, quitta sa toile pour évaluer les possibilités offertes par cette nouvelle mouche.

Mais au moment où il se disait que les charmes du « Souvenir de Tunbridge Wells » étaient sur le point de faire succomber la dame qui séjournait au presbytère – car, bien entendu, M. Elliot, comme tout le monde, savait exactement qui elle était –, miss Marple aperçut du coin de l'œil Dora Bunner qui entrait à L'Oiseau Bleu, et décida aussitôt qu'une tasse de café était exactement l'antidote qu'il lui fallait contre le vent froid de cette matinée d'automne.

Quatre ou cinq dames étaient déjà en train de se reposer de leurs achats du matin en prenant un rafraîchissement. Miss Marple, clignant des yeux dans la pénombre de L'Oiseau Bleu et se livrant au rite de la valse-hésitation, fut accueillie par la voix d'une Dora Bunner toute proche :

— Oh ! bonjour, miss Marple. Asseyez-vous, je vous en prie. Je suis toute seule.

— Merci.

Miss Marple s'installa avec reconnaissance dans un petit fauteuil anguleux et peint en bleu, siège fétiche du salon de thé.

— Ce vent est glacial, se plaignit-elle. Et je ne peux pas marcher très vite, à cause de ma jambe. Je souffre de rhumatismes.

— Oh, je sais ce que c'est. Une année, j'ai eu une sciatique – et la plupart du temps, la douleur était intolérable.

Les deux dames discutèrent rhumatismes, sciatiques et névrites pendant un moment. Une fille à la mine renfrognée, vêtue d'un tablier rose agrémenté d'une envolée d'oiseaux bleus sur le devant, prit leur commande en bâillant, avec un air las qui se voulait patient. Elles se décidèrent pour du café et des gâteaux.

— Leurs gâteaux sont vraiment très bons, chuchota Mlle Bunner d'un ton de conspirateur.

— J'ai été très intriguée par cette très jolie jeune femme que j'ai croisée en sortant de chez Mlle Blacklock, l'autre jour, déclara miss Marple. Elle a dit qu'elle jardinait, je crois. À moins qu'elle ne s'occupe des terres ? Comment s'appelle-t-elle déjà... Hynes, c'est bien ça ?

— Vous voulez parler de Phillipa Haymes ? Notre « pensionnaire », comme nous l'appelons ?

Mlle Bunner rit de sa propre plaisanterie :

— C'est une jeune femme si douce et si calme. Une dame, si vous voyez ce que je veux dire.

— Je me demandais… J'ai connu un colonel Haymes, de l'Armée des Indes. Ce pourrait être son père ?

— C'est une Mme Haymes. Elle est veuve. Son mari s'est fait tuer, en Sicile ou en Italie. Bien entendu, il pourrait s'agir de son beau-père.

— Je me demandais aussi s'il n'y avait pas idylle dans l'air, suggéra miss Marple, l'œil espiègle. Avec ce grand jeune homme ?

— Avec Patrick, vous voulez dire ? Oh ! je ne pense pas…

— Non, je voulais parler d'un jeune homme à lunettes. Je l'ai vu dans les parages.

— Ah ! bien sûr, Edmund Swettenham. Chut, c'est sa mère, Mme Swettenham, que vous voyez dans le coin, là-bas. À dire vrai, je ne sais pas. Vous pensez qu'elle lui plaît ? C'est un jeune homme si bizarre… il dit parfois des choses très embarrassantes. Il paraît qu'il est intelligent, comprenez-vous, expliqua Mlle Bunner d'un ton franchement réprobateur.

— L'intelligence n'est pas tout, répondit miss Marple en secouant la tête. Ah ! voilà notre café.

La créature renfrognée les servit sans ménagement. Les deux vieilles demoiselles s'offrirent mutuellement les gâteaux.

— J'ai cru comprendre que vous étiez allée à l'école avec Mlle Blacklock. Comme c'est intéressant. Voilà une amitié de longue date.

— En effet, soupira Mlle Bunner. Très peu de gens seraient capables d'autant de loyauté envers leurs vieux amis que cette chère Mlle Blacklock. Mon Dieu, ce bon vieux temps me semble si loin ! C'était une si jolie jeune fille, qui aimait tant la vie. J'en ai été si triste...

Miss Marple, qui n'avait pas la moindre idée de ce qu'on pouvait voir là de si triste, poussa un soupir et secoua la tête.

— La vie est dure, c'est vrai, murmura-t-elle.

— « Une bien triste affliction, courageusement supportée », énonça Mlle Bunner, l'œil embué. Je pense toujours à ce vers. Quelle patience, quelle résignation sincère... Une telle patience et un tel courage se doivent d'être récompensés, voilà ce que je crois. Pour moi, rien n'est trop beau pour cette chère Mlle Blacklock. Et quelles que soient les joies qu'elle puisse connaître, elle les mérite amplement.

— L'argent peut considérablement aider à supporter les difficultés de la vie, dit miss Marple.

C'est avec une parfaite tranquillité d'esprit qu'elle avait émis cette observation, persuadée que la vieille demoiselle faisait allusion aux perspectives de fortune de Mlle Blacklock.

Sa remarque, cependant, lança Mlle Bunner sur un autre cheminement de pensée.

— L'argent ! s'exclama-t-elle, amère. Vous savez, je crois que, tant qu'on n'en a pas fait l'expérience, on ne se doute pas de ce qu'avoir de l'argent, ou plutôt ne pas en avoir, peut vraiment signifier.

Miss Marple approuva d'un signe de tête plein de sympathie.

Mlle Bunner continua sur sa lancée, son débit s'accélérant et le visage rouge d'animation :

— J'ai souvent entendu des gens décréter : « Je préférerai toujours un bouquet de fleurs sur la table à un repas sans fleurs. » Mais combien de repas ces gens ont-ils jamais sautés ? Ils ne savent pas – personne ne le sait avant de l'avoir vécu – ce que c'est que d'avoir vraiment faim. N'avoir que du pain, une boîte de pâté et une lichette de margarine, jour après jour, tout en rêvant d'un bon plat de viande et de légumes ! Et la déchéance ! Repriser ses vêtements, en espérant que cela ne se verra pas. Se présenter pour des emplois qu'on n'obtient jamais, parce qu'on est trop vieux. Et quand vous finissez par trouver un travail, vous êtes devenue trop faible pour l'exercer. Vous avez des étourdissements. Et vous voilà revenue au point de départ. Il y a le loyer, toujours le loyer, qu'il faut absolument payer, sinon, on se retrouve à la rue. Et de nos jours, ça ne vous laisse pas grand-chose pour vivre. On ne va pas très loin avec une pension retraite, pas loin du tout.

— Je sais, répondit miss Marple avec douceur.

Elle regarda avec compassion le visage secoué de tics de Mlle Bunner.

— J'ai écrit à Letty, reprit cette dernière. J'avais lu son nom par hasard dans le journal. C'était pour un déjeuner de charité au bénéfice de l'hôpital de Milchester. Il y avait son nom, imprimé noir sur blanc :

Mlle Letitia Blacklock. Les souvenirs ont alors res-
surgi. Cela faisait des années que je n'avais eu de ses
nouvelles. Elle avait été la secrétaire de cet homme
très riche, vous savez : Goedler. Elle avait toujours été
très intelligente, c'était le genre de femme qui réussit
dans la vie. Pas tant par son physique que par sa personnalité. Alors je me suis dit que, peut-être, elle se
souviendrait de moi, et elle faisait partie de ceux à qui
je pouvais demander de l'aide. Je veux dire...
quelqu'un qu'on a connu enfant, avec qui on est allé à
l'école... quelqu'un qui vous connaît, qui sait que vous
êtes autre chose qu'un... mendiant qui demande la
charité...

Les yeux de Dora Bunner s'emplirent de larmes :

— Ensuite, Lotty est venue me chercher, disant
qu'elle avait besoin de quelqu'un pour l'aider. Bien
sûr, j'ai été très surprise, vraiment très surprise – mais
enfin, il arrive que les journaux se trompent. Elle a été
si gentille, si compatissante. Elle se souvenait si bien
de nos jeunes années. Je ferais n'importe quoi pour
elle, vraiment n'importe quoi. Je fais de gros efforts,
mais il m'arrive parfois de tout mélanger – ma pauvre
tête n'est plus ce qu'elle était. Je fais des erreurs.
J'oublie tout, et je dis des bêtises. Elle est très patiente.
Ce qui est vraiment gentil de sa part, c'est qu'elle fait
toujours comme si je lui étais bel et bien très utile.
Voilà de la vraie bonté, n'est-ce pas ?

— Oui, c'est cela la vraie bonté, approuva miss
Marple.

— Vous savez, je suis restée très inquiète, même après mon installation à Little Paddocks – qu'allais-je devenir si... si quelque chose arrivait à Mlle Blacklock ? Après tout, il y a tant d'accidents – avec ces voitures qui roulent à toute vitesse – on ne sait jamais, n'est-ce pas ? Naturellement, je n'en ai jamais soufflé mot. Mais elle a dû deviner. Un beau jour, elle m'a annoncé qu'elle me laissait une petite rente dans son testament, et, ce qui m'est bien plus précieux, tous ses beaux meubles. J'étais sidérée... Mais elle m'a dit que personne n'en prendrait soin mieux que moi. Et elle a raison. Je ne supporte pas que l'on casse une jolie tasse en porcelaine, ou que l'on pose des verres mouillés sur une table, cela laisse des traces. Je prends grand soin de ses affaires. Certaines personnes, je dirais même certaines en particulier, sont extrêmement négligentes – et c'est parfois plus que de la négligence !

« En fait, je ne suis pas aussi stupide que j'en ai l'air. Je vois bien quand on abuse de Letty. Certains, et je ne citerai pas de noms, profitent d'elle. Cette chère Mlle Blacklock est peut-être un tout petit peu trop confiante.

— Ça, c'est une grave erreur, commenta miss Marple.

— Tout à fait. Vous et moi, miss Marple, nous connaissons la vie. Mais cette chère Mlle Blacklock...

Elle secoua la tête.

Miss Marple se dit qu'ayant été la secrétaire d'un richissime homme d'affaires, Mlle Blacklock connaissait certainement la vie, elle aussi. Mais sans doute

Mlle Bunner voulait-elle dire que son amie avait toujours vécu dans l'aisance, et que les gens aisés ne sont jamais vraiment au fait des abîmes de noirceur où se complaît le genre humain.

— Ce Patrick ! s'exclama soudain Mlle Bunner avec une âpreté qui fit sursauter miss Marple. Par deux fois au moins, à ma connaissance, il lui a soutiré de l'argent. Il fait semblant d'être dans le besoin, criblé de dettes, ce genre de balivernes. Elle est bien trop généreuse. Quand je lui en ai fait la remontrance, elle s'est contentée de me dire : « Il est jeune, Dora. Il faut bien que jeunesse se passe. »

— Elle n'a pas complètement tort, hasarda miss Marple. De plus, c'est un jeune homme séduisant.

— Trop beau pour être honnête. Il aime beaucoup trop se moquer des autres. Et j'imagine qu'il a des histoires avec des tas de filles. Je ne suis qu'un sujet de plaisanterie pour lui, rien de plus. Il ne se rend pas compte que les gens ont leur sensibilité.

— Les jeunes ne se préoccupent guère de ces choses-là, dit miss Marple.

Mlle Bunner se pencha soudain en avant et prit une attitude de conspiratrice :

— Vous me promettez de n'en souffler mot à personne, n'est-ce pas, ma chère ? Mais je ne peux m'empêcher de penser qu'il est mêlé à toute cette histoire horrible. À mon avis, il connaissait ce garçon, ou alors c'est Julia qui le connaissait. Je n'ose pas faire la moindre allusion devant Mlle Blacklock – du moins, je l'ai fait une fois, et elle m'a vertement remise à ma place. Et, bien sûr, c'est très délicat, parce qu'il s'agit de son neveu, ou en tout cas de son cousin... et si ce jeune Suisse s'est tué, il se peut que l'on tienne Patrick comme moralement responsable, n'est-ce pas ? Si c'est lui qui l'a poussé à agir, vous comprenez. J'avoue que je ne sais plus que penser de tout cela. Tout le monde fait tant d'histoires à cause de cette deuxième porte du salon. Voilà encore une chose qui me tracasse : que l'inspecteur ait dit qu'on en avait graissé les gonds. Parce que, voyez-vous, j'ai vu...

Elle se tut soudain.

Miss Marple prit le temps de choisir les mots adéquats.

— C'est une situation très difficile pour vous, dit-elle, compatissante. Vous ne voulez naturellement pas que tout cela vienne aux oreilles de la police.

— Exactement ! s'écria Dora Bunner. La nuit, je reste éveillée dans mon lit, à me ronger les sangs... parce que l'autre jour, je suis tombée sur Patrick dans le bosquet. Je cherchais un nid – l'une de nos poules pond dans les fourrés –, quand je l'ai vu planté là, avec à la main un petit pinceau et une tasse, une tasse toute poisseuse. En me voyant, il a sursauté d'un air coupable et a tenté de se justifier : « J'étais en train de me demander ce que ces trucs faisaient là. » Il faut dire qu'il a toujours eu l'esprit vif. Je suis sûre qu'il s'est empressé d'inventer cette excuse quand je l'ai surpris. Et comment aurait-il pu trouver de tels objets dans un massif, à moins de les y chercher en sachant pertinemment qu'ils étaient là ? Bien sûr, je n'ai rien dit du tout.

— Non, non, bien sûr.

— Mais je lui ai lancé un regard, si vous voyez ce que je veux dire.

Dora Bunner tendit la main et mordit distraitement dans un gâteau d'un rose saumon éclatant :

— Et une autre fois, j'ai surpris une conversation des plus bizarres entre Julia et lui. Ils avaient l'air de se disputer. Il disait : « Si je pensais que tu étais impliquée dans une histoire pareille ! » et Julia, qui est toujours très calme, a répondu : « Eh bien, petit frère, quelle serait ta réaction ? » À ce moment-là, comble de malchance, j'ai marché sur une lame de parquet qui craque toujours, et ils m'ont vue. J'ai dit d'un ton enjoué : « Eh bien, vous vous disputez, tous les deux ? » et Patrick a dit : « Je mettais Julia en garde contre ces histoires de marché noir. » Oh ! c'était très astucieux, mais je ne crois pas qu'ils étaient vraiment en train de parler de marché noir. Et, si vous voulez mon avis, Patrick avait bricolé cette lampe dans le salon, pour faire en sorte que les lumières s'éteignent, parce que je me souviens très bien que c'était la bergère, et non le berger. Or figurez-vous que, le lendemain...

Elle se tut, et son visage s'empourpra.

Tournant la tête, miss Marple découvrit Mlle Blacklock debout derrière elle et qui venait sans doute d'arriver.

— Alors, Bunny, on papote devant une tasse de café ? dit Mlle Blacklock avec une nuance de reproche dans la voix. Bonjour, miss Marple. Il fait froid, aujourd'hui, n'est-ce pas ?

Les portes s'ouvrirent avec fracas et Bunch Harmon entra précipitamment.

— Bonjour ! lança-t-elle. Est-ce que j'arrive trop tard pour boire un café ?

— Non, ma chérie, répondit miss Marple. Assieds-toi donc.

— Nous devons rentrer, annonça Mlle Blacklock. Tu as fini tes courses, Bunny ?

Elle avait retrouvé son indulgence habituelle, mais on décelait encore dans ses yeux une lueur de réprobation.

— Oui, oui, merci, Letty. Je dois juste faire un saut chez le pharmacien en passant, pour acheter de l'aspirine et des pansements.

Comme les portes de L'Oiseau Bleu se refermaient derrière les deux amies, Bunch demanda :

— De quoi parliez-vous ?

Miss Marple ne répondit pas immédiatement. Elle attendit que Bunch ait passé sa commande.

— La solidarité familiale est une chose sacrée, déclara-t-elle enfin. Rigoureusement sacrée. Te souviens-tu de cette affaire célèbre... je ne me rappelle plus laquelle au juste. Quoi qu'il en soit, on disait que le mari avait empoisonné sa femme. Avec un verre de vin. Et puis, au tribunal, leur fille a affirmé qu'elle avait bu la moitié du verre de sa mère, ce qui réduisait à néant l'accusation portée contre son père. Il paraît – mais ce n'est peut-être qu'une rumeur – qu'elle n'a plus jamais adressé la parole à son père ni vécu sous le même toit. Bien sûr, un père est une chose, un neveu ou un cousin éloigné en est une autre. Mais malgré tout personne n'a envie qu'un membre de sa famille soit pendu, n'est-ce pas ?

— Non, approuva Bunch, songeuse. C'est aussi mon avis.

Miss Marple se renfonça dans son fauteuil.

— Les gens sont tous les mêmes, où qu'ils soient, murmura-t-elle entre ses dents.

— Et moi, je ressemble à qui ?

— Eh bien, en fait, chérie, tu ne ressembles à personne. Je ne crois pas que tu me rappelles quelqu'un en particulier. Sauf, peut-être...

— Nous y voilà, dit Bunch.

— Je pensais seulement à une de mes bonnes, chérie.

— Une bonne ? Je ferais une piètre bonne.

— Oui, chérie. Elle l'était aussi. Elle ne savait absolument pas servir à table. Elle posait tout de travers, mélangeait les couteaux de cuisine à ceux du service, et sa coiffe – n'oublie pas que c'était il y a longtemps – sa coiffe était toujours de travers.

Bunch redressa machinalement son chapeau.

— Et alors ? demanda-t-elle, impatiente.

— Je l'ai gardée, car elle était de compagnie très agréable. Et parce qu'elle me faisait rire. J'aimais sa façon de dire les choses franchement. Un jour, elle est venue me trouver en me disant : « Bien sûr, j'y connais rien, m'dame, mais Florrie, comment qu'elle s'assoit, on dirait une femme mariée. » Et elle avait raison, la pauvre Florrie était dans une situation embarrassante

– des œuvres d'un garçon-coiffeur apparemment bien sous tous rapports. Heureusement, il était encore temps, aussi, j'en ai touché deux mots à ce jeune homme, ils ont fait un très beau mariage, et tout s'est bien terminé. C'était une fille sérieuse, Florrie, mais elle était du genre à se laisser prendre aux beaux discours.

— Elle n'a pas commis de meurtre, au moins ? Je veux parler de la bonne.

— Non, bien sûr, dit miss Marple. Elle a épousé un pasteur baptiste, et ils ont eu cinq enfants.

— Comme moi, dit Bunch. Sauf que je n'ai qu'Edward et Susan, pour l'instant.

Elle réfléchit quelques secondes et ajouta :

— À qui pensez-vous, maintenant, tante Jane ?

— À pas mal de monde, chérie, répondit la vieille demoiselle, distraite.

— Des gens de St Mary Mead ?

— Pour la plupart... En fait, je pensais à Mlle Ellerton, l'infirmière. Une excellente femme, aimable comme tout. Elle s'occupait d'une vieille dame, et semblait beaucoup l'aimer. Et puis la vieille dame est morte. Elle s'est occupée d'une autre, qui est morte elle aussi. Morphine. Tout a fini par se savoir. C'était fait très gentiment, et le plus choquant, c'est que cette femme n'avait pas l'impression d'avoir mal agi. Elle a déclaré que, de toute façon, il ne leur restait pas longtemps à vivre, et que l'une d'elles avait un cancer dont elle souffrait énormément.

— Vous voulez dire qu'elle les a tuées par pitié ?

— Non, pas du tout. Elles lui avaient légué leur fortune. Notre infirmière aimait l'argent, vois-tu…

« Et puis il y a eu ce jeune homme sur le paquebot. Le neveu de Mme Pusey, la marchande de journaux. Il rapportait chez elle des objets volés, et lui demandait de les revendre. Il disait qu'il les avait achetés à l'étranger. Elle s'est laissé abuser. Et quand la police est venue et a commencé à poser des questions, il a tenté de lui fracasser le crâne, pour qu'elle ne puisse pas le dénoncer… Pas quelqu'un de bien, ce jeune homme, mais très séduisant. Il avait deux petites amies. L'une d'elles lui coûtait des sommes folles.

— La plus méchante, je suppose, dit Bunch.

— En effet, chérie. Et il y a eu aussi Mme Cray, la mercière. Elle ne jurait que par son fils, qu'elle avait bien évidemment trop gâté. Il s'est mis à fréquenter des individus louches. Te souviens-tu de Joan Croft, Bunch ?

— Non, je ne crois pas.

— Je me disais que tu l'aurais peut-être aperçue en me rendant visite. Elle fumait le cigare ou la pipe en roulant des mécaniques. Un jour, il y a eu un hold-up à la banque, et Joan Croft s'y trouvait justement. Elle a assommé le malfaiteur et lui a pris son revolver. Elle a reçu les félicitations du tribunal pour son courage.

Bunch écoutait attentivement, comme si elle essayait d'apprendre ces paroles par cœur.

— Et qui d'autre ? demanda-t-elle.

— Cette fille, à Saint-Jean-des-Collines, un été. Une fille si calme – ou plutôt, silencieuse. Tout le monde l'aimait, mais sans la connaître vraiment… On a appris par la suite que son mari était un faussaire. À cause de lui, elle se sentait coupée du reste du monde. Cela a fini par la rendre un peu bizarre. C'est ce qui arrive, à force de broyer du noir.

— Il n'y aurait pas un colonel de l'armée des Indes, dans vos souvenirs ?

— Bien sûr que si, chérie. Le major Vaughan, des « Mélèzes », et le colonel Wright de « Simla Lodge ». Mais ils n'avaient rien de suspect. En revanche, je me rappelle M. Hodgson, le directeur de la banque, qui est parti en croisière et a épousé une femme assez jeune pour être sa fille. Il ne savait rien d'elle – sauf ce qu'elle avait bien voulu lui dire, évidemment.

— Et ça n'avait rien à voir avec la vérité ?

— Non, ma chérie, rigoureusement rien.

— Pas mal, approuva Bunch en comptant les gens sur ses doigts. Nous avons Dora, la toute dévouée, Patrick, le séducteur, Mme Swettenham et Edmund, Phillipa Haymes, le colonel et Mme Easterbrook – et si vous voulez mon avis, vous avez vu juste en ce qui la concerne. Mais elle n'aurait eu aucune raison d'assassiner Letty Blacklock.

— Sauf si Mlle Blacklock savait quelque chose à son sujet qu'elle ne voulait pas qu'on découvre.

— Oh ! voyons, cette vieille histoire de Tanqueray ? Plus personne ne s'en souvient !

— Ce n'est pas si sûr. Vois-tu, Bunch, toi, tu n'es pas femme à te soucier de l'opinion d'autrui.

— Je vois ce que vous voulez dire, répondit soudain Bunch. Quand on a été fauché et qu'ensuite, comme un pauvre chat errant, on trouve un foyer, du bon lait, une main caressante, qu'on vous appelle « gentil minou » et qu'on vous trouve merveilleux... On ferait n'importe quoi pour ne pas perdre tout ça... Eh bien, je dois reconnaître que vous m'avez brossé une galerie de portraits très complète.

— Tu n'as pas tout bien compris, tu sais, dit doucement miss Marple.

— Ah bon ? Où me suis-je trompée ? Julia ? Julia, la belle Julia, est très bizarre.

— Trois shillings et six pence, annonça la serveuse maussade, apparue comme par enchantement. Et j'aimerais savoir, ajouta-t-elle, sa poitrine soulevant un envol d'oiseaux bleus, ce que vous me trouvez de si bizarre, madame Harmon. J'avais une tante assez excentrique, c'est vrai, mais personnellement, j'ai toujours été une bonne anglicane, comme l'ancien pasteur Hopkinson pourra vous le confirmer.

— Je suis vraiment désolée, dit Bunch. Je citais seulement les paroles d'une chanson. Je ne parlais absolument pas de vous. J'ignorais que vous vous appeliez Julia.

— C'est une coïncidence, alors, répondit la jeune femme renfrognée, dont le visage s'éclaircit. Il n'y a pas de mal. Mais en entendant mon nom, j'ai cru... eh bien, naturellement, quand on a l'impression que quelqu'un est en train de parler de vous, on écoute, c'est humain. Merci.

Elle s'éloigna avec son pourboire.

— Ne prenez pas cet air bouleversé, tante Jane, dit Bunch. Que se passe-t-il ?

— Mais ce n'est pas possible, marmonna miss Marple. Pas possible. Il n'y a pas de raison…

— Tante Jane !

La vieille dame soupira et lui fit un grand sourire :

— Ce n'est rien, ma chérie.

— Vous pensiez avoir deviné qui était le coupable ? Qui est-ce ?

— Je n'en sais rien, répondit miss Marple. L'espace d'un instant, j'ai eu une idée, mais elle s'est envolée. De qui s'agit-il, j'aimerais bien le savoir. Le temps passe si vite. Si terriblement vite…

— Que voulez-vous dire avec ce « terriblement vite » ?

— Cette vieille femme, là-bas en Écosse, risque de mourir d'un moment à l'autre.

— Alors vous croyez vraiment à l'existence de Pip et Emma ? demanda Bunch en ouvrant de grands yeux. Vous croyez que ce sont eux qui ont fait le coup… et qu'ils vont recommencer ?

— Bien sûr, qu'ils vont recommencer, répondit distraitement miss Marple. S'ils ont frappé une fois, ils frapperont de nouveau. Quand on a décidé de tuer quelqu'un, on ne s'arrête pas au premier échec. Surtout quand on est quasiment certain de ne pas attirer les soupçons.

— Mais si c'est Pip et Emma, je ne vois que deux personnes possibles : Patrick et Julia, forcément. Ils sont frère et sœur, et ce sont les seuls dont l'âge corresponde.

— C'est loin d'être aussi simple, chérie. Il y a toutes sortes de ramifications et de combinaisons. La femme de Pip, s'il est marié, ou le mari d'Emma. Il y a aussi leur mère – elle est concernée, même si elle n'hérite pas directement. Si Mlle Blacklock ne l'a pas vue depuis trente ans, elle serait sans doute incapable de la reconnaître. Toutes les vieilles dames se ressemblent. Souviens-toi de Mme Wotherspoon, qui percevait, en plus de sa propre pension de retraite, celle de Mme Bartlett, qui était morte depuis des années. D'ailleurs, Mlle Blacklock est myope. As-tu remarqué comme elle plisse les yeux en regardant les gens ? Et puis, il y a aussi le père. Apparemment, un homme peu recommandable.

— Oui, mais c'est un étranger.

— De naissance. Mais rien ne porte à croire qu'il a un fort accent et parle avec les mains. Je suppose qu'il pourrait jouer le rôle d'un… d'un colonel de l'armée des Indes, aussi bien que n'importe qui.

— C'est vraiment là ce que vous pensez ?

— Non. Pas du tout, chérie. Je pense simplement qu'une somme d'argent considérable est en jeu. Et je sais malheureusement trop bien les horreurs que les gens sont prêts à commettre pour toucher le gros lot.

— Vous avez sans doute raison, dit Bunch. Mais ça ne leur profite pas, non ? Pas au bout du compte ?

— Non, mais cela, en général, ils ne le savent pas.

— Il faut essayer de se mettre à leur place, aussi, sourit Bunch de son charmant sourire un peu malicieux.

« On se dit que pour soi, ce sera différent… Même moi, je ressens cela. On se raconte qu'on va faire beaucoup de bien avec tout cet argent. Des projets grandioses… des foyers pour les enfants abandonnés ou les mères épuisées… de merveilleuses vacances à l'étranger pour les vieilles dames qui ont travaillé trop dur… »

Son visage se referma, ses yeux devinrent sombres et tristes.

— Je sais ce que vous pensez, dit-elle à miss Marple. Vous vous dites que je serais encore pire que les autres. Parce que je me ferais des illusions. Quand on veut de l'argent pour des raisons égoïstes, au moins, on sait à quoi s'en tenir. Mais si on se met à s'imaginer que c'est pour la bonne cause, on devient capable de se persuader, peut-être, que tuer quelqu'un n'a pas vraiment d'importance…

Et ses yeux s'éclaircirent.

— Mais je ne le ferais pas, dit-elle. Je serais incapable de tuer. Même si c'était quelqu'un de vieux, ou malade, ou de… de dangereux. Pas même si c'était un maître chanteur ou… ou le pire des monstres.

Elle récupéra avec soin une mouche qui se débattait dans le fond de son café et la posa sur la table pour la faire sécher :

— Parce que les gens aiment la vie, n'est-ce pas ? Les mouches aussi. Même quand on est vieux et souffrant, et qu'on peut à peine se traîner au soleil. Julian dit que ces personnes-là tiennent encore plus à la vie que les jeunes gens vigoureux. Il dit que la mort leur est plus pénible, qu'ils luttent de toutes leurs forces. Moi aussi, j'aime la vie – pas seulement être heureuse et prendre du bon temps. Je parle du sentiment d'être vivant : sentir en me réveillant le matin, dans tout mon corps, que j'existe, que je fourmille de vie.

Elle souffla doucement sur la mouche. L'insecte remua les pattes et s'envola, l'air ivre.

— Allons, tante Jane, souriez un peu, conclut Bunch. Jamais je ne pourrais tuer quelqu'un.

14

INCURSION DANS LE PASSÉ

Après une nuit dans le train, l'inspecteur Craddock posa le pied sur le quai d'une petite gare des Highlands.

L'espace d'un instant, il lui sembla bizarre qu'une femme riche, et physiquement diminuée, comme Mme Goedler, qui possédait une maison dans un des meilleurs quartiers de Londres, une propriété dans le Hampshire et une villa dans le sud de la France, ait élu domicile dans ce coin perdu d'Écosse. Elle était certainement coupée ici de bon nombre d'amis et de distractions. Et ce devait être une vie bien solitaire – à moins qu'elle ne fût trop malade pour se préoccuper de ce qui l'entourait.

Une voiture attendait l'inspecteur. C'était une grosse Daimler démodée, conduite par un chauffeur d'un certain âge. La matinée était ensoleillée, et l'inspecteur, tout en appréciant le trajet d'une trentaine de kilomètres, s'étonna à nouveau de ce goût de l'isolement. Il en fit la remarque au chauffeur, qui éclaira quelque peu sa lanterne :

— C'est le pays de son enfance. Oui, c'est la dernière survivante de la famille. Et M. et Mme Goedler ont été plus heureux ici que nulle part ailleurs, même si lui ne pouvait pas quitter Londres très souvent. Mais quand cela lui arrivait, ils s'amusaient comme des gamins.

Quand les murs gris de l'antique demeure crénelée aux allures de donjon médiéval furent en vue, Craddock eut l'impression de remonter le temps. Il fut reçu par un vieux majordome et, après avoir fait sa toilette, fut introduit dans une pièce où brûlait un grand feu et où on lui servit un petit déjeuner.

Ensuite, une grande femme d'âge mûr en tenue d'infirmière, aux manières aimables et à l'air compétent, entra et se présenta comme étant Mlle McClelland.

— Ma patiente est prête à vous recevoir, monsieur Craddock. En fait, elle est même impatiente de vous voir.

— J'essaierai de ne pas la fatiguer, promit Craddock.

— Autant vous prévenir tout de suite de ce qui va se passer. Vous allez trouver que Mme Goedler a l'air parfaitement normal. Elle va discuter, et y prendre plaisir, et puis d'un seul coup ses forces l'abandonneront. Retirez-vous aussitôt, et faites-moi appeler. Voyez-vous, elle est sous morphine de façon quasi permanente. La plupart du temps, elle somnole. Sachant que vous alliez venir, je lui ai administré un puissant remontant. Quand il aura cessé de faire effet, elle retombera dans sa somnolence.

— Je comprends très bien, mademoiselle McClelland. Pourriez-vous me dire quel est exactement l'état de santé de Mme Goedler ?

— Eh bien, elle est mourante, monsieur Craddock. Elle n'a plus que quelques semaines à vivre. Cela va peut-être vous étonner, mais c'est la vérité : elle aurait dû mourir il y a des années. Ce qui a prolongé l'existence de Mme Goedler, c'est son formidable amour de la vie. Il peut sembler étrange d'entendre parler ainsi d'une femme invalide depuis si longtemps et qui n'est pas sortie de cette maison depuis quinze ans, mais c'est ainsi. Mme Goedler n'a jamais été très robuste ; mais elle a une incroyable volonté de vivre. C'est aussi une femme charmante, vous verrez, ajouta-t-elle avec un sourire.

Craddock fut conduit dans une vaste chambre à coucher où flambait un feu de bois. Une vieille dame était étendue dans un grand lit à baldaquin. Elle n'avait que sept ou huit ans de plus que Letitia Blacklock, mais sa fragilité la faisait paraître beaucoup plus âgée.

Ses cheveux blancs étaient coiffés avec soin, et un châle de laine bleu pâle enveloppait son cou et ses épaules. Son visage portait les marques de la douleur, mais reflétait aussi une infinie douceur. Craddock eut également la surprise de lire une lueur espiègle dans ses yeux bleus délavés.

— Voilà qui est intéressant, commença-t-elle. Je ne reçois pas souvent la visite de la police. Il paraît que Letitia Blacklock n'a été que légèrement blessée lors de cette agression ? Comment va ma chère Blackie ?

— Très bien, madame Goedler. Elle vous envoie ses amitiés.

— Il y a bien longtemps que je ne l'ai pas vue. Depuis des années, je ne reçois plus qu'une carte à Noël. Je lui ai demandé de venir me voir quand elle est rentrée en Angleterre, après la mort de Charlotte, mais elle a dit que ce serait trop douloureux, après tant d'années, et elle avait sans doute raison... Blackie a toujours eu beaucoup de bon sens. Une vieille amie d'école est venue me rendre visite, il y a environ un an, et, seigneur Dieu ! (Elle sourit.) Nous nous sommes ennuyées à mourir. Après avoir épuisé tous les souvenirs, nous n'avions plus rien à nous dire. C'était très gênant.

Craddock se contenta de la laisser parler avant de la presser de questions. Cela lui convenait tout à fait : il voulait revenir sur le passé, et se faire une impression du ménage Goedler-Blacklock.

— Vous voulez, je présume, que je vous parle de l'argent, suggéra Belle avec perspicacité. Randall a tout légué à Blackie après ma mort. En réalité, bien sûr, Randall n'a jamais pensé que je lui survivrais. C'était un homme grand et fort, jamais malade, tandis que, moi, je n'étais toujours que douleurs, malaises, et plaintes, et les médecins étaient sans cesse penchés sur mon cas avec des mines sinistres.

— Je ne pense pas que « plaintes » soit le mot approprié, madame Goedler.

La vieille dame eut un petit rire :

— Ce n'est pas ainsi que je l'entendais. Je ne me suis jamais trop apitoyée sur moi-même. Mais il paraissait tout naturel qu'étant la plus fragile, je doive mourir la première. Le destin en a décidé autrement. Oui, autrement…

— Pour quelles raisons au juste votre mari a-t-il pris de telles dispositions ?

— Vous voulez dire, pourquoi a-t-il laissé son argent à Blackie ? Pas pour celles que vous imaginez probablement.

Ses yeux étaient pétillants de malice :

— Vous autres policiers avez vraiment l'esprit mal tourné ! Randall n'a jamais été amoureux d'elle, pas plus qu'elle de lui. En fait, voyez-vous, Letitia a toujours eu un esprit plutôt masculin. Elle n'éprouve aucun sentiment féminin, et ignore les faiblesses de son sexe. Je ne crois pas qu'elle ait jamais été amoureuse d'un homme. Elle n'a jamais été très jolie, et n'attachait pas d'importance à son habillement. Elle se maquillait très peu, et ce n'était qu'une concession à la mode : elle ne cherchait pas à s'embellir. Elle n'a jamais connu le plaisir d'être une femme, conclut-elle avec une pointe de pitié dans la voix.

Craddock observa avec intérêt la frêle silhouette perdue dans le grand lit. Il se rendit compte que Belle Goedler avait aimé, et aimait toujours, être une femme. Elle lui fit un clin d'œil.

— J'ai toujours pensé que ce devait être terriblement ennuyeux d'être un homme, déclara-t-elle.

Et elle ajouta pensivement :

— Je crois que Randall considérait Blackie comme une sorte de petit frère. Il se fiait à son jugement, qui était excellent. Elle l'a tiré d'embarras plus d'une fois, vous savez.

— Elle m'a raconté qu'un jour elle l'avait aidé financièrement ?

— C'est vrai, mais je ne parlais pas seulement d'argent. Après tant d'années, je crois que je peux vous dire la vérité. Randall ne savait pas très bien distinguer une affaire honnête d'une affaire qui l'était moins. Il n'avait pas la conscience très sourcilleuse. Le pauvre ne voyait jamais la différence entre ce qui n'était qu'astucieux et ce qui était malhonnête. Blackie l'aidait à rester dans le droit chemin. C'est une des qualités de Letitia Blacklock, elle est d'une droiture absolue. Elle ne ferait jamais rien de malhonnête. C'est une personnalité remarquable, vous savez. Je l'ai toujours admirée. Elles ont eu une enfance très malheureuse, ces filles. Leur père était un vieux médecin de campagne – têtu comme une mule, étroit d'esprit… un véritable tyran domestique. Letitia a fui la maison, s'en est allée vivre à Londres et a suivi une formation de comptable. Sa sœur était handicapée, elle avait une malformation, je crois ; elle ne voyait jamais personne et ne sortait pas. C'est pourquoi, quand ce vieux borné est mort, Letitia a tout abandonné pour retourner s'occuper de sa sœur. Randall était fou de rage, mais ça n'a servi à rien. Si Letitia croyait de son devoir de faire quelque chose, elle le faisait. Rien ne pouvait l'en détourner.

— C'était combien de temps avant la mort de votre mari ?

— Un ou deux ans, je crois. Randall avait rédigé son testament avant qu'elle ne quitte la société, et il ne l'a pas modifié. Il m'a dit : « Nous n'avons pas d'enfants. Notre petit garçon était mort à l'âge de deux ans, comprenez-vous. Quand nous ne serons plus là, autant que cet argent aille à Blackie. Elle jouera en bourse, et secouera le marché. » Voyez-vous, continua Belle, Randall aimait vraiment le jeu de la finance ; pas tant pour l'argent, mais par esprit d'aventure, par goût du risque, pour ce que cela avait d'excitant. Et Blackie aussi. Elle avait le même esprit aventureux, et le même jugement. La pauvre chérie, elle n'avait jamais connu les plaisirs habituels – être amoureuse, mener les hommes par le bout du nez, les taquiner, le fait d'avoir un vrai foyer, des enfants, toutes les joies de l'existence.

Craddock trouva étranges la pitié sincère et le dédain teinté d'indulgence de cette femme, dont la vie avait été marquée par la maladie, dont l'unique enfant était mort, dont le mari était mort, la laissant seule au monde, et qui était invalide sans espoir de guérison depuis des années.

— Je sais ce que vous pensez, dit-elle. Mais j'ai connu, moi, toutes ces choses qui font que la vie vaut d'être vécue – on me les a enlevées, c'est vrai – mais au moins je les ai connues. Jeune fille, j'étais jolie et pleine de gaieté, j'ai épousé l'homme que j'aimais et qui n'a jamais cessé de m'aimer. Mon enfant est mort, mais je l'ai gardé pendant deux précieuses années. J'ai beaucoup souffert physiquement, mais quand on souffre, on est d'autant plus capable d'apprécier les moments où la douleur cesse. Et tout le monde m'a toujours manifesté infiniment de gentillesse... En fait, j'ai eu beaucoup de chance.

Craddock profita d'une des remarques de la vieille dame pour revenir au sujet qui le préoccupait :

— Vous venez de dire, madame Goedler, que votre mari avait laissé sa fortune à Mlle Blacklock parce qu'il n'avait personne d'autre. Mais ce n'est pas tout à fait exact, n'est-ce pas ? Il avait une sœur.

— Oh ! Sonia. Mais ils étaient brouillés depuis des années, et ils avaient rompu toutes relations.

— Il désapprouvait son mariage ?

— Oui. Elle avait épousé un dénommé... Comment s'appelait-il déjà ?

— Stamfordis.

— C'est ça. Dmitri Stamfordis. Randall a toujours dit que c'était un escroc. Les deux hommes se sont détestés tout de suite. Mais Sonia était follement amoureuse, et bien décidée à l'épouser. Et je ne vois pas pourquoi elle ne l'aurait pas fait. Les hommes ont des idées si curieuses sur le sujet. Sonia n'était plus une gamine ; elle avait vingt-cinq ans et savait exactement ce qu'elle faisait. C'était un escroc, sans aucun doute. Un vrai. Je crois qu'il avait un casier judiciaire, et

Randall l'a toujours soupçonné de vivre sous un faux nom. Sonia savait tout cela. Seulement le fait est que Dmitri était un homme au charme irrésistible, ce que bien sûr Randall ne pouvait apprécier. De plus, il était tout aussi amoureux de Sonia qu'elle l'était de lui. Randall a soutenu qu'il ne l'épousait que pour son argent, mais c'était faux. Sonia était très belle, vous savez. Et elle possédait une énergie indomptable. Si le mariage avait battu de l'aile, si Dmitri s'était montré méchant ou infidèle, elle aurait simplement fait la part du feu, et l'aurait quitté. C'était une femme riche ; elle était libre de faire ce qu'elle voulait de sa vie.

— Ils ne se sont jamais réconciliés ?

— Non. Randall et Sonia ne s'étaient jamais très bien entendus. Elle lui en voulait d'avoir tenté d'empêcher son mariage. Elle lui a dit : « Très bien. Tu es impossible ! C'est la dernière fois que tu entends parler de moi. »

— Mais vous, par la suite, avez-vous eu de ses nouvelles ?

— Oui, répondit Mme Goedler avec un sourire. J'ai reçu une lettre d'elle environ dix-huit mois plus tard. Elle était à Budapest, je me souviens, mais elle n'indiquait pas d'adresse. Elle me chargeait d'annoncer à Randall qu'elle était très heureuse, et qu'elle venait de mettre au monde deux bébés.

— Elle vous donnait leurs prénoms ?

Belle sourit de nouveau :

— Elle disait qu'ils étaient nés juste après midi, et qu'elle allait les nommer Pip et Emma. Ce n'était peut-être qu'une plaisanterie, bien sûr.

— Elle n'a plus jamais donné signe de vie ?

— Non, elle disait qu'elle allait passer quelque temps aux États-Unis avec son mari et les bébés. Après, plus rien…

— Vous n'auriez pas, par hasard, conservé cette lettre ?

— Je crains que non… Je l'ai lue à Randall, qui s'est contenté de grommeler : « Un de ces jours, elle regrettera d'avoir épousé ce type. » Il n'en a plus jamais parlé. Nous l'avions vraiment oubliée, elle était sortie de notre vie…

— Malgré cela, M. Goedler a légué sa fortune à ses enfants, au cas où Mlle Blacklock viendrait à mourir avant vous ?

— Oh ! ça, c'est grâce à moi. Quand il m'a parlé du testament, je lui ai dit : « Suppose que Blackie meure avant moi ? » Il s'est montré plutôt surpris. J'ai ajouté : « Oh ! je sais que Blackie a une santé de fer, et que moi je suis fragile, mais les accidents sont des choses qui arrivent, tu sais. » Il m'a répondu : « Mais il n'y a personne d'autre, absolument personne. » J'ai rétorqué : « Il y a Sonia. » « Pour que ce type mette la main sur mon argent ? Pas question ! » a-t-il aussitôt répondu. « Alors il y a ses enfants, Pip et Emma, et peut-être beaucoup d'autres à l'heure qu'il est », ai-je proposé. Et, tout en grommelant, il a modifié son testament.

— Et depuis ce jour, vous n'avez eu aucune nouvelle de votre belle-sœur ou de ses enfants ? demanda lentement le policier.

— Aucune. Ils sont peut-être morts… Ils peuvent être n'importe où.

Ils sont peut-être à Chipping Cleghorn, pensa Craddock.

Comme si elle avait lu ses pensées, Mme Goedler eut soudain l'air inquiète :

— Ne les laissez pas faire de mal à Blackie. Blackie est bonne, vraiment bonne. Il ne faut pas qu'il lui arrive…

Sa voix s'éteignit soudain. Craddock vit une ombre grise apparaître autour de ses yeux et de sa bouche.

— Vous êtes fatiguée, dit-il. Je vais m'en aller.

— Dites à Mac de monter, murmura-t-elle. Oui… fatiguée…

Elle fit un vague geste de la main :

— Prenez soin de Blackie… Il ne faut pas qu'il lui arrive quelque chose…

— Je ferai de mon mieux, madame Goedler.

Il se leva et se dirigea vers la porte.

— Pas pour longtemps… jusqu'à ma mort…, poursuivit un faible filet de voix. C'est dangereux… prenez soin d'elle…

Il croisa l'infirmière McClelland en sortant.

— J'espère que je n'ai pas aggravé son état, dit-il, gêné.

— Oh ! non, je ne pense pas, monsieur Craddock. Je vous avais prévenu qu'elle se fatiguerait subitement.

Un peu plus tard, il demanda à l'infirmière :

— Il y a une question que je n'ai pas eu le temps de poser à Mme Goedler : posséderait-elle de vieilles photos ? Si tel était le cas, pourrais-je…

— Je crains qu'elle n'ait rien de ce genre, coupa l'infirmière. Tous ses papiers personnels étaient au garde-meubles, avec le mobilier de leur maison de Londres, depuis le début de la guerre. Mme Goedler était très malade, à l'époque. Et puis le garde-meubles a été bombardé. Mme Goedler a été bouleversée par la perte de tous ses souvenirs de famille. Je crains qu'il ne reste plus rien.

Voilà qui réglait le problème.

Craddock se disait cependant que son voyage ne se serait pas révélé inutile. Pip et Emma, ces spectres jumeaux, n'étaient pas tout à fait des spectres.

Voilà un frère et une sœur élevés quelque part en Europe. Sonia Goedler était riche au moment de son mariage, mais en Europe, l'argent avait perdu de sa valeur. La monnaie avait subi de curieux déboires au cours des années de guerre. Voilà donc deux jeunes gens, le fils et la fille d'un homme qui a un casier judiciaire. Supposons qu'ils arrivent en Angleterre, plus ou moins sans le sou. Que font-ils ? Ils se renseignent sur d'éventuels parents riches. Leur oncle, un homme à la fortune considérable, est mort. La première chose à faire est de prendre connaissance du testament de cet oncle, pour voir si par hasard ils n'y figuraient pas, eux ou leur mère. Ils se rendent donc à Somerset House, prennent connaissance du testament, et, peut-être, apprennent l'existence de Letitia Blacklock. Ils se renseignent sur la veuve de Randall Goedler. C'est une impotente, qui habite au fin fond de l'Écosse, et ils apprennent qu'elle n'a plus longtemps à vivre. Si cette Letitia Blacklock meurt avant elle, ils se retrouvent à la tête d'une immense fortune. Alors que faire ?

Ils n'iraient pas en Écosse, se dit Craddock. Ils chercheraient à savoir où vivait désormais Mlle Blacklock. Et ils s'y rendraient, mais pas sous leur vrai nom. Ils iraient là-bas ensemble ou séparément ? Emma… Je me demande… Pip et Emma… Je mettrais ma main à couper que Pip, ou Emma, ou les deux, se trouvent actuellement à Chipping Cleghorn.

15

LA MORT EXQUISE

Dans la cuisine de Little Paddocks, Mlle Blacklock donnait ses dernières instructions à Mitzi :

— Des sandwichs aux sardines en plus de ceux qui sont à la tomate. Et quelques-uns de ces délicieux petits fours que vous faites si bien. J'aimerais également que vous nous prépariez votre gâteau spécial.

— C'est pour une fête, que vous me demandez toutes ces choses ?

— C'est l'anniversaire de Mlle Bunner, et nous aurons des invités pour le thé.

— À son âge, on ne fête plus les anniversaires. C'est mieux d'oublier.

— Eh bien elle ne veut pas oublier. Plusieurs personnes vont lui apporter des cadeaux, et ce serait gentil d'en faire une petite fête.

— C'est ce que vous aviez dit la dernière fois, et voyez ce qui est arrivé !

— Eh bien cela n'arrivera pas cette fois-ci, répliqua Mlle Blacklock en essayant de garder son calme.

— Comment savez-vous ce qui peut arriver dans cette maison ? Toute la journée, je tremble, et la nuit je ferme mon verrou et je regarde dans le placard pour être sûre que personne ne se cache dedans.

— Avec de telles précautions, vous ne risquez rien, en effet, répliqua froidement Mlle Blacklock.

— Le gâteau que vous voulez je fasse, c'est bien le… ?

Mitzi émit un son que l'oreille anglaise de Mlle Blacklock perçut comme une sorte de « Schwitzebzr », ou encore comme les invectives de deux matous en train de se cracher dessus.

— C'est cela. Celui qui est très riche.

— Oui. Il est riche. Mais les ingrédients je l'ai pas ! Impossible de faire ce gâteau. J'ai besoin du chocolat, et beaucoup du beurre, et du sucre et des raisins secs.

— Vous pouvez utiliser le beurre en conserve qu'on nous a envoyé d'Amérique, et une partie des raisins que nous gardions pour Noël. Voici une tablette de chocolat et une livre de sucre.

Le visage de Mitzi s'éclaira soudain d'un sourire radieux.

— Bon, pour vous je fais le gâteau très bon, très bon ! s'écria-t-elle, enthousiasmée. Il sera riche, très riche, fondant de richesse ! Et dessus je mets le gla-çage, le glaçage au chocolat, je le fais si bien. Et

par-dessus encore j'écris « Joyeux Anniversaire ! ».
Ces Anglais, avec leurs gâteaux qui ont le goût du
sable, jamais ils n'auront mangé un gâteau pareil.
Exquis, ils diront, exquis...

Son visage se rembrunit.

— M. Patrick, il l'a appelé la Mort exquise. Mon
gâteau ! Je ne permets pas qu'on l'appelle comme ça !

— C'était, en fait, un compliment, expliqua
Mlle Blacklock. Il voulait dire qu'on serait prêt à
mourir pour manger un tel gâteau.

Mitzi n'avait pas l'air convaincue.

— Eh bien, je n'aime pas ce mot : Mort. Ils ne meu-
rent pas parce qu'ils mangent mon gâteau, non, ils se
sentent mieux, beaucoup mieux...

— Je suis sûre qu'il en sera ainsi pour nous tous.

Mlle Blacklock tourna les talons et quitta la cuisine
avec un soupir de soulagement. L'entretien s'était bien
terminé. Avec Mitzi, on ne savait jamais.

Devant la porte, elle tomba sur Dora Bunner :

— Oh ! Letty, veux-tu que j'aille montrer à Mitzi
comment couper les sandwichs ?

— Non, répondit Mlle Blacklock en entraînant fermement son amie dans le vestibule. Elle est de bonne
humeur en ce moment, et je ne veux pas qu'on la per-
turbe.

— Mais je pourrais simplement lui montrer...

— S'il te plaît, ne lui montre rien du tout, Dora. Ces
gens d'Europe centrale n'aiment pas qu'on leur montre
quoi que ce soit. Ils ont horreur de ça.

Dora la regarda d'un air sceptique. Puis, d'un seul coup, elle afficha un grand sourire :

— Edmund Swettenham vient de téléphoner. Il m'a souhaité un bon anniversaire, et il a ajouté qu'il allait m'apporter un pot de miel en cadeau, cet après-midi. C'est gentil, n'est-ce pas ? Je me demande comment il a su que c'était mon anniversaire.

— Tout le monde a l'air d'être au courant. Tu as dû en parler, Dora.

— Et pourtant, j'ai juste dû mentionner le fait que j'allais avoir cinquante-neuf ans aujourd'hui.

— Mais tu en as soixante-quatre ! s'écria Mlle Black-klock, amusée.

— Et Mlle Hinchliffe a dit : « Vous ne les faites pas. Quel âge me donnez-vous ? » C'était assez embarras-sant, car Mlle Hinchliffe a toujours l'air si bizarre qu'il est impossible de lui donner un âge. Au fait, elle a dit qu'elle m'apporterait des œufs. Je lui ai dit que nos poules n'avaient pas beaucoup pondu ces derniers temps.

— Ton anniversaire va nous rapporter gros, dit Mlle Blacklock. Du miel, des œufs, une superbe boîte de Chocolats de la part de Julia…

— Je me demande où elle peut bien se procurer des choses pareilles.

— Mieux vaut ne pas lui poser la question. Sa façon de procéder n'est certainement pas très légale.

— Et ta merveilleuse broche, ajouta Mlle Bunner en baissant fièrement les yeux sur sa poitrine, sur laquelle était épinglée une petite feuille en diamant.

— Elle te plaît ? Tant mieux. Moi, je n'ai jamais beaucoup aimé les bijoux.

— Je l'adore.

— Eh bien c'est parfait. Allons nourrir les canards.

*

— Ah ! s'exclama Patrick d'un ton théâtral, tandis que les convives s'installaient autour de la table de la salle à manger. Que vois-je là ? La Mort exquise !

— Chut ! fit Mlle Blacklock. Il ne faut pas que Mitzi t'entende. Elle n'apprécie pas du tout le nom que tu donnes à son gâteau.

— Quoi qu'il en soit, c'est tout de même la Mort exquise ! C'est le gâteau d'anniversaire de Bunny ?

— Oui, dit Mlle Bunner. C'est vraiment un merveilleux anniversaire.

Ses joues étaient rouges d'excitation depuis que le colonel Easterbrook lui avait tendu une petite boîte de bonbons en déclamant avec une révérence : « Des douceurs pour celle qui est toute douceur ! »

Julia s'était rapidement détournée, et Mlle Blacklock lui avait adressé un froncement de sourcils.

Les convives firent honneur aux mets qui se trouvaient sur la table et se levèrent après une tournée de crackers [1].

_____

1. Pochette munie d'un pétard et contenant des petits cadeaux et des devinettes.

— J'ai un peu mal au cœur, dit Julia. C'est ce gâteau. Je me souviens de m'être sentie mal la dernière fois aussi.

— Mais il en vaut la peine, observa Patrick.

— Ces étrangers s'y entendent en pâtisserie, déclara Mlle Hinchliffe. Mais ils sont incapables de réussir un pudding bouilli tout simple.

Bien que Patrick brûlât d'envie de demander qui pouvait bien avoir envie d'un pudding bouilli tout simple, tout le monde marqua un silence respectueux.

— Vous avez un nouveau jardinier ? demanda Mlle Hinchliffe à Mlle Blacklock en retournant au salon.

— Non, pourquoi ?

— J'ai vu un homme rôder autour du poulailler. Il avait l'air plutôt fréquentable, dans le genre militaire.

— Oh, lui ! s'exclama Julia. C'est notre flic maison.

— Un policier ? s'émut Mme Easterbrook en faisant tomber son sac à main. Mais… mais… pourquoi ?

— Je l'ignore, répondit Julia. Il traîne partout et surveille tout le monde. Je suppose qu'il assure la protection de tante Letty.

— C'est complètement ridicule, affirma Mlle Blacklock. Je suis parfaitement capable de me protéger toute seule.

— Mais l'affaire devrait être classée, maintenant ! s'écria Mme Easterbrook. Au fait, je voulais vous demander, pourquoi ont-ils prolongé l'enquête ?

— La police n'est pas satisfaite, expliqua son mari. Voilà ce que ça signifie.

— Mais de quoi ne sont-ils pas satisfaits ?

Le colonel dodelina de la tête, de l'air du monsieur qui en sait long. Edmund Swettenham, qui détestait le colonel, intervint :

— La vérité, c'est que nous sommes tous suspects.

— Mais suspects de quoi ? répéta Mme Easterbrook.

— Ne t'inquiète pas, mon chaton, lui dit son mari.

— D'un délit d'intention, expliqua Edmund. L'intention étant de commettre un meurtre à la première occasion.

— Oh ! arrêtez, je vous en prie, monsieur Swettenham, gémit Dora Bunner, en larmes. Je suis sûre que personne ici ne voudrait tuer notre chère Letty.

Il y eut un silence embarrassé.

— Je plaisantais, murmura Edmund, écarlate.

Phillipa suggéra, à haute et intelligible voix, d'écouter les nouvelles de 18 heures. Tous acceptèrent avec enthousiasme.

— Dommage que Mme Harmon ne soit pas là, chuchota Patrick à Julia. Elle n'aurait pas manqué de s'écrier d'une voix claire : « Mais c'est certainement vrai, quelqu'un doit encore attendre une bonne occasion de vous tuer, mademoiselle Blacklock ! »

— Je suis contente qu'elle et cette miss Marple n'aient pas pu venir, dit Julia. Cette vieille chouette est du genre à fourrer son nez partout. Et je suis sûre qu'elle a l'esprit mal tourné, comme toutes ces rescapées de l'époque victorienne.

Les informations de 18 heures menèrent à une agréable discussion sur les horreurs de la guerre atomique. Le colonel Easterbrook déclara que la véritable menace contre la civilisation était la Russie, sans que le moindre doute soit permis. Edmund s'empressa de l'assurer qu'il avait plusieurs amis russes, tous charmants, ce qui jeta un froid.

Les invités prirent congé en remerciant encore leur hôtesse.

— Tu t'es bien amusée, Bunny ? demanda Mlle Blacklock lorsque le dernier convive fut expédié.

— Oh ! oui. Mais j'ai terriblement mal à la tête. Ce doit être l'énervement.

— C'est le gâteau, affirma Patrick. Moi, j'ai un peu mal au cœur. Et en plus, vous avez grignoté des chocolats toute la matinée.

— Je crois que je vais aller m'allonger, annonça Mlle Bunner. Je vais prendre deux cachets d'aspirine et essayer de dormir un peu.

— Excellente idée, approuva Mlle Blacklock.

Mlle Bunner se retira dans sa chambre.

— Voulez-vous que je rentre les canards, tante Letty ?

— Si tu fais bien attention de fermer convenablement la porte, dit Mlle Blacklock en lançant à Patrick un regard sévère.

— Je ferai attention, c'est promis.

— Prenez donc un verre de sherry, tante Letty, proposa Julia. Comme disait ma vieille nounou, ça vous remettra l'estomac d'aplomb. C'est une expression dégoûtante, mais tout à fait de circonstance.

— Eh bien, c'est peut-être une idée. À dire vrai, on n'est pas habitué à une nourriture si riche. Oh ! Bunny, tu m'as fait peur. Que se passe-t-il ?

— Je ne trouve plus mon aspirine, geignit Mlle Bunner, désolée.

— Alors prends la mienne, chérie. Elle est à côté de mon lit.

— Il y en a un tube sur ma table de nuit, déclara Phillipa.

— Merci, merci beaucoup. Si je ne trouve plus le mien... mais je sais que j'en ai un quelque part. Un tube tout neuf. Où ai-je bien pu le mettre ?

— Il y en a des tonnes dans la salle de bains, coupa impatiemment Julia. Cette maison regorge d'aspirine.

— Cela me contrarie d'être si négligente et d'égarer mes affaires, répondit Mlle Bunner en gravissant de nouveau l'escalier.

— Pauvre Bunny, dit Julia, son verre à la main. Vous croyez que nous aurions dû lui donner du sherry ?

— Il ne valait mieux pas, répondit Mlle Blacklock. Elle a eu son compte d'émotions pour aujourd'hui, et ce n'est pas très bon pour elle. Elle se sentira encore plus mal demain, j'en ai peur. Enfin, je suis au moins sûre qu'elle s'est bien amusée.

— Elle a adoré cette fête, approuva Phillipa.

— Et si on donnait un verre de sherry à Mitzi ? suggéra Julia. Hé, Pat ! lança-t-elle en voyant le jeune homme entrer par la porte latérale. Va chercher Mitzi.

Mitzi arriva, et Julia lui servit un verre de sherry.

— À la meilleure cuisinière du monde, clama Patrick.

Mitzi, ravie, crut néanmoins bon de protester, pour la forme :

— Ce n'est pas vrai. Je ne suis pas une vraie cuisinière. Dans mon pays, j'ai un travail intellectuel.

— Alors c'est du gâchis, dit Patrick. Qu'est-ce qu'un travail intellectuel comparé au chef-d'œuvre qu'est la Mort exquise ?

— Oh ! Je vous dis je n'aime pas…

— Peu m'importe ce que vous aimez, ma fille, rétorqua le jeune homme. C'est le nom que je lui donne, et je bois à ce chef-d'œuvre. Buvons tous à la Mort exquise… et au diable les effets secondaires !

*

— Phillipa, ma chère, j'aimerais vous parler.

— Oui, mademoiselle Blacklock ?

La jeune femme leva les yeux, l'air un peu surpris.

— Rien ne vous préoccupe, en ce moment, j'espère ?

— Me préoccupe ?

— J'ai remarqué que vous aviez l'air inquiète, ces derniers temps. Rien de grave, j'espère ?

— Oh ! non, mademoiselle Blacklock. Pourquoi ?

— Eh bien, je me demandais... Je me disais que, peut-être, vous et Patrick...

— Patrick ? répéta la jeune femme, ahurie.

— Alors ce n'est pas cela. Je vous prie d'excuser mon indiscrétion, mais vous êtes ensemble assez souvent, et bien que Patrick soit mon cousin, je doute qu'il fasse un mari convenable. En tout cas, pas pour l'instant.

Les traits de Phillipa s'étaient figés.

— Je n'ai pas l'intention de me remarier, déclara-t-elle.

— Mais si, un jour, vous verrez, mon enfant. Vous êtes jeune. Mais ne parlons plus de cela. Il n'y a rien d'autre ? Vous n'avez pas de difficultés... financières, par exemple ?

— Non, tout va bien.

— Je sais qu'il vous arrive de vous inquiéter pour les études de votre petit garçon. C'est pourquoi je voudrais vous dire quelque chose. Cet après-midi, je suis allée à Milchester voir M. Beddingfeld, mon notaire. Il y a eu pas mal de remous, ces derniers temps, et je voulais refaire mon testament... compte tenu de certaines éventualités. À part le legs à Bunny, tout vous reviendra, Phillipa.

— Quoi ?

Phillipa se retourna brusquement, les yeux écarquillés, l'air consterné, presque effrayé :

— Mais je n'en veux pas, sincèrement... Non, je préférerais ne pas... Et d'ailleurs, pourquoi ? Pourquoi moi ?

236

— Peut-être parce que je n'ai personne d'autre, déclara Mlle Blacklock d'une voix étrange.

— Mais il y a Patrick et Julia.

— Oui, il y a Patrick et Julia, répondit-elle du même ton de voix particulier.

— Ce sont vos cousins.

— Des cousins très éloignés. Ils n'ont aucun droit sur moi.

— Mais, moi non plus… Je ne sais pas à quoi vous pensez… Oh ! je n'en veux pas.

Son regard exprimait plus d'hostilité que de gratitude. Son attitude reflétait presque de la peur.

— Je sais ce que je fais, Phillipa. J'ai appris à vous aimer, et il y a le petit garçon… Vous n'aurez pas grand-chose si je meurs maintenant ; mais il pourrait en être autrement dans quelques semaines.

Elle avait, ce disant, regardé Phillipa droit dans les yeux.

— Mais vous n'allez pas mourir ! protesta la jeune femme.

— Pas si je peux l'éviter en prenant certaines précautions.

— Des précautions ?

— Oui. Réfléchissez-y… Et cessez de vous inquiéter.

Elle quitta brusquement la pièce. Phillipa l'entendit s'adresser à Julia dans le vestibule.

Quelques instants plus tard, cette dernière entra dans le salon. Il y avait dans ses yeux comme une lueur métallique.

— Bien joué, Phillipa, commenta-t-elle. Je constate que vous êtes du genre tranquille... comme l'eau qui dort.

— Alors vous avez entendu... ?

— Oui, j'ai entendu. À mon avis, on a tout fait pour que j'entende.

— Que voulez-vous dire ?

— Notre Letty n'est pas une imbécile... En tout cas, tout va bien pour vous. Vous n'avez plus de souci à vous faire.

— Oh ! Julia, je ne voulais pas... je n'ai jamais eu l'intention...

— Ah bon ? Bien sûr que si ! Vous êtes plutôt dans la gêne, pas vrai ? Vous auriez bien besoin d'un peu d'argent. Mais souvenez-vous d'une chose : si quelqu'un descendait tante Letty maintenant, c'est vous qui seriez le suspect numéro un.

— Mais non. Ce serait idiot de ma part de la tuer maintenant, alors que si j'attendais...

— Alors comme ça, vous êtes au courant de la vieille Mme Machinchose qui est en train de mourir en Écosse ? Je me demandais, justement... Phillipa, je commence à croire que vous cachez très bien votre jeu.

— Je ne voudrais pas vous priver de quoi que ce soit, Patrick et vous.

— Vraiment, ma chère ? Désolée, mais je ne vous crois pas.

16

RETOUR DE L'INSPECTEUR CRADDOCK

L'inspecteur avait passé une mauvaise nuit dans le train du retour. Son sommeil avait été peuplé de cauchemars. Il courait sans fin à travers les couloirs gris d'un vieux château, tentant désespérément d'arriver quelque part – ou d'empêcher quelque chose – avant qu'il ne soit trop tard. Il finit par rêver qu'il se réveillait. Il en ressentit un immense soulagement. C'est alors que la porte de son compartiment s'ouvrit doucement... et que le visage de Mlle Blacklock lui apparut, dégoulinant de sang.

— Pourquoi ne m'avez-vous pas sauvée ? demanda-t-elle d'un ton de reproche. Vous auriez pu, si vous aviez essayé.

Cette fois, il s'éveilla pour de bon.

Bref, l'inspecteur ne fut pas fâché d'arriver à Milchester. Il alla directement faire son rapport à Rydesdale, qui lui prêta une oreille attentive.

— Cela ne nous avance pas beaucoup, commenta ce dernier. Mais cela confirme les déclarations de Mlle Blacklock. Pip et Emma... Hum !... je me demande...

— Patrick et Julia Simmons ont l'âge qui correspond, monsieur. Si nous pouvions établir que Mlle Blacklock ne les a pas vus depuis qu'ils étaient enfants...

— Notre alliée, miss Marple, l'a déjà établi pour nous, répondit Rydesdale avec un petit rire. En fait, Mlle Blacklock ne les avait jamais vus, ni l'un ni l'autre, jusqu'à il y a deux mois.

— Dans ce cas, c'est certainement...

— Tout n'est pas si simple, Craddock. Nous avons vérifié. D'après les renseignements dont nous disposons, Patrick et Julia sont apparemment hors de cause. Le passé militaire du jeune homme, dans la marine, est authentique. Un assez bon dossier, si ce n'est une certaine propension à l'« insubordination ». Nous avons vérifié avec Cannes, où une Mme Simmons indignée a déclaré : « Mais bien entendu que mon fils et ma fille se trouvent à Chipping Cleghorn chez ma cousine Letitia Blacklock ! » Alors, vous voyez...

— Et cette Mme Simmons est bien Mme Simmons ?

— En tout cas, elle l'est depuis un bout de temps, c'est tout ce que je peux vous dire, répondit Rydesdale sans ambages.

— Voilà qui semble régler la question. Dommage, ces deux-là semblaient faire l'affaire. Le même âge. Inconnus de Mlle Blacklock. Si nous cherchions Pip et Emma… eh bien, ils étaient tout trouvés.

Le chef de la police hocha la tête d'un air pensif et tendit un papier à Craddock :

— Voici un petit renseignement que nous avons pêché sur Mme Easterbrook.

L'inspecteur le lut en haussant les sourcils.

— Très intéressant, conclut-il. Elle l'a bien embobiné, ce vieux cornichon, pas vrai ? Mais il n'y a aucun lien avec cette affaire, à ce que je vois.

— Apparemment pas. Et voici quelque chose sur Mme Haymes.

De nouveau, le policier haussa les sourcils :

— Je crois que je vais avoir une autre conversation avec cette jeune personne.

— Vous pensez que ce renseignement a une importance ?

— C'est possible. Même si ça paraît évidemment peu probable…

Les deux hommes se turent quelques instants.

— Comment Fletcher s'en est-il tiré, monsieur ? demanda enfin Craddock.

— Fletcher s'est beaucoup démené. Il a procédé à une perquisition de routine de la maison, avec l'accord de Mlle Blacklock, mais sans rien trouver d'intéressant. Ensuite, il a cherché à savoir qui avait pu graisser les gonds et la serrure de la porte, en vérifiant qui s'était trouvé dans la maison en l'absence de cette fille étrangère. Cela s'est révélé un peu plus difficile que prévu, car il semblerait qu'elle aille faire un tour presque chaque après-midi. En général, jusqu'au village, pour prendre une tasse de café à L'Oiseau Bleu. Et de ce fait, quand Mlle Blacklock et Mlle Bunner sont absentes – ce qui arrive presque tous les après-midi, elles vont à la cueillette des mûres –, la voie est libre.

— Et les portes restent toujours ouvertes ?

— C'était l'habitude, mais maintenant, je suppose qu'on les ferme.

— Qu'a trouvé Fletcher ? Qui est resté seul dans la maison ?

— Pratiquement tout le monde.

Rydesdale consulta une feuille qui se trouvait devant lui.

— Mlle Murgatroyd y est venue avec une poule, histoire de la mettre sur des œufs à couver. Ça paraît compliqué, mais c'est ce qu'elle a dit. Elle était très confuse et se contredisait à tout bout de champ, mais Fletcher pense que c'est dans son tempérament, et qu'il ne faut pas y voir un signe de culpabilité.

— Possible, admit Craddock. Elle s'affole pour des riens.

— Ensuite, Mme Swettenham est venue chercher de la viande que Mlle Blacklock lui avait laissée sur la table de la cuisine. Tout ça parce que Mlle Blacklock était allée en voiture à Milchester ce jour-là, et qu'elle en profite toujours pour prendre la viande de Mme Swettenham. Vous trouvez ça logique ?

Craddock réfléchit :

— Pourquoi Mlle Blacklock n'a-t-elle pas déposé cette viande chez Mme Swettenham, quand elle est passée devant à son retour de Milchester ?

— Je l'ignore, mais elle ne l'a pas fait. D'après Mme Swettenham, elle – Mme B. – la laisse toujours sur la table de la cuisine, et elle – Mme S. – préfère aller la chercher quand Mitzi n'est pas là, parce que Mitzi se montre parfois très désagréable.

— Ça se tient. Ensuite ?

— Mlle Hinchliffe. Elle déclare ne pas être passée du tout ces derniers temps. Mais c'est faux. Un jour, Mitzi l'a vue sortir par la porte latérale, et c'est confirmé par Mme Butt, une des femmes de ménage. Mlle Hinchliffe a fini par admettre qu'elle était peut-être allée à Little Paddocks, mais que ça lui était sorti de la tête. Elle ne se souvient pas de l'objet de sa visite. Elle dit qu'elle a dû passer « comme ça ».

— C'est plutôt curieux.

— Son comportement aussi, si on va par là. Ensuite, il y a Mme Easterbrook. Elle promenait ses chers toutous à proximité de la maison, et a juste fait un saut pour voir si Mlle Blacklock pourrait lui prêter un modèle de tricot, mais Mlle Blacklock n'était pas là. Elle déclare avoir attendu un moment.

— Ben voyons ! Elle en a sans doute profité pour fouiner. Ou pour graisser des gonds de porte. Et le colonel ?

— Il s'y est rendu un jour avec un livre sur l'Inde que Mlle Blacklock avait exprimé le désir de lire.

— Et c'était vrai ?

— D'après elle, elle a tout essayé pour éviter d'avoir à le lire, mais en vain.

— Je veux bien le croire, soupira Craddock. Quand quelqu'un s'est mis en tête de vous prêter un bouquin, difficile d'y échapper.

— Nous ignorons si Edmund Swettenham y est allé. Il est resté très évasif. Il déclare être passé de temps en temps pour faire des commissions de la part de sa mère, mais pas récemment, dit-il.

— En fait, nous n'avons rien de bien concluant.

— Non.

Rydesdale ajouta, avec un sourire en coin :

— Miss Marple aussi s'est démenée. Selon le rapport de Fletcher, elle a pris un café matinal à L'Oiseau Bleu. Elle est en outre allée boire un verre de sherry aux Boulders, et prendre le thé à Little Paddocks. Elle a admiré le jardin de Mme Swettenham, et a fait un saut chez le colonel Easterbrook pour s'extasier sur ses souvenirs des Indes.

— Elle pourra peut-être nous dire si le colonel Easterbrook est un vrai colonel ou pas.

— Elle serait capable d'en juger, je suis bien d'accord avec vous – mais pas de problème, il a l'air authentique. Il faudra tout au plus que nous nous adressions aux autorités d'Extrême-Orient pour l'identifier avec certitude.

— Et pendant ce temps-là…

Craddock s'interrompit, puis :

— Croyez-vous que Mlle Blacklock consentirait à s'éloigner ?

— À quitter Chipping Cleghorn ?

— Oui. Pour une destination inconnue, en emmenant sa fidèle Bunner, peut-être. Pourquoi n'irait-elle pas en Écosse chez Belle Goedler ? Dans le genre endroit inaccessible, on ne pourrait guère trouver mieux.

— Et elle y attendrait la mort de la vieille dame ? Je ne pense pas qu'elle ferait une chose pareille. Aucune femme bien intentionnée n'apprécierait une telle suggestion.

— S'il s'agissait de sauver sa peau...

— Allons, Craddock ! Tuer quelqu'un n'est pas aussi facile que vous semblez le croire.

— Vraiment, monsieur ?

— Eh bien, si, dans un sens, ce n'est pas sorcier, je l'admets. Ce ne sont pas les moyens qui manquent. Du désherbant dans le potage. Un coup sur la tête alors qu'elle est en train de rentrer les poules. Une rafale de balles tirée de derrière un buisson. Tout ça n'est pas si difficile. Mais tuer quelqu'un sans être soupçonné de meurtre, voilà qui est déjà nettement plus coton. Et à l'heure qu'il est, ils doivent tous se rendre compte qu'on les surveille. Le plan d'origine, si bien étudié, a échoué. Notre meurtrier inconnu doit trouver autre chose.

— Je sais, monsieur. Mais il faut tenir compte du facteur temps. Mme Goedler est mourante, elle peut passer l'arme à gauche d'un instant à l'autre. Ce qui signifie que notre assassin ne peut pas se permettre de lanterner.

245

— Exact.

— Autre chose, monsieur : il, ou elle, doit savoir que nous contrôlons toutes les identités.

— Et que ça prend du temps, acquiesça Rydesdale en soupirant. Que ça nous oblige à contacter les autorités en Orient, en Inde. Oui, c'est un travail long et fastidieux.

— Et c'est une autre raison de se dépêcher. Je suis certain, monsieur, que le danger est réel. Une grosse somme d'argent est en jeu. Si Belle Goedler meurt…

Il se tut en voyant entrer un agent.

— Le constable Legg vous appelle de Chipping Cleghorn, monsieur.

— Passez-moi la communication ici.

L'inspecteur Craddock vit les traits de son supérieur se durcir.

— Très bien, aboya Rydesdale. L'inspecteur Craddock arrive tout de suite.

Il raccrocha.

— C'est… ?

Craddock ne termina pas sa phrase.

Rydesdale secoua la tête :

— Non. C'est Dora Bunner. Elle voulait de l'aspirine. Il semble qu'elle en ait pris dans le tube qui se trouvait sur la table de nuit de Mlle Blacklock. Il ne restait plus que quelques comprimés. Elle en a pris deux et laissé un. Le médecin l'a envoyé au labo pour analyse. Il dit qu'il ne s'agit absolument pas d'aspirine.

— Elle est morte ?

— Oui, on l'a trouvée dans son lit ce matin. Morte dans son sommeil, a déclaré le médecin. Malgré sa mauvaise santé, il ne croit pas qu'il s'agisse d'une mort naturelle. Il pencherait plutôt pour un empoisonnement par narcotique. L'autopsie est prévue pour ce soir.

— Les cachets d'aspirine de Mlle Blacklock… Voilà qui est bougrement malin. Patrick m'a dit que Mlle Blacklock avait jeté une demi-bouteille de sherry et en avait entamé une neuve. Elle n'aura pas eu l'idée d'en faire autant avec son tube d'aspirine. Qui s'est trouvé dans la maison, cette fois-ci, au cours des deux derniers jours, j'entends ? Les cachets ne devaient pas être là depuis bien longtemps.

Rydesdale leva les yeux :

— Toute la bande s'y trouvait hier. Il y avait une fête pour l'anniversaire de Mlle Bunner. N'importe lequel d'entre eux a pu se glisser au premier étage et opérer une petite substitution. Et, bien sûr, n'importe quel habitant de la maison a pu le faire en choisissant son moment.

17

L'ALBUM

À la grille du presbytère, miss Marple, précautionneusement emmitouflée pour sortir, prit le billet de la main de Bunch.

— Dites bien à Mlle Blacklock, expliqua celle-ci, que Julian est vraiment désolé de ne pouvoir venir lui-même. Un de ses paroissiens est mourant à Locke Hamlet. Si Mlle Blacklock demande à le voir, il passera après le déjeuner. Ce billet concerne l'organisation des funérailles. Il propose mercredi dans la mesure où l'enquête pourrait avoir lieu mardi. Pauvre Bunny ! Aller avaler une aspirine empoisonnée destinée à quelqu'un d'autre... C'est bien d'elle ! Au revoir, tante Jane. J'espère que cette marche ne vous fatiguera pas trop, mais il faut absolument que je conduise cet enfant à l'hôpital tout de suite.

Miss Marple lui ayant assuré que ce ne serait pour elle qu'une broutille, Bunch s'en fut prestement.

Un moment plus tard, tandis qu'elle attendait Mlle Blacklock, miss Marple entreprit d'examiner le salon de Little Paddocks. Elle se demandait ce que Dora Bunner avait voulu dire l'autre matin, à L'Oiseau Bleu, en affirmant que Patrick avait « bricolé cette lampe », dans le salon, « pour faire en sorte que les lumières s'éteignent ». Quelle lampe ? Et comment l'avait-il « bricolée » ?

Elle devait parler, songea la vieille dame, de la petite lampe posée sur la table, près de l'arcade séparant les deux pièces. Elle avait mentionné un berger ou une bergère, et la lampe en question était justement une délicate porcelaine de Dresde représentant un berger vêtu d'un pourpoint bleu pâle et d'une culotte rose bonbon, et qui brandissait une torche – à l'origine un chandelier, mais qui avait été adapté à l'électricité. L'abat-jour de vélin uni était un peu trop grand, de sorte qu'il masquait presque le personnage. Qu'avait dit Dora Bunner ? « Je me souviens très bien que c'était la bergère, et non le berger. Or figurez-vous que, le lendemain… » Ce qu'il y avait de sûr, c'est que présentement c'était bel et bien un berger.

Miss Marple se souvint que, quand Bunch et elle étaient venues prendre le thé, Dora Bunner avait mentionné la lampe comme faisant partie d'une paire. Bien sûr : un berger et une bergère. C'était la bergère qui se trouvait là le jour du hold-up – et le lendemain matin, c'était l'autre lampe – celle qu'elle avait sous les yeux, le berger. Les deux objets avaient été interchangés pendant la nuit. Et Dora Bunner avait eu des raisons de croire, ou avait cru sans raison, que c'était Patrick qui avait procédé à l'échange.

Pourquoi ? Parce que si on avait examiné la lampe d'origine, on aurait découvert comment Patrick s'était arrangé « pour faire en sorte que les lumières s'éteignent ». Comment s'y était-il pris ? Miss Marple considéra attentivement la lampe posée devant elle. Le fil courait le long du plateau de la table, et, à l'autre bout, la prise était branchée dans le mur. Il y avait un petit interrupteur en forme d'olive à mi-longueur. Tout cela ne disait pas grand-chose à miss Marple, qui ne connaissait rien à l'électricité.

Où avait-on mis la bergère ? se demanda-t-elle. Dans la chambre d'amis, jetée aux ordures, ou... Où donc Dora Bunner avait-elle surpris Patrick Simmons avec un pinceau et une coupe poisseuse ? Dans le bosquet ? Miss Marple décida de soumettre tous ces détails à l'inspecteur Craddock.

Dès le début de cette affaire, Mlle Blacklock avait rapidement conclu que c'était son neveu Patrick qui avait fait publier cette annonce dans la *Gazette*. Ce genre d'intuition se vérifiait souvent, c'est du moins ce qu'estimait miss Marple. Après tout, quand on connaît bien quelqu'un, on sait le genre de facéties qui peuvent lui passer par la tête...

Patrick Simmons...

Un garçon séduisant. Un garçon engageant. Un garçon qui plaisait aux femmes, qu'elles soient jeunes ou moins jeunes. Peut-être le genre d'homme que la sœur de Randall Goedler avait épousé. Patrick Simmons serait-il « Pip » ? Mais il avait passé les années de guerre dans la marine. La police pourrait facilement vérifier ce point.

Seulement, il y avait parfois des cas d'usurpation d'identité incroyables.

Un minimum d'audace suffisait souvent à faire passer bien des choses…

La porte s'ouvrit enfin sur Mlle Blacklock. Une Mlle Blacklock dont miss Marple se dit qu'elle paraissait avoir vieilli d'un coup. Toute sa vitalité et son énergie semblaient l'avoir abandonnée.

— Je suis vraiment désolée de venir vous déranger ainsi, dit miss Marple. Mais le pasteur avait un paroissien mourant, et Bunch a dû conduire d'urgence un enfant malade à l'hôpital. Le pasteur vous a écrit ce billet.

Elle tendit le papier à Mlle Blacklock, qui en prit connaissance.

— Asseyez-vous, je vous en prie, dit-elle. C'est très aimable à vous de m'avoir apporté cela. Le pasteur est un homme très compréhensif. Il ne se contente pas de formules de consolation stupides… Dites-lui que ces dispositions me conviennent parfaitement. Son… son hymne favori était *Ô, accorde-moi ta lumière !*

Sa voix se cassa soudain.

Miss Marple murmura :

— Je ne suis qu'une étrangère pour vous, mais je suis profondément désolée.

Et, brusquement, Mlle Blacklock éclata en sanglots. Son chagrin, incontrôlable, teinté de désespoir, faisait peine à voir. Miss Marple la laissa s'épancher sans un mot.

Mlle Blacklock se redressa enfin, le visage gonflé et ruisselant de larmes.

— Excusez-moi, bredouilla-t-elle. Je... je viens de prendre conscience, tout à coup. De ce que j'ai perdu. Elle... elle était le seul lien avec mon passé, vous comprenez. La seule qui se souvenait. Maintenant qu'elle est partie, je me retrouve toute seule.

— Je vois ce que vous voulez dire, acquiesça miss Marple. On est vraiment seul quand la dernière personne qui se souvenait vous a quitté. J'ai des neveux, des nièces, et des amis très gentils, mais personne qui m'ait connue jeune fille, qui ait connu le bon vieux temps. Cela fait maintenant de nombreuses années que je suis seule.

Les deux femmes restèrent silencieuses un moment.

— Vous me comprenez très bien, dit enfin Letitia Blacklock.

Elle se leva et se dirigea vers son secrétaire :

— Il faut que j'écrive quelques mots au pasteur.

Elle tenait son stylo maladroitement, et écrivit lentement.

— J'ai de l'arthrite, expliqua-t-elle. Il est des fois où je n'arrive tout bonnement pas à écrire.

Elle ferma l'enveloppe et la libella, puis :

— Vous seriez très gentille de lui remettre ceci, miss Marple.

Entendant soudain une voix masculine dans le vestibule, elle sursauta :

— Ça, c'est l'inspecteur Craddock.

Elle alla jeter un coup d'œil dans le miroir placé au-dessus de la cheminée et se repoudra légèrement.

Craddock entra, l'air sombre et de fort méchante humeur.

— Ah, vous êtes ici, vous ! dit-il en lançant un regard réprobateur à miss Marple.

— Miss Marple a eu l'amabilité de m'apporter un mot du pasteur, expliqua Mlle Blacklock en se retournant.

— Je m'en vais tout de suite, annonça miss Marple, tout agitée. Je ne voudrais surtout pas vous déranger.

— Vous avez participé à la fête d'hier après-midi ?

— Non, non, répondit nerveusement la vieille dame. Bunch m'avait emmenée rendre visite à d'autres de ses amis.

— Alors il n'est rien que vous puissiez me dire sur la question.

Craddock lui tint la porte ouverte de façon éloquente. Et miss Marple, rose de confusion, battit en retraite sans demander son reste.

— Ces vieilles chouettes n'aiment rien tant que fourrer leur nez partout, commenta Craddock.

— Vous vous montrez injuste à son égard, la défendit Mlle Blacklock. Elle était vraiment venue m'apporter un billet du pasteur.

— Ça, je n'en doute pas un instant.

— Je ne crois donc pas qu'il se soit agi de curiosité pure et simple.

— Après tout, vous avez peut-être raison, mademoiselle Blacklock, mais je diagnostiquerais plutôt pour ma part une fouinardite suraiguë.

— C'est une pauvre vieille dame tout à fait inoffensive, tenta de le convaincre Mlle Blacklock.

« Vous n'avez pas l'air de vous douter qu'elle peut être aussi redoutable qu'un serpent à sonnettes ! » pensa l'inspecteur.

Mais il n'avait pas l'intention de se répandre en confidences inutiles. Maintenant qu'il était certain qu'un assassin se promenait dans les parages, il se disait que mieux valait en dire le moins possible. Il ne tenait pas à ce que miss Marple soit la prochaine victime.

Un assassin dans les parages… mais où ça ?

— Je ne perdrai pas de temps en condoléances, mademoiselle Blacklock, dit-il. À dire vrai, je me sens un peu responsable de la mort de Mlle Bunner. Nous aurions dû être capables de l'éviter.

— Je ne vois pas ce que vous auriez pu faire.

— Non… Bah ! ça n'aurait pas été facile. Mais maintenant, il n'y a plus une seconde à perdre. Qui est responsable de tout cela, mademoiselle Blacklock ? Qui a tenté de vous tuer à deux reprises ? Et qui recommencera probablement si nous ne le démasquons pas à temps ?

Letitia Blacklock frissonna :

— Je n'en sais rien, inspecteur… je n'en ai vraiment pas la moindre idée !

— Je suis allé voir Mme Goedler. Elle m'a aidé du mieux qu'elle a pu, mais ça s'est finalement résumé à peu de chose. Le nombre de gens qui tireraient profit de votre mort est assez restreint. Au premier rang de ceux-ci : Pip et Emma. L'âge de Patrick et de Julia Simmons semblerait coller. Seulement leurs antécédents ont été vérifiés. Et puis, quoi qu'il en soit, nous ne pouvons nous limiter à ces deux-là. Dites-moi, mademoiselle Blacklock, reconnaîtriez-vous Sonia Goedler si vous la voyiez aujourd'hui ?

— Reconnaître Sonia ? Bien sûr que…

Elle s'interrompit brusquement.

— Non, reprit-elle doucement, je n'en suis pas si sûre. C'était il y a si longtemps. Trente ans… Ce doit être une vieille femme, à présent.

— À quoi ressemble-t-elle, dans vos souvenirs ?

— Sonia ?

Mlle Blacklock réfléchit quelques instants :

— Elle était plutôt petite, brune…

— Pas de signes particuliers ? De tics bien à elle ?

— N… non, je ne crois pas. Elle était très gaie, très enjouée…

— Gaie, elle ne l'est peut-être plus autant aujourd'hui, fit remarquer l'inspecteur. Vous avez une photo d'elle ?

— De Sonia ? Voyons… Je ne possède pas de portrait d'elle à proprement parler. Mais j'ai de vieux instantanés, quelque part, dans un album. Du moins, je pense qu'il doit y en avoir un où elle figure.

— Ah ! Pourrais-je y jeter un coup d'œil ?

— Oui, bien sûr. Mais où ai-je bien pu ranger cet album ?

— Dites-moi, serait-il possible, selon vous, que Mme Swettenham soit en réalité Sonia Goedler ?

— Mme Swettenham ? demanda Mlle Blacklock, complètement sidérée. Mais son mari était fonctionnaire, d'abord aux Indes, je crois, et ensuite à Hong-Kong.

— Vous voulez dire que c'est ce qu'elle vous a raconté. Vous ne le savez que parce qu'elle-même vous l'a dit.

— C'est vrai, admit-elle. Vu sous cet angle… Mais Mme Swettenham ? Oh, c'est absurde !

— Sonia Goedler avait-elle jamais joué la comédie, fait du théâtre amateur ?

— Oh ! oui. Elle était même très douée.

— Nous y voilà ! Autre chose : Mme Swettenham porte une perruque. C'est à tout le moins ce qu'affirme Mme Harmon, rectifia l'inspecteur.

— Oui… Avec toutes ces petites boucles grises, il n'est en effet pas exclu qu'il s'agisse d'une perruque. Mais je persiste à penser que c'est absurde. Elle est vraiment très gentille, et excessivement drôle parfois.

— Dans ce cas, passons à Mlle Hinchliffe et à Mlle Murgatroyd. L'une d'elles pourrait-elle être Sonia Goedler ?

— Mlle Hinchliffe est trop grande. Et elle est bâtie comme un homme.

— Alors Mlle Murgatroyd ?

— Oh ! mais… oh ! non, je suis sûre que Mlle Murgatroyd ne peut pas être Sonia.

— Vous n'avez pas très bonne vue, je crois, mademoiselle Blacklock ?

— Je suis myope, si c'est ce que vous voulez dire.

— Bien. J'aimerais voir une photo de cette Sonia Goedler, même si elle est très ancienne et pas très ressemblante. Vous savez, nous sommes entraînés à déceler les ressemblances comme aucun amateur ne pourrait le faire.

— Je vais essayer de vous la trouver.

— Maintenant ?

— Quoi ! Tout de suite ?

— J'aimerais autant.

— Très bien. Voyons… J'ai vu cet album lorsque nous avons rangé un tas de vieux livres qui étaient dans le placard. Julia m'aidait. Je me souviens qu'elle a ri en voyant les vêtements que nous portions en ce temps-là… Nous avons mis les livres sur l'étagère du bureau. Où donc avons-nous rangé les albums et les gros volumes reliés de l'*Art Journal* ? Ah ! maudite mémoire ! Peut-être Julia s'en souviendra-t-elle. Elle est à la maison, aujourd'hui.

— Je vais la trouver.

L'inspecteur partit à sa recherche. Il ne trouva Julia dans aucune des pièces du rez-de-chaussée. Quand le policier demanda à Mitzi où était Mlle Simmons, elle lui répondit d'un air irascible que ce n'était pas son affaire.

— Moi ! Je reste dans ma cuisine et je m'occupe du repas. Et je ne mange rien si je n'ai pas préparé moi-même. Rien, vous entendez ?

— Mademoiselle Simmons ! lança l'inspecteur du bas de l'escalier.

N'obtenant pas de réponse, il monta.

Il tomba nez à nez avec Julia sur le palier. Elle sortait de derrière une porte donnant sur un petit escalier en colimaçon.

— J'étais au grenier, expliqua-t-elle. Que se passe-t-il ?

L'inspecteur exposa sa requête.

— Ces vieux albums de photos ? Oui, je m'en souviens très bien. Nous les avons rangés dans le grand placard du bureau, je crois. Je vais vous les chercher.

Elle le précéda jusqu'en bas des marches et le conduisit dans le bureau. Près de la fenêtre se trouvait un grand placard. Julia l'ouvrit, révélant tout un bric-à-brac.

— Vous parlez d'un fouillis ! s'exclama la jeune femme. Mais les personnes âgées ne veulent jamais rien jeter.

L'inspecteur s'agenouilla et prit deux vieux albums sur l'étagère du bas.

— Ce sont ceux-ci ?

— Oui.

— Ah ! voilà où nous les avions rangés, dit Mlle Black-klock en les rejoignant. Impossible de me souvenir.

Craddock avait posé les albums sur la table et les feuilletait.

Des femmes coiffées de chapeaux larges comme des roues de charrette, vêtues de robes descendant jusqu'aux chevilles et tellement entravées qu'elles pouvaient à peine marcher. Des légendes tracées avec soin accompagnaient les photos, mais l'encre était passée.

— Ce doit être dans celui-ci, dit Mlle Blacklock. À la deuxième ou troisième page. L'autre album contient des clichés pris après le mariage de Sonia, donc après son départ.

Elle tourna une page :

— Elle doit être ici.

Elle s'arrêta.

Plusieurs espaces étaient vides sur cette page. Craddock se pencha et déchiffra les légendes à moitié effacées : « Sonia… Moi… R.G. » Puis, un peu plus bas : « Sonia et Belle à la plage », et, sur la page qui lui faisait face : « Pique-nique à Skeyne ». Il tourna une autre page : « Charlotte, moi, Sonia, R.G. »

Craddock se leva, la mine sombre :

— Quelqu'un a enlevé ces photographies, et il n'y a pas longtemps, à mon avis.

— Il n'en manquait aucune quand nous avons regardé ces albums l'autre jour. N'est-ce pas, Julia ?

— Je n'ai pas fait très attention, je n'ai regardé que quelques robes. Mais… vous avez raison, tante Letty, il n'y avait pas d'espaces vides.

Craddock s'était encore assombri.

— Quelqu'un a ôté de cet album toutes les photos où figurait Sonia Goedler.

18

LES LETTRES

— Désolé de vous déranger de nouveau, madame Haymes.

— Ce n'est pas grave, répondit froidement Phillipa.

— Entrons dans cette pièce, si vous voulez bien.

— Le bureau ? Si vous le souhaitez, inspecteur, mais il y fait très froid. Il n'y a pas de feu.

— Ça ne fait rien. Ce ne sera pas très long. Et ici, on risque moins de nous entendre.

— Quelle importance ?

— Pour moi, aucune, madame Haymes. Mais il n'en va peut-être pas de même pour vous.

— Que voulez-vous dire ?

— Vous m'avez déclaré, il me semble, que votre mari était mort au combat en Italie ?

— Et alors ?

— N'aurait-il pas été plus simple de me dire la vérité, qu'il avait déserté ?

Il la vit pâlir. Les mains de la jeune femme se crispèrent et se décrispèrent machinalement.

— Faut-il vraiment que vous alliez remuer tout cela ? lui reprocha-t-elle, amère.

— Nous attendons des gens qu'ils nous disent la vérité sur eux-mêmes, rétorqua le policier d'un ton sec.

— Alors ? demanda la jeune femme après un silence.

— Qu'entendez-vous par cet « Alors », madame Haymes ?

— Qu'avez-vous l'intention de faire ? Le crier sur les toits ? Est-ce nécessaire, selon vous ? ou juste ? ou gentil ?

— Personne n'est donc au courant ?

— Ici, non. Harry…

Le ton de sa voix changea :

— Mon fils ne sait rien. Je ne veux pas qu'il sache, jamais.

— Dans ce cas, permettez-moi de vous dire que vous prenez de gros risques, madame Haymes. Quand ce garçon sera assez grand pour comprendre, dites-lui la vérité. Si un jour il venait à la découvrir de lui-même, ce ne serait pas bon pour lui. Si vous continuez à lui bourrer le crâne d'histoires sur son père mort en héros…

— Je ne le fais pas. Je ne pousse pas l'hypocrisie jusque-là. J'évite d'en parler, c'est tout. Son père a été… tué pendant la guerre. Après tout, pour nous, ça revient au même.

— Mais votre mari est toujours en vie ?

— Peut-être. Comment le saurais-je ?

— Quand l'avez-vous vu pour la dernière fois ?

Sa réponse vint trop vite :

— Je ne l'ai pas revu depuis des années.

— Vous êtes sûre que c'est la vérité ? Vous ne l'auriez pas, par hasard, rencontré il y a de cela environ quinze jours ?

— Qu'est-ce que vous voulez dire par là ?

— Il ne m'a jamais paru très plausible que vous ayez rencontré Rudi Scherz dans le pavillon d'été. Mais Mitzi était très convaincue de ce qu'elle avançait. Je veux dire par là, madame Haymes, que l'homme que vous êtes venue retrouver après votre travail ce matin-là n'était autre que votre mari.

— Je ne suis jamais allée retrouver personne dans le pavillon.

— Il avait besoin d'argent, peut-être, et vous lui en aurez fourni ?

— Je vous dis que je ne l'ai pas vu. Je n'ai rencontré personne dans le pavillon.

— La plupart des déserteurs sont des hommes au bout du rouleau. On les retrouve souvent impliqués dans des vols, des attaques à main armée et autres actes de banditisme. Et, plus souvent encore, ils possèdent des revolvers de marque étrangère, qu'ils ont rapportés des pays vaincus.

— J'ignore où se trouve mon mari. Je ne l'ai pas revu depuis des années.

— C'est là votre dernier mot, madame Haymes ?

— Je n'ai rien à ajouter.

*

Craddock sortit furieux de cette entrevue avec Phillipa Haymes. Furieux, déçu et, plus encore, déconcerté.

« Cette femme est têtue comme une mule », ne cessait-il de tempêter.

Quasiment sûr qu'elle mentait, il n'avait pourtant pas réussi à venir à bout de ses dénégations obstinées.

Il aurait voulu en savoir un peu plus sur l'ex-capitaine Haymes. Il ne disposait que de peu d'informations. Haymes avait un mauvais dossier militaire, mais rien ne suggérait qu'il ait pu devenir un criminel.

Et d'ailleurs, comment Haymes aurait-il bien pu s'y prendre pour graisser les gonds de la porte du salon ?

Cela, seul un habitant de la maison avait été à même de le faire. Un habitant de la maison ou un familier qui y avait facilement accès.

Il se retrouva face à l'escalier, et se demanda soudain ce que Julia Simmons était allée faire dans le grenier. Un grenier, songea-t-il, n'était guère le genre d'endroit que hanterait l'impeccable Julia.

Qu'était-elle allée faire là-haut ?

Il monta d'un pas silencieux au premier étage. Personne en vue. Il ouvrit la porte d'où il avait vu sortir Julia, et gravit les marches étroites menant au grenier.

Là, il trouva des malles, de vieilles valises, divers meubles endommagés, une chaise à laquelle il manquait un pied, une lampe de porcelaine cassée et de la vaisselle dépareillée.

Il souleva le couvercle de l'une des malles.

Des vêtements. Démodés, d'assez bonne qualité, des vêtements de femme. Ils devaient appartenir à Mlle Blacklock, ou à sa sœur décédée.

Il ouvrit une autre malle.

Des rideaux.

Il s'attaqua ensuite à une petite mallette, qui contenait des papiers et des lettres, des lettres très anciennes et jaunies par les ans.

La mallette portait les initiales C.L.B. Il en conclut qu'elle avait dû appartenir à Charlotte, la sœur de Letitia. Il déplia l'une des lettres. *Très chère Charlotte,* lut-il. *Hier, Belle s'est sentie assez bien pour aller en pique-nique. R.G., lui aussi, a pris un jour de congé. Les actions* Asvogel *se sont très bien vendues, R.G. en est ravi. Les parts de* Preference *sont au plus haut.*

Il sauta le reste et regarda la signature : *Ta sœur qui t'aime, Letitia.*

Il prit une autre lettre :

Charlotte chérie, j'aimerais que tu te décides enfin à rencontrer des gens. Tu exagères, tu sais. Ce n'est pas aussi terrible que tu le penses, et les gens n'attachent pas

d'importance à ces choses-là. Tu n'es pas aussi défigurée
que tu te l'imagines.

Le policier hocha la tête, se rappelant ce que Belle
Goedler avait dit de Charlotte Blacklock : elle avait
une difformité, ou une quelconque malformation.
Letitia avait fini par quitter son emploi pour aller
s'occuper de sa sœur. Il émanait de toutes ces lettres un
sentiment de sollicitude inquiète, fruit de l'immense
tendresse protectrice qu'elle vouait à sa sœur infirme.
Elle avait selon toute apparence énormément écrit à sa
sœur, lui racontant les plus futiles événements de sa
vie quotidienne et multipliant les détails qu'elle
croyait susceptibles d'intéresser la jeune malade. Et
Charlotte avait gardé toutes ces lettres, parfois accom-
pagnées d'une photo.

Un sentiment d'exaltation envahit soudain Craddock. C'était là, peut-être, qu'il trouverait un indice.
Ces lettres contenaient probablement des éléments
que Letitia Blacklock avait depuis longtemps oubliés.
Il disposait là d'un témoignage fidèle du passé, qui
l'aiderait sans doute à identifier le ou la coupable. Et il
y avait des photographies. Avec un peu de chance, il en
trouverait une de Sonia Goedler dont la personne qui
avait subtilisé les photos de l'album ignorait l'existence.

L'inspecteur Craddock rangea les lettres avec soin,
referma la mallette et descendit l'escalier.

Letitia Blacklock, debout sur le palier du premier
étage, le gratifia d'un regard ébahi :

— C'était vous, dans le grenier ? J'ai entendu des bruits de pas. Je me demandais qui…

— Mademoiselle Blacklock, j'ai découvert des lettres que vous avez écrites à votre sœur Charlotte, il y a bien des années. Me permettez-vous de les emporter pour les lire ?

Elle s'empourpra de colère :

— Êtes-vous absolument obligé de faire une chose pareille ? Pourquoi ? En quoi peuvent-elles vous être utiles ?

— Elles pourraient me donner une idée de Sonia Goedler, de son caractère… il se peut que j'y relève une allusion, que j'y note un incident, un détail révélateur susceptible de nous aider.

— Ce sont des lettres personnelles, inspecteur.

— Je sais.

— Quoi que je puisse dire ou faire, j'imagine que vous passerez outre… Vous en avez le droit, ou du moins vous pouvez le prendre. Eh bien, emportez-les ! Emportez-les donc ! Mais vous n'en apprendrez pas long sur Sonia. Elle s'est mariée et elle est partie un ou deux ans à peine après mon arrivée chez Randall Goedler.

Craddock s'obstina :

— Je risque d'y trouver quelque chose. Or, nous devons tout essayer. Je vous assure que le danger est réel.

— Je sais, dit-elle en se mordant les lèvres. Bunny est morte… en avalant un comprimé d'aspirine qui m'était destiné. Ensuite, ce sera peut-être le tour de

Patrick, de Julia, de Phillipa ou de Mitzi – de quelqu'un de jeune, qui a la vie devant lui. Quelqu'un boira un verre de vin versé pour moi, ou mangera un chocolat qui m'avait été offert. Oh ! prenez ces lettres, emportez-les ! Et ensuite, brûlez-les. Elles n'ont de valeur pour personne, sauf pour Charlotte et moi. Or, c'est du passé, maintenant. Personne ne se souvient plus...

Sa main se porta à son haut collier ras-le-cou de perles fantaisie. Craddock le trouvait bien incongru, avec ce tailleur en tweed.

— Emportez ces lettres, répéta-t-elle encore.

*

Le lendemain après-midi, l'inspecteur se présenta au presbytère.

C'était une journée sombre et venteuse.

Miss Marple avait approché sa chaise de la cheminée et tricotait. Bunch, à quatre pattes par terre, découpait du tissu en suivant les contours d'un patron.

Elle s'assit à croupetons, repoussa les mèches rebelles qui lui tombaient dans les yeux et lança un regard interrogateur à Craddock.

— Peut-être serait-ce trahir la confiance qui m'a été accordée, dit celui-ci à miss Marple, mais j'aimerais que vous lisiez cette lettre.

Il expliqua comment il l'avait découverte dans le grenier.

— Ce sont des lettres très touchantes, ajouta-t-il. Mlle Blacklock racontait tout à sa sœur, dans l'espoir de raviver son intérêt pour la vie et de la garder en bonne santé. On imagine très bien leur vieux père, le vieux Dr Blacklock, en arrière-plan. Une vraie brute, têtu comme une mule, complètement maniaque et persuadé d'avoir toujours raison. Son obstination a certainement tué des milliers de malades. Il était opposé à toutes les méthodes, à toutes les idées nouvelles.

— Là-dessus, je serais plutôt d'accord avec lui, dit miss Marple. Je trouve que les jeunes médecins ont trop tendance à vouloir tenter des expériences. Après vous avoir arraché toutes vos dents, vous avoir administré un tas d'hormones très bizarres et vous avoir ôté plusieurs organes, ils vous avouent qu'ils ne peuvent rien faire pour vous. Je préfère nettement les bons vieux remèdes qu'on vous vend dans des flacons de verre noir. Après tout, on peut toujours les vider dans le lavabo.

Elle prit la lettre que lui tendait Craddock.

— J'aimerais que vous la lisiez, dit-il, car je pense que vous comprenez mieux que moi les gens de cette génération. Je ne sais pas grand-chose de la mentalité de cette époque.

Miss Marple déplia la mince feuille de papier.

Très chère Charlotte,
Je ne t'ai pas écrit depuis deux jours car nous avons eu de très gros problèmes à la maison. Sonia, la sœur de Randall (Tu te souviens d'elle ? Elle est venue te chercher en

voiture un jour. Comme j'aimerais que tu sortes davantage !). Sonia nous a annoncé son intention d'épouser un
certain Dmitri Stamfordis. Je ne l'ai vu qu'une seule fois.
Très séduisant mais, à mon avis, pas fiable du tout. R.G.
est braqué contre lui et répète que c'est un escroc. Quant à
Belle, Dieu la bénisse, elle se contente de sourire, allongée
sur son sofa. Sonia, qui sous son air impassible a un sacré
caractère, est folle de rage contre R.G. Hier, j'ai même cru
qu'elle allait le tuer !

J'ai fait de mon mieux. J'ai parlé à Sonia, puis à R.G.,
et j'ai réussi à les calmer tous les deux, mais dès qu'ils se
retrouvent, tout recommence ! Tu ne peux pas savoir
comme c'est fatigant. R.G. a fait son enquête, et il semblerait vraiment que ce Stamfordis ne soit pas du tout recommandable.

Pendant ce temps, on néglige les affaires. Je continue à
travailler au bureau et, dans un sens, c'est plutôt agréable,
car R.G. me laisse carte blanche. Hier, il m'a dit : « Dieu
merci, il reste encore une personne raisonnable en ce bas
monde. Vous au moins, Blackie, vous ne risquez pas de
tomber amoureuse d'un escroc. » J'ai répondu qu'à mon
avis, je ne risquais pas de tomber amoureuse de qui que ce
soit. R.G. a dit : « Si on lançait quelques coups dans la
City ? » Il est, quand il s'y met, malicieux comme un gosse,
et prend des risques terribles. « Vous êtes bien décidée à ne
pas me laisser m'écarter du droit chemin, n'est-ce pas,
Blackie ? » m'a-t-il déclaré l'autre jour. Et comment ! Je
ne comprends pas comment les gens peuvent être incapables de distinguer ce qui est honnête de ce qui ne l'est

pas, mais c'est vraiment le cas de R. G. Il ne voit que ce qui est franchement illégal.

Tout cela fait rire Belle. Elle trouve que ces histoires à propos de Sonia sont ridicules. « Sonia a son propre argent, aime-t-elle à répéter. Pourquoi n'épouserait-elle pas ce type si elle en a tellement envie ? » Je lui ai fait remarquer que ce pourrait être une erreur terrible, et elle m'a rétorqué : « Épouser l'homme qu'on aime n'est jamais une erreur, même si on le regrette un jour. » Et puis : « J'imagine que Sonia a peur de se brouiller avec Randall à cause de l'argent. Elle adore l'argent. »

Parlons d'autre chose. Comment va papa ? Je ne te demanderai pas de l'embrasser de ma part. Mais tu peux le faire, si tu juges que c'est mieux ainsi. As-tu vu du monde ? Il ne faut surtout pas te complaire dans des idées morbides, chérie.

Sonia t'envoie son bonjour. Elle vient d'entrer et n'arrête pas d'ouvrir et de refermer les mains, comme un chat qui fait ses griffes. Je crois qu'elle vient encore de se disputer avec R. G. Il est vrai que Sonia peut être très agaçante, quand elle vous dévisage avec son air froid et méprisant.

Je t'embrasse, chérie. Surtout ne te laisse pas aller ! Ce traitement à l'iode pourrait se révéler très efficace. Je me suis renseignée sur la question, et il semble vraiment donner de bons résultats : c'est peut-être la clef du succès. Ta sœur qui t'aime,

Letitia.

Miss Marple replia la lettre et la rendit au policier. Elle semblait préoccupée.

— Eh bien, qu'en pensez-vous ? s'enquit avec empressement Craddock. Quelle idée vous faites-vous d'elle ?

— De Sonia ? C'est difficile, vous savez, de voir quelqu'un à travers les yeux d'une autre personne… Très indépendante, décidée à faire ce qu'elle veut sans aucun doute. Et à obtenir ce qu'il y a de mieux…

— Ouvrir et refermer les mains comme un chat qui fait ses griffes, murmura l'inspecteur. Vous savez, ça me rappelle quelqu'un…

Il fronça les sourcils.

— La clef du succès…, murmura miss Marple.

— Si seulement nous connaissions les renseignements obtenus par Randall dans son enquête sur Stamfordis, ce serait peut-être la clef de notre succès, dit Craddock.

— Est-ce que quelque chose dans cette lettre vous rappelle St Mary Mead, tante Jane ? demanda Bunch assez indistinctement parce qu'elle avait la bouche pleine d'épingles.

— Pas vraiment, chérie. Le Dr Blacklock est peut-être un peu comme M. Curtiss, le pasteur wesleyen. Il refusait que sa fille porte un appareil dentaire. Il disait que si les dents de son enfant avançaient, c'était que Dieu l'avait voulu ainsi. « Après tout, lui ai-je un beau jour rétorqué, vous vous rasez la barbe et faites couper vos cheveux. Qui vous dit que ce n'est pas la volonté du Seigneur qui fait pousser vos cheveux ? » Il a eu le toupet de me répondre que cela n'avait rien à voir. C'est bien une réponse d'homme. Mais cela ne nous aide pas à résoudre notre problème.

— Nous n'avons jamais trouvé d'où venait le revolver, vous savez. Il n'appartenait pas à Rudi Scherz. Si seulement je savais qui possède un revolver à Chipping Cleghorn...

— Le colonel Easterbrook en a un, lança Bunch. Il le garde dans un tiroir, avec ses faux cols.

— Comment le savez-vous, madame Harmon ?

— C'est Mme Butt qui me l'a dit. C'est ma femme de ménage. Elle vient deux fois par semaine. Comme elle dit : « C'est un monsieur qui est militaire, alors c'est bien normal qu'il ait un revolver, même que ça serait bien pratique des fois qu'y aurait des cambrioleurs dans la maison. »

— Quand vous a-t-elle dit ça ?

— Il y a des siècles. Six mois au bas mot.

— Le colonel Easterbrook ? murmura Craddock.

— C'est comme la roue de la fortune, dans les fêtes foraines, dit Bunch, la bouche toujours pleine d'épingles. On tourne, on tourne et on tombe chaque fois sur une case différente.

— Je ne vous le fais pas dire, grommela Craddock.

— Le colonel Easterbrook est allé à Little Paddocks apporter un livre, il y a quelque temps. Il aurait pu graisser les gonds et la serrure à ce moment-là. Cependant, il n'a pas essayé de cacher sa visite. Pas comme Mlle Hinchliffe.

Miss Marple toussota discrètement :

— Il faut tenir compte de l'époque à laquelle nous vivons, inspecteur, déclara-t-elle.

Craddock la regarda sans comprendre.

— Après tout, reprit miss Marple, vous êtes de la police, n'est-ce pas ? Les gens ne vont quand même pas aller raconter tous leurs petits secrets à la police, voyons !

— Je ne vois pas pourquoi, répondit l'inspecteur. À moins qu'ils n'aient des agissements criminels à cacher.

— Elle parle du beurre, expliqua Bunch qui, toujours à quatre pattes, contournait le pied de la table pour épingler un morceau de patron. Le beurre, le maïs pour les poules, quelquefois de la crème, et même, parfois, du bacon.

— Montre-lui le mot de Mlle Blacklock, dit miss Marple. Il date d'il y a un moment, mais ça se lit comme un très bon roman policier.

— Qu'est-ce que j'en ai fait ? C'est de celui-ci que vous voulez parler, tante Jane ?

Miss Marple prit le mot et l'examina.

— Oui, dit-elle avec satisfaction. C'est bien celui-là.

Elle le tendit à l'inspecteur :

Je me suis renseignée, c'est pour jeudi, avait écrit Mlle Blacklock. *À partir de 15 heures. S'il y en a pour moi, déposez-le à l'endroit habituel. Vous savez où est la clé.*

Bunch cracha ses épingles et éclata de rire. Miss Marple observait le visage de l'inspecteur.

— Le jeudi, expliqua l'épouse du pasteur, il y a toujours une des fermes des environs qui fait du beurre. Ils acceptent d'en céder un peu à ceux qui sont dans leurs bonnes grâces. Habituellement, c'est Mlle Hinchliffe qui va au ravitaillement. Elle s'entend comme larrons en foire avec tous les fermiers, ça tient paraît-il au fait qu'elle élève des cochons. C'est notre système D local. Une personne reçoit du beurre en échange de quelques concombres ou de je ne sais quelle broutille, plus un petit quelque chose quand quelqu'un tue le cochon. Et puis il y a de temps en temps une bête à laquelle il arrive un accident et qu'il faut abattre. Je suis sûre que vous voyez ce que je veux dire. J'imagine que ce genre de troc est interdit, mais personne n'en est vraiment sûr tant la réglementation est compliquée. Alors tout ça se fait plus ou moins sous le manteau. Et il serait malséant d'aller en parler à la police. J'imagine que Hinch était venue discrètement à Little Paddocks déposer une livre de beurre ou je ne sais trop quelle denrée périssable « à l'endroit habituel ». Je vous signale en passant qu'il s'agit d'une boîte à farine rangée dans le vaisselier… et sans farine, évidemment.

Craddock poussa un soupir :

— Je ne regrette pas de m'être adressé à des femmes d'expérience.

— Avant, il y avait aussi des tickets de vêtements, dit Bunch. On ne les négociait en général pas pour de l'argent, on ne trouvait pas ça moral. Mais il est des gens comme Mme Butt, Mme Finch ou Mme Huggins qui savent apprécier une belle robe en lainage ou un manteau d'hiver qui n'a pas été beaucoup porté et qui sont ravies de les payer avec des tickets au lieu de sortir leurs sous.

— Vous feriez mieux de ne pas m'en dire plus, s'offusqua Craddock. Tout cela est parfaitement illégal.

— Alors on ne devrait pas édicter de lois aussi stupides, répondit Bunch, en se remplissant de nouveau la bouche d'épingles. Personnellement, je ne prends bien sûr aucune part à ce genre de trafics, car Julian ne veut pas que je sois mêlée à ça. Mais ça ne m'empêche bien évidemment pas d'être au courant de ce qui se passe.

Une sorte de désespoir envahissait l'inspecteur :

— Tout cela respire les plaisirs simples. Des petites histoires amusantes, banales, sans conséquence, voire attendrissantes. Et pourtant, un homme et une femme ont été tués, et une autre femme risque de l'être avant que je n'aie de piste concrète. Je laisse tomber Pip et Emma pour l'instant. Je me concentre sur Sonia. Si seulement je savais à quoi elle ressemble ! J'ai trouvé une ou deux photos avec ces lettres, mais elle ne figure sur aucune.

— Comment savez-vous qu'elle n'y figure pas ? Savez-vous à quoi elle ressemblait ?

— Mlle Blacklock m'a dit qu'elle était petite et brune.

— Vraiment ? voilà qui est très intéressant, dit miss Marple.

— Une des photos m'a vaguement rappelé quelqu'un. Une grande fille blonde aux cheveux relevés en chignon. J'ignore de qui il s'agissait. En tout cas pas de Sonia. Pensez-vous que Mme Swettenham ait pu être brune dans sa jeunesse ?

— Pas très brune, en tout cas, dit Bunch. Elle a les yeux bleus.

— J'espérais trouver un cliché de Dmitri Stamfordis, mais j'ai comme l'impression que c'était trop demander… Enfin ! Je suis désolé que cette lettre ne vous suggère rien, miss Marple, dit-il en reprenant le document.

— Oh, mais si ! répondit celle-ci. Elle me suggère des tas de choses. Relisez-la donc, inspecteur. Notamment le passage concernant la clef du succès.

Craddock ouvrit de grands yeux.

La sonnerie du téléphone retentit.

Bunch se releva pour se rendre dans le vestibule où, dans la plus pure tradition victorienne, le téléphone avait été à l'origine installé et où il se trouvait toujours.

— C'est pour vous, dit-elle à Craddock en revenant.

Un peu surpris, le policier alla répondre en prenant soin de refermer la porte du salon derrière lui.

— Allô ?

— Craddock ? Ici, Rydesdale.

— Oui, monsieur.

— J'ai parcouru votre rapport. Dans votre entrevue avec Phillipa Haymes, je vois qu'elle affirme ne pas avoir revu son mari depuis sa désertion ?

— C'est exact, monsieur. Elle est catégorique. Mais à mon avis, elle ment.

— Je suis d'accord avec vous. Vous souvenez-vous de cette affaire, il y a une dizaine de jours : un homme renversé par un camion, qu'on a emmené à l'hôpital de Milchester avec une commotion cérébrale et une fracture du bassin ?

— Ce type qui a attrapé de justesse un gamin qui allait passer sous les roues d'un camion et qui s'est fait renverser lui-même ?

— Exactement. Il n'avait aucun papier sur lui, et personne n'est venu le reconnaître. Il avait tout l'air d'être en cavale. Il est mort la nuit dernière sans reprendre connaissance. Mais on l'a identifié. C'est un déserteur, Ronald Haymes, ex-capitaine du régiment du South Loamshire.

— Le mari de Phillipa Haymes ?

— Oui. On a trouvé sur lui un vieux ticket de bus pour Chipping Cleghorn, à propos, ainsi qu'une somme d'argent assez importante.

— Alors il avait bien reçu de l'argent de sa femme ? J'ai toujours été persuadé que c'était lui que Mitzi avait entendu discuter avec Phillipa Haymes dans le pavillon d'été. Bien sûr, Mme Haymes a tout nié en bloc. Mais enfin, monsieur, cet accident a certainement eu lieu avant…

Rydesdale lui ôta les mots de la bouche :

— Oui, on l'a transporté à l'hôpital le 28. Le hold-up à Little Paddocks s'est déroulé le 29. Cela le disculpe formellement de toute implication dans cette affaire. Mais sa femme, évidemment, ignorait tout de l'accident. Elle croyait peut-être depuis le début qu'il était

impliqué. Auquel cas elle aurait su tenir sa langue...
Après tout, quoi de plus naturel ? C'était quand même
son mari.

— En tout cas, cet homme a eu un geste très coura-
geux, murmura lentement Craddock.

— En sauvant la vie de cet enfant ? Oui. Il a eu du
cran. Je ne pense pas que ce soit par lâcheté qu'il avait
déserté. Enfin, c'est de l'histoire ancienne, à présent.
Pour un homme dont la réputation était entachée, c'est
une belle mort.

— J'en suis heureux pour elle, déclara l'inspecteur.
Et pour leur fils.

— Oui, il n'aura pas à avoir trop honte de son père.
Et la jeune femme va pouvoir se remarier, à présent.

— Justement, j'y pensais, monsieur... Cela ouvre
des... des possibilités.

— Vous ne feriez pas mal de lui apprendre la nouvelle, puisque vous vous trouvez sur place.

— Très bien, monsieur. Je vais y aller tout de suite.
Ou peut-être vaut-il mieux attendre qu'elle soit rentrée
à Little Paddocks. Cela lui fera sans doute un choc, et
je veux d'abord avoir une petite conversation avec
quelqu'un d'autre.

19

RECONSTITUTION DU CRIME

— Je vais vous approcher une lampe avant de partir, dit Bunch. Il fait très sombre, ici. J'ai l'impression qu'il va y avoir de l'orage.

Elle plaça la petite lampe de lecture à l'autre bout de la table afin d'éclairer miss Marple qui tricotait toujours, assise dans son grand fauteuil.

En voyant le fil bouger sur la table, Teglath-Phalasar se jeta dessus, l'attrapa entre ses griffes et le mordit violemment.

— Non, Teglath-Phalasar, arrête… Ce chat est vraiment impossible. Regardez, il l'a presque transpercé, il est tout effiloché. Tu ne comprends donc pas, matou stupide, que tu risques de recevoir une décharge électrique ?

— Merci, chérie, dit miss Marple en tendant le bras pour allumer la lampe.

— Non, ce n'est pas là qu'elle s'allume. Il faut appuyer sur ce petit interrupteur ridicule au milieu du fil. Attendez une minute, je vais enlever ce bouquet de fleurs qui vous gêne.

Elle souleva le vase, qui contenait des roses de Noël. Teglath-Phalasar, en remuant spasmodiquement la queue, tendit une patte malicieuse et griffa le bras de Bunch. Celle-ci renversa un peu d'eau sur le fil dénudé et sur le chat, qui se précipita par terre en sifflant d'indignation.

Miss Marple actionna le petit interrupteur en forme d'olive. Un éclair jaillit de l'endroit où le fil avait été dénudé, et un craquement retentit.

— Oh, mon Dieu ! gémit Bunch. Les plombs ont sauté. Maintenant, je parie qu'aucune lampe ne fonctionne plus.

Elle se livra à un essai infructueux :

— Eh bien, oui ! C'est tellement idiot qu'elles soient toutes sur le même trucmuche. Et ça a fait une trace de brûlure sur la table, par-dessus le marché. Méchant Teglath-Phalasar, tout est de ta faute ! Que se passe-t-il, tante Jane ? L'éclair vous a fait peur ?

— Non, non, ce n'est rien, ma chérie. Seulement quelque chose qui vient de me sauter aux yeux et dont j'aurais dû me rendre compte depuis longtemps.

— Je vais aller changer le fusible, et je vous apporterai la lampe qui se trouve dans le bureau de Julian.

— Non, chérie, ce n'est pas la peine. Tu vas manquer ton bus. Je n'ai pas besoin de lumière. Je voudrais juste rester là bien tranquillement, et réfléchir à quelque chose. Dépêche-toi d'aller prendre ton bus.

Après le départ de Bunch, miss Marple resta immobile pendant quelques minutes. Il y avait de l'orage dans l'air, ce qui rendait l'atmosphère lourde et menaçante.

Miss Marple prit une feuille de papier.

Elle nota d'abord : Lampe ? qu'elle souligna plusieurs fois.

Après un instant de réflexion, elle inscrivit un second mot.

Et son crayon parcourut ainsi la feuille, la noircissant de notes sibyllines...

*

Dans le salon plutôt sombre des Boulders, avec son plafond bas et ses fenêtres treillissées, Mlle Hinchliffe et Mlle Murgatroyd se disputaient.

— Le problème avec toi, Murgatroyd, c'est que tu ne veux pas essayer, vitupéra Mlle Hinchliffe.

— Mais je te jure, Hinch, je ne me souviens de rien.

— Écoute-moi bien, Amy Murgatroyd, nous allons réfléchir de façon constructive. Jusqu'à présent, nous n'avons guère brillé en tant que détectives. Je m'étais complètement fourvoyée au sujet de cette porte. Ce n'est pas toi qui as tenu la porte ouverte pour le meurtrier, finalement. Tu es blanchie, Murgatroyd !

L'intéressée s'efforça de sourire.

— C'est bien notre veine d'avoir la seule femme de ménage silencieuse de Chipping Cleghorn, continua Mlle Hinchliffe. En général, je m'en félicite, mais cette fois, ça a fait que nous avons pris un mauvais départ. Tout le village savait qu'on s'était servi de la deuxième porte du salon, et nous, nous ne l'avons appris qu'hier...

— Je ne comprends toujours pas comment...

— C'est très simple. Notre première idée était bonne. On ne peut pas à la fois tenir une porte ouverte, brandir une torche et tirer des coups de revolver. Nous avons gardé la torche et le revolver et éliminé la porte. Eh bien, nous avons eu tort. C'est le revolver que nous aurions dû éliminer.

— Mais il avait vraiment un revolver, s'insurgea faiblement Mlle Murgatroyd. Je l'ai vu. Il traînait par terre, à côté de lui.

— Une fois qu'il était mort, oui. Tout ça est très clair. Ce n'est pas lui qui a tiré les coups de revolver.

— Mais qui, alors ?

— C'est ce que nous allons découvrir. Mais quelle qu'elle soit, la même personne a placé des cachets d'aspirine empoisonnés sur la table de nuit de Letty Blacklock, et liquidé de ce fait la pauvre Dora Bunner. Et ça ne peut pas être Rudi Scherz, qui est bel et bien mort. C'est quelqu'un qui se trouvait dans le salon le soir du hold-up, et probablement aussi le jour de la fête d'anniversaire. Par conséquent, la seule personne à être hors du coup est Mme Harmon.

— Tu crois que quelqu'un a mis ces cachets dans la chambre le jour de l'anniversaire ?

— Pourquoi pas ?

— Mais comment ?

— Eh bien, nous sommes tous allés aux cabinets, non ? dit crûment Mlle Hinchliffe. Et je me suis lavé les mains dans la salle de bains, à cause de ce gâteau tout poisseux. Et Choupinette-chérie Easterbrook est allée repoudrer son petit minois crasseux dans la chambre de Blacklock, pas vrai ?

— Hinch ! Tu crois que c'est elle qui…

— Je ne sais pas encore. Si c'est elle, c'était un peu trop voyant. Quand on a l'intention de déposer des cachets empoisonnés quelque part, on s'arrange pour ne pas y être vu. Oh ! oui, il y a eu un tas d'occasions.

— Les hommes ne sont pas montés.

— Il y a un escalier de service. Après tout, quand un homme quitte la pièce, on ne le suit pas pour s'assurer qu'il se rend vraiment à l'endroit qu'on croit. Ce ne serait pas très délicat ! En tout cas, ne commence pas à discuter, Murgatroyd. Je veux revenir sur la première tentative de meurtre contre Letty Blacklock. Pour commencer, tu dois te mettre les faits dans la tête, parce que tout va dépendre de toi.

Mlle Murgatroyd paniqua :

— Oh ! mon Dieu, Hinch, tu sais comme je m'embrouille toujours.

— Ce n'est pas ton cerveau que nous allons mettre à l'épreuve – ou du moins ce truc gris qui te tient lieu de cerveau –, mais tes *yeux*. C'est ce que tu as *vu* qui m'intéresse.

— Mais je n'ai rien vu du tout.

— Le problème avec toi, je le répète, c'est que tu ne veux même pas essayer. Concentre-toi. Voici ce qui s'est passé. La personne qui avait une dent contre Mlle Blacklock se trouvait dans la pièce ce soir-là. Il – je dis « il » parce que c'est plus facile, mais il n'y a pas de raison pour que ce soit un homme plutôt qu'une femme, sauf que les hommes sont tous des salopards –, bref, il a préalablement graissé les gonds de la deuxième porte menant au salon et qui est censée être clouée ou quelque chose de ce genre. Ne me demande pas quand il l'a fait, ça ne ferait que compliquer les choses. En réalité, en choisissant bien mon moment, je pourrais m'introduire dans n'importe quelle maison de Chipping Cleghorn et y faire ce que bon me semblerait pendant une bonne demi-heure sans que personne aille s'en douter. Il suffit de savoir chez qui se trouvent les femmes de ménage et quand les occupants sont sortis, où ils sont allés, et pour combien de temps. Bref, il suffit de compter ses ouailles. Bon, je continue. Il a donc graissé les gonds et la serrure de la deuxième porte. Elle s'ouvrira sans bruit. Le scénario est le suivant : les lumières s'éteignent, la porte A (la porte habituelle) s'ouvre avec fracas. Petit numéro avec la torche et texte du hold-up. Entre-temps, pendant que tout le monde a les yeux écarquillés, X (c'est le nom qui convient le mieux) se faufile hors de la pièce par la porte B, passe dans le vestibule non éclairé, se glisse

284

derrière cet imbécile de Suisse, tire quelques coups dans la direction de Letty Blacklock et descend le type ensuite. X laisse alors tomber le revolver à un endroit où les esprits paresseux comme toi le considéreront comme une preuve que c'est le Suisse lui-même qui a tiré. Et il retourne enfin bien vite dans le salon au moment où on allume les briquets. Tu me suis ?

— Ou... oui, mais qui est-ce ?

— Eh bien si toi, tu ne le sais pas, Murgatroyd, personne ne le sait !

— Moi ?

Mlle Murgatroyd, en proie à la panique, donnait tous les signes de la plus vive agitation :

— Mais je ne sais rien du tout. Sincèrement, Hinch !

— Sers-toi un peu de cette guimauve que tu nommes ta cervelle. D'abord, où se trouvait tout le monde quand les lampes se sont éteintes ?

— Je ne sais pas.

— Si, tu le sais. Ce que tu peux être exaspérante ! Tu sais tout de même où tu te trouvais, toi ! Derrière la porte.

— Oui... oui, c'est vrai. Elle a heurté mon cor en s'ouvrant.

— Pourquoi ne vas-tu pas voir un pédicure au lieu de te charcuter toi-même les pieds ? Tu finiras par te coller une infection, un de ces jours. Allons. Toi, tu es derrière la porte. Moi, je suis près de la cheminée, la langue pendante de soif. Letty Blacklock se tient près de la table, à côté de l'arcade, où elle va chercher des cigarettes. Patrick Simmons est passé de l'autre côté de l'arcade, dans l'ex-boudoir où Letty Blacklock a disposé les bouteilles. D'accord ?

— Oui, oui, je me rappelle tout ça.

— Bien. Une autre personne a suivi Patrick dans le prolongement du salon, ou du moins était en train de se diriger par là. L'un des hommes. Ce qui m'énerve, c'est que je n'arrive pas à me souvenir s'il s'agit d'Easterbrook ou d'Edmund Swettenham. Tu te rappelles ?

— Non.

— Ça ne m'étonne pas de toi ! Et il y a une troisième personne qui est passée de l'autre côté de l'arcade : Phillipa Haymes. Je m'en souviens très bien, car j'avais remarqué comme elle se tenait bien droite, et je me suis dit : cette fille aurait de l'allure sur un cheval. Je la regardais en me disant ça. Elle s'est approchée de l'autre cheminée, dans la partie du bout. J'ignore ce qu'elle voulait y faire, parce que c'est à ce moment-là que la lumière s'est éteinte.

« Voilà donc quelles étaient les positions. Dans le petit salon, Patrick Simmons, Phillipa Haymes, et soit le colonel Easterbrook, soit Edmund Swettenham : nous ignorons lequel. Maintenant, Murgatroyd, écoute-moi bien. Il est plus que probable que c'est l'un de ces trois-là qui a fait le coup. Pour sortir par l'autre porte, il valait mieux s'assurer d'être bien placé au moment où les lumières s'éteindraient. Donc, comme je viens de le dire, il est probable que c'est l'un de ces trois-là. Et dans ce cas, Murgatroyd, tu ne peux rien faire pour nous !

Le visage de Mlle Murgatroyd s'éclaira.

— D'un autre côté, continua Mlle Hinchliffe, il est possible que ce ne soit pas l'un des trois. Et c'est là que tu entres en jeu.

— Mais pourquoi est-ce que je saurais quelque chose, moi ?

— Je te l'ai déjà dit, si toi tu ne le sais pas, personne ne sait.

— Mais je ne sais rien ! Je te le jure ! Je n'y voyais rien du tout !

— Oh ! si, tu y voyais. Tu es même la seule à avoir vu. Tu te tenais derrière la porte. Tu ne prenais donc pas la torche en pleine figure, parce que la porte était entre vous deux. Tu étais face au salon, et tu regardais dans la même direction que la torche. Nous autres, nous étions éblouis, mais pas toi.

— N… non, peut-être pas, mais je n'ai rien vu, la torche n'arrêtait pas d'aller et venir…

— Te montrant quoi ? S'arrêtant sur quoi ? Des visages, non ? Et les tables, les chaises ?

— Oui… oui… c'est ça… Il y a eu Mlle Bunner, la bouche grande ouverte, les yeux exorbités, qui battait des paupières.

— Enfin !

Mlle Hinchliffe poussa un soupir de soulagement :

— Le plus dur, c'est de te faire utiliser ta matière grise. Maintenant, continue.

— Mais je n'ai rien vu de plus, vraiment.

— Tu veux dire que tu as vu une pièce vide ? Personne ne s'y trouvait, debout ou assis ?

— Si, bien sûr. Mlle Bunner, bouche bée, et Mme Harmon, assise sur le bras d'un fauteuil. Elle avait les yeux fermés et les mains crispées sur son visage, comme un enfant.

— Bien, voilà pour Mlle Bunner et Mme Harmon. Tu ne vois donc pas où je veux en venir ? Le problème, c'est que je ne voudrais pas t'influencer. Mais quand nous aurons éliminé ceux que tu as vus, nous pourrons en arriver à la question importante : y a-t-il quelqu'un que tu n'as pas vu. Tu as compris ? À part les tables, les chaises, les chrysanthèmes et tout le reste, il y avait certaines personnes : Julia Simmons, Mme Swettenham, Mme Easterbrook... soit le colonel Easterbrook, soit Edmund Swettenham... Dora Bunner et Bunch Harmon. Très bien, tu as vu Bunch Harmon et Dora Bunner. On peut les rayer de la liste. Réfléchis, Murgatroyd, réfléchis. Une de ces personnes était-elle absente de la pièce ?

Mlle Murgatroyd sursauta légèrement au bruit d'une branche qui heurtait la fenêtre ouverte. Elle ferma les yeux et murmura pour elle-même :

— Les fleurs... sur la table... le grand fauteuil... la torche n'est pas allée assez loin pour t'éclairer, Hinch. Mme Harmon, oui...

Soudain, le téléphone sonna. Mlle Hinchliffe alla répondre :

— Allô, oui ? La gare ?

Obéissante, Mlle Murgatroyd, les yeux toujours clos, revivait la soirée du 29. La torche qui balayait lentement la pièce... un groupe de gens... les fenêtres… le sofa… Dora Bunner… le mur… la table et la lampe… l'arcade… le coup de feu soudain…

— … mais c'est incroyable ! s'écria-t-elle.

— Quoi ? hurlait Mlle Hinchliffe au téléphone. Et elle est là depuis ce matin ? À quelle heure ? Et c'est à cette heure-ci que vous m'appelez, pauvre abruti ? Je vais vous mettre la SPA aux fesses. Vous l'aviez oubliée ? C'est tout ce que vous trouvez à dire ?

Elle raccrocha violemment.

— C'est la chienne, dit-elle. Le setter. Elle est à la gare depuis ce matin 8 heures, sans une goutte d'eau à boire ! Et ces imbéciles ne m'appellent que maintenant. Je vais la chercher tout de suite.

Et elle sortit brusquement tandis que Mlle Murgatroyd s'élançait à sa suite en poussant des petits cris perçants :

— Mais écoute, Hinch ! C'est vraiment incroyable ! Je n'y comprends rien…

Mlle Hinchliffe fonçait sur le hangar qui servait de garage.

— Nous continuerons à mon retour ! cria-t-elle. Je n'ai pas le temps de t'attendre. Comme d'habitude, tu es en chaussons.

Elle démarra et, en trois embardées, sortit du garage en marche arrière. Mlle Murgatroyd sauta prestement de côté :

— Mais écoute, Hinch, il faut absolument que je te dise…

— À mon retour !

La voiture partit en trombe. Les appels suraigus de Mlle Murgatroyd la suivirent un temps :

— Mais, Hinch, elle n'était pas là...

*

Le ciel s'était chargé de gros nuages sombres. Tandis que Mlle Murgatroyd regardait la voiture s'éloigner, les premières gouttes se mirent à tomber.

Tout agitée, Mlle Murgatroyd se précipita vers un fil sur lequel elle avait, quelques heures plus tôt, mis à sécher quelques pulls et une culotte de laine.

— C'est vraiment incroyable, marmonnait-elle. Oh, mon Dieu ! je n'arriverai jamais à rentrer le linge à temps... Et il était presque sec...

Il lui fallut se battre contre une pince à linge récalcitrante. Puis elle tourna la tête en entendant quelqu'un approcher.

— Bonjour, dit-elle avec un sourire de bienvenue. Mais entrez donc vous mettre à l'abri, vous allez vous tremper.

— Laissez-moi vous aider.

— Oh, si cela ne vous ennuie pas... C'est tellement agaçant de voir du linge presque sec prendre la pluie. En fait, je devrais plutôt décrocher le fil, mais je crois que je suis trop petite.

— Vous avez fait tomber votre écharpe. Voulez-vous que je vous la noue autour du cou ?

— Oh ! merci... Oui, peut-être... Si je pouvais atteindre cette pince à linge...

L'écharpe de laine fut glissée autour de son cou, puis, d'un seul coup, serrée très fort…

Mlle Murgatroyd ouvrit la bouche, mais il n'en sortit qu'un son étouffé.

Et l'écharpe se resserra encore…

*

En rentrant de la gare, Mlle Hinchliffe s'arrêta pour prendre miss Marple qui marchait d'un pas vif sous la pluie.

— Bonjour ! cria-t-elle. Vous allez être trempée. Venez prendre le thé avec nous. J'ai vu Bunch qui attendait le bus. Vous seriez toute seule au presbytère. Joignez-vous à nous. Murgatroyd et moi faisons une sorte de reconstitution du crime. Je crois que nous avons pas mal avancé. Prenez garde à la chienne, elle est plutôt nerveuse.

— Elle est superbe !

— Oui, c'est une belle bête. Ces imbéciles l'avaient gardée à la gare depuis ce matin sans me le dire. Je leur ai passé un savon, à ces fils de p… Oh ! excusez ma verdeur de langage. J'ai été élevée en Irlande, et par des valets d'écurie.

La petite voiture prit le virage sur les chapeaux de roues et entra dans l'étroite cour des Boulders en faisant crisser le gravier.

À leur descente de voiture, les deux dames furent encerclées par une foule de canards et autres volatiles affamés.

— Cette fichue Murgatroyd ne leur a pas donné leur maïs ! tonna Mlle Hinchliffe.

— Est-il difficile de se procurer du maïs ? demanda miss Marple.

Mlle Hinchliffe lui fit un clin d'œil :

— Je suis de mèche avec la plupart des fermiers.

Dispersant les poules, elle escorta miss Marple vers la maison :

— J'espère que vous n'êtes pas trop mouillée ?

— Non, j'ai un très bon imperméable.

— Je vais faire du feu, si Murgatroyd ne s'en est pas déjà chargée. Ohé ! Murgatroyd ! Où est-elle passée ? Murgatroyd ! Et la chienne ? Voilà qu'elle a disparu, elle aussi.

Elles entendirent des aboiements lugubres venant du fond du jardin.

— Cette chienne de malheur !

Mlle Hinchliffe se dirigea vers la porte au pas de charge :

— Princesse ! Viens ma Princesse ! vociféra-t-elle. Dans le genre nom ridicule, on ne fait pas mieux, mais c'est apparemment comme ça que ces abrutis du chenil l'ont baptisée. Il va falloir lui en trouver un autre. Princesse !

Le setter était en train de renifler une forme allongée au pied de la corde à linge, sur laquelle une rangée de vêtements battait au vent.

— Murgatroyd n'a même pas eu l'idée de rentrer le linge ! Mais où est-elle passée ?

La chienne renifla de nouveau ce qui semblait être un tas de linge, puis leva son museau vers le ciel et se mit à hurler à la mort.

— Mais qu'est-ce qu'elle a ?

Mlle Hinchliffe traversa rapidement la pelouse.

Saisie d'une appréhension, miss Marple la suivit aussitôt. Les deux femmes se figèrent, côte à côte, sous la pluie battante, et la plus âgée des deux passa un bras autour des épaules de la plus jeune.

Elle sentit les muscles de Mlle Hinchliffe se raidir tandis qu'elle contemplait la silhouette allongée à ses pieds, avec son visage congestionné et bleui et sa langue protubérante.

— Si j'arrive à lui mettre la main dessus, murmura lentement Mlle Hinchliffe, je tuerai celle qui a fait ça…

— Celle ? demanda miss Marple.

Mlle Hinchliffe tourna vers la vieille demoiselle un visage ravagé :

— Oui. Je sais qui c'est. Enfin presque… En fait, il n'y a que trois possibilités.

Elle resta quelques instants immobile près du cadavre de son amie, puis retourna vers la maison.

— Il faut appeler la police, décréta-t-elle d'une voix sèche et dure. Et en les attendant, je vais vous raconter. C'est par ma faute, dans un sens, que Murgatroyd est là dehors. J'ai voulu traiter ça comme un jeu… Mais un meurtre, ce n'est pas un jeu…

— Non, dit miss Marple. Un meurtre n'est pas un jeu.

— Vous en savez quelque chose, n'est-ce pas ? demanda Mlle Hinchliffe en décrochant le combiné.

Elle rapporta brièvement les faits et raccrocha.

— Ils seront là dans quelques minutes... Oui, il paraît que vous avez déjà été mêlée à ce genre d'affaires... C'est Edmund Swettenham qui me l'a dit, je crois... Voulez-vous savoir ce que nous étions en train de faire, Murgatroyd et moi ?

Elle relata succinctement la conversation qui avait eu lieu avant son départ pour la gare.

— Elle m'a appelée, juste au moment où je partais... C'est comme ça que je sais qu'il s'agit d'une femme et non d'un homme... Si j'avais attendu, si seulement j'avais écouté ! Bon sang, cette chienne pouvait attendre un quart d'heure de plus !

— Ne vous faites pas de reproches, ma chère. C'est inutile. On ne peut jamais prévoir.

— Non, c'est vrai. Quelque chose a heurté la fenêtre, ça me revient. Peut-être qu'elle était là, dehors. Mais oui, bien sûr, elle venait à la maison... et elle nous a entendues, Murgatroyd et moi, en train de crier... de nous époumoner... Elle a tout entendu...

— Vous ne m'avez pas encore raconté ce qu'avait dit votre amie.

— Juste une phrase : « Elle n'était pas là. »

Elle marqua un temps. Puis :

— Vous saisissez ? Il y avait trois femmes que nous n'avions pas encore éliminées. Mme Swettenham, Mme Easterbrook et Julia Simmons. Et l'une de ces trois n'était pas là... Elle n'était pas dans le salon, parce qu'elle s'était glissée dans le vestibule par la seconde porte.

— Oui, je vois, dit miss Marple.

— C'est l'une de ces trois femmes. J'ignore laquelle, mais je le saurai !

— Excusez-moi, mais est-ce qu'elle, je veux dire Mlle Murgatroyd, s'est exprimée exactement de cette façon ?

— Qu'est-ce que vous voulez dire ?

— Comment vous expliquer ? Vous l'avez dit sur ce ton : « Elle – n'était – pas – là », en détachant les mots sans insister sur l'un d'eux en particulier. Voyez-vous, il y a trois intonations possibles pour cette phrase. Vous pourriez dire : « Elle n'était pas là », en insistant sur la personne. Ou bien « Elle n'était pas là », pour confirmer un soupçon déjà évoqué. Ou encore, ce qui serait plus proche de la façon dont vous venez de le dire : « Elle n'était pas là », tout bonnement, en insistant sur le « là ».

— Je ne sais pas, répondit Mlle Hinchliffe en secouant la tête. J'ai oublié… Comment diable pourrais-je me rappeler ? Il me semble qu'elle a dû dire « Elle n'était pas là ». Ça paraît plus naturel, à mon avis. Mais en fait, je ne sais pas. Est-ce que ça fait une différence ?

— Oui, dit miss Marple d'un ton songeur. Je pense que oui. C'est un indice infime, bien sûr, mais c'en est un. Oui, je crois que cela fait une différence énorme…

20

MISS MARPLE DISPARAÎT

Le facteur avait, à son grand dam, reçu récemment
l'ordre d'effectuer l'après-midi une tournée à Chipping
Cleghorn en plus de celle du matin.

Cet après-midi-là, à 16 h 50 précises, il déposa trois
lettres à Little Paddocks.

L'une d'elles, adressée à Phillipa Haymes, portait une
écriture enfantine. Les deux autres étaient destinées à
Mlle Blacklock. Elle les ouvrit, et alla s'asseoir à la table
du salon ; Phillipa l'imita. Grâce à la pluie torrentielle, la
jeune femme avait pu quitter Dayas Hall plus tôt, car une
fois les serres fermées, elle n'avait plus rien eu à faire.

La première lettre de Mlle Blacklock était une facture
pour la réparation du chauffe-eau de la cuisine.

— Ce Dymond est absolument hors de prix, fulmina-
t-elle. Enfin, je suppose que tout le monde pratique ces
tarifs exorbitants.

Elle décacheta la seconde enveloppe, dont l'écriture lui était inconnue :

Chère cousine Letty,

J'espère que cela ne vous dérangera pas si je viens vous voir mardi. J'ai écrit à Patrick il y a deux jours, mais il ne m'a pas répondu, alors je suppose qu'il n'y a pas de problème. Maman vient en Angleterre le mois prochain et espère vous rencontrer.

Mon train arrive à Chipping Cleghorn à 18 h 15. Est-ce que cela vous convient ?

Affectueusement,
Julia Simmons.

À la lecture de cette lettre, Mlle Blacklock fut d'abord stupéfaite. Mais quand elle la relut, son visage s'assombrit. Elle leva les yeux vers Phillipa qui souriait en lisant la lettre de son fils.

— Savez-vous si Julia et Patrick sont rentrés ?

Phillipa interrompit sa lecture :

— Oui, ils sont arrivés juste après moi. Ils sont montés se changer. Ils étaient trempés.

— Pourriez-vous leur demander de descendre, je vous prie ?

— Bien sûr.

— Attendez… J'aimerais que vous lisiez ceci.

Elle tendit la lettre à Phillipa, qui la lut en fronçant les sourcils :

— Je ne comprends pas…

— Moi non plus… mais je crois qu'il est grand temps d'éclaircir cette histoire. Appelez Julia et Patrick.

— Patrick ! Julia ! appela la jeune femme du bas de l'escalier. Mlle Blacklock vous demande.

Le jeune homme dévala les marches et entra dans la pièce.

— Ne partez pas, Phillipa, dit Mlle Blacklock.

— Bonjour, tante Letty, dit gaiement Patrick. Vous vouliez me voir ?

— Oui. Peut-être pourras-tu m'expliquer ceci ?

Patrick eut l'air si consterné en lisant la lettre que c'en était presque comique.

— Je voulais lui télégraphier ! dit-il. Quel abruti je fais !

— Cette lettre, je présume, est de ta sœur Julia ?

— Euh… oui.

— Dans ce cas, pourrais-je savoir qui est cette jeune femme que tu as amenée ici en la faisant passer pour Julia et dont on m'a fait croire qu'elle était ta sœur, et ma cousine ? demanda sévèrement Mlle Blacklock.

— Eh bien, voyez-vous… tante Letty… en fait… Je vais tout vous expliquer. Je sais que je n'aurais pas dû, mais en fait, c'était plus un jeu qu'autre chose. Laissez-moi vous expliquer…

— Je ne demande que cela. Qui est cette jeune femme ?

— Eh bien, je l'ai rencontrée à un cocktail, peu après ma démobilisation. On a discuté, et je lui ai dit que j'allais venir ici, et alors… eh bien, on s'est dit que ce serait une bonne combine si elle pouvait m'accompagner… Voyez-vous, Julia, la vraie, rêvait de monter sur scène, et maman ne voulait pas en entendre parler, ça la rendait hystérique… Malgré ça, Julia a eu l'occasion de se faire enrôler dans une chouette troupe de répertoire, à Perth je crois, et elle s'est dit qu'elle devait tenter sa chance. Mais elle a préféré ne pas inquiéter maman, et lui a raconté qu'elle venait ici avec moi faire des études de pharmacie, comme une petite fille bien sage.

— Tout ça ne me dit pas qui est cette autre jeune femme.

Patrick fut soulagé de voir Julia entrer dans la pièce, toujours calme et distante.

— Le pot aux roses est découvert, dit-il.

Julia haussa les sourcils, puis, sans se départir de son calme, alla s'asseoir près d'eux.

— OK, dit-elle. Ce qui est fait est fait. Vous êtes furieuse, je suppose ? Je le serais à votre place.

Elle dévisageait Mlle Blacklock avec un intérêt dépourvu de toute émotion.

— Qui êtes-vous ?

Julia poussa un soupir :

— Je crois que le moment est venu d'avouer la vérité. Allons-y. Je suis une moitié du tandem Pip et Emma. Pour être plus précise, je m'appelle Emma Jocelyn Stamfordis, mais papa a vite changé de nom. Je crois qu'il s'est par la suite appelé De Courcy.

« Je dois vous dire que mes parents se sont séparés environ trois ans après notre naissance. Chacun est parti de son côté, et ils se sont partagé les enfants. C'est papa qui a hérité de moi. C'était un mauvais père sur toute la ligne, même s'il avait beaucoup de charme. J'ai connu plusieurs périodes d'internat chez les sœurs : quand mon père n'avait plus d'argent, ou dès lors qu'il préparait un coup malhonnête. Il payait le premier trimestre en se faisant passer pour riche, puis disparaissait en me laissant aux sœurs pendant un an ou deux. Entre ces périodes, nous avons connu de bons moments, tous les deux, en évoluant au sein d'une société cosmopolite. Toutefois, la guerre nous a séparés pour de bon. Je n'ai aucune idée de ce qu'il est devenu. Pour ma part, j'ai vécu quelques aventures. J'ai fait partie de la Résistance française pendant un moment. C'était assez exaltant. Au bout du compte, je me suis retrouvée à Londres, et j'ai commencé à réfléchir sur mon avenir. Je savais que le frère de ma mère, avec lequel elle s'était brouillée, était mort en laissant une immense fortune. J'ai consulté son testament, pour savoir si quelque chose me revenait. Je n'héritais de rien, du moins pas directement. Je me suis renseignée sur sa veuve : apparemment, elle était plutôt gâteuse, sous tranquillisants, et en train de mourir à petit feu. Franchement, je me suis dit que ma meilleure chance, c'était vous. Vous alliez hériter d'une somme fabuleuse, et d'après ce que j'avais appris, vous n'aviez pas grand monde pour qui le dépenser. Je vais être franche. Je me suis dit que si j'arrivais à faire votre connaissance, à sympathiser avec vous, et si vous vous attachiez à moi… eh bien, après tout, les choses ont plutôt changé, depuis la mort d'oncle Randall, pas vrai ? Tout l'argent que nous avions autrefois a été emporté dans la tourmente du cataclysme européen. J'ai pensé que vous pourriez prendre en pitié une pauvre orpheline, seule au monde, et peut-être même lui accorder une petite somme.

— Ah, vraiment ? demanda Mlle Blacklock d'un ton sévère.

— Oui. Bien sûr, c'était avant que je vous voie... J'avais imaginé une approche un peu larmoyante... Puis, par un coup de chance inouï, j'ai rencontré Patrick, et il s'est trouvé que c'était votre neveu, ou votre cousin, bref, votre parent. Alors je me suis dit que c'était une aubaine inespérée. Je me suis jetée au cou de Patrick, et il a répondu à mes avances de façon très favorable. La vraie Julia était tout excitée par son histoire de théâtre, et je l'ai vite persuadée qu'il était de son devoir d'artiste de s'installer dans un galetas quelconque à Perth et de s'entraîner à être la nouvelle Sarah Bernhardt.

« N'en veuillez pas trop à Patrick. Il s'est laissé attendrir par l'orpheline que j'étais, seule au monde, et il a tout de suite trouvé que ce serait une idée merveilleuse de m'amener ici en me faisant passer pour sa sœur, et que je puisse ainsi plus commodément mettre mon plan à exécution.

— Et il a également approuvé le tissu de mensonges que vous avez raconté à la police ?

— Soyez humaine, Letty. Ne voyez-vous pas que quand ce hold-up ridicule a eu lieu – ou plutôt, qu'après qu'il a eu lieu –, j'ai commencé à me sentir un peu dans le pétrin ? Voyons les choses en face, j'ai un excellent mobile pour vouloir me débarrasser de vous. Et même à l'heure qu'il est, vous n'avez que ma parole que ce n'est pas moi qui ai essayé de le faire. Vous ne pouvez pas me demander d'aller délibérément me mettre en cause. Même Patrick a eu des doutes à mon sujet, et si lui a pu en avoir, qu'irait penser la police ? Cet inspecteur m'a paru de nature extrêmement sceptique. Non, vraiment, je me suis dit que la seule solution était de me tenir à carreau en jouant mon personnage de Julia, et d'attendre la fin du trimestre pour m'évanouir dans la nature.

« Comment aurais-je pu prévoir que cette idiote de Julia, la vraie, allait se disputer avec son producteur et tout laisser tomber sur un coup de tête ? Elle écrit à Patrick en lui demandant si elle peut venir, et au lieu de lui télégraphier de rester à l'écart, il oublie de se manifester !

Elle lança au jeune homme un regard furibond :

— Quel abruti !

Puis elle soupira :

— Vous ne savez pas ce que j'ai subi à Milchester ! Bien sûr, je n'ai jamais mis les pieds à l'hôpital. Mais il fallait quand même bien que j'aille quelque part. J'ai passé des heures et des heures au cinéma, à voir et revoir les navets les plus abominables.

— Pip et Emma…, murmura Mlle Blacklock. Malgré ce que m'avait dit l'inspecteur, je n'avais jamais vraiment cru à leur existence.

Elle examina Julia avec attention :

— Mais si vous êtes Emma, où est Pip ?

Julia, de ses yeux limpides et innocents, soutint le regard de Mlle Blacklock :

— Je n'en sais rien, dit-elle. Je n'en ai pas la moindre idée.

— Je crois que vous mentez, Julia. Quand avez-vous vu votre frère pour la dernière fois ?

La jeune fille hésita-t-elle avant de répondre, ou n'était-ce qu'une impression ? Elle lança, d'une voix claire et décidée :

— Je ne l'ai pas vu depuis l'époque où nous avions trois ans, quand ma mère l'a emmené. Je ne les ai plus revus ni l'un ni l'autre. J'ignore où ils se trouvent.

— Est-ce tout ce que vous avez à dire ?

— Je pourrais vous dire que je suis désolée, répondit-elle avec un soupir. Mais ce ne serait pas entièrement vrai ; parce que si c'était à refaire, je le referais sans hésitation – enfin, pas si j'étais au courant de cette histoire de meurtre, bien sûr.

— Julia, dit Mlle Blacklock. Je vous appelle ainsi, car j'en ai pris l'habitude. Vous dites que vous avez fait partie de la Résistance française ?

— Oui. Pendant dix-huit mois.

— Alors je suppose que vous avez appris à manier une arme ?

Une fois de plus, les yeux bleus et froids de la jeune fille soutinrent son regard :

— Je sais tirer. Je tire même très bien. Ce n'est pas moi qui vous ai tiré dessus, Letitia Blacklock, même si vous n'avez que ma parole. Mais je peux vous dire une chose : si je vous avais tiré dessus, moi, je ne vous aurais pas ratée.

L'atmosphère tendue fut rompue par le bruit d'une voiture qui se garait devant la porte.

— Qui cela peut-il bien être ? demanda Mlle Blac-klock.

Mitzi apparut, les cheveux ébouriffés et les yeux exorbités.

— C'est encore la police, éructa-t-elle. Ça, c'est la persécution ! Pourquoi ils ne nous laissent pas tranquilles ? Je ne le supporte pas. Je vais écrire au Premier ministre. Je vais écrire à votre Roi.

La main ferme de Craddock l'écarta sans ménagement. Il avait une expression si sévère que tous le regardèrent avec appréhension. Ce n'était pas l'inspecteur Craddock qu'ils connaissaient.

— Mlle Murgatroyd a été assassinée, dit-il gravement. On l'a étranglée, il y a une heure à peine.

Son regard s'arrêta sur Julia :

— Vous, mademoiselle Simmons, où vous trouviez-vous, aujourd'hui ?

— À Milchester, répondit la jeune femme avec méfiance. Je viens de rentrer.

— Et vous ? demanda-t-il en se tournant vers Patrick.

— Moi aussi.

— Vous êtes rentrés ensemble ?

— Oui… oui. Absolument, dit Patrick.

— Non, dit Julia. À quoi bon, Patrick ? C'est le genre de mensonge qui sera immédiatement découvert. Les gens du car nous connaissent bien. J'ai pris le car précédent, inspecteur, celui qui arrive à 16 heures.

— Et qu'avez-vous fait, après ça ?

— Je suis allée me promener.

— Dans la direction des Boulders ?

— Non. J'ai coupé par les champs.

Il la regarda fixement. Julia, pâle, les lèvres crispées, lui rendit son regard.

La sonnerie du téléphone retentit avant que quiconque ait pu parler.

Adressant un regard interrogateur à Craddock, Mlle Blacklock décrocha :

— Allô ! oui ? Qui ça ? Oh, Bunch ! Comment ? Non, elle n'est pas venue. Je ne sais pas… Oui, il est là.

Elle posa le combiné :

— Mme Harmon voudrait vous parler, inspecteur. Miss Marple n'est pas rentrée au presbytère, et Mme Harmon commence à s'inquiéter.

Craddock fit deux pas en avant et empoigna le combiné :

— Craddock à l'appareil.

— Je suis inquiète, inspecteur.

La voix de Bunch tremblait comme celle d'un enfant :

— Tante Jane est sortie, et j'ignore où elle est. Et il paraît que Mlle Murgatroyd a été assassinée, c'est vrai ?

— Oui, c'est vrai, madame Harmon. Miss Marple se trouvait aux Boulders avec Mlle Hinchliffe. Ce sont elles qui ont découvert le corps.

— Oh, alors elle est là-bas ! dit Bunch, soulagée.

— Non, plus maintenant, malheureusement. Elle a quitté les Boulders… voyons… il y a une demi-heure environ. Vous dites qu'elle n'est pas rentrée ?

— Non. Pas encore. C'est seulement à dix minutes d'ici. Où peut-elle bien être ?

— Sans doute aura-t-elle rendu visite à l'un de vos voisins ?

— Je leur ai téléphoné… je les ai tous appelés. Elle n'y est pas. J'ai peur, inspecteur.

« Et moi donc ! » pensa Craddock.

— J'arrive tout de suite, dit-il.

— Oh, oui ! je vous en prie. J'ai trouvé un morceau de papier, sur lequel elle a griffonné quelques mots avant de partir. J'ignore si ça signifie quelque chose… Pour moi, c'est du charabia.

Craddock raccrocha.

— Est-il arrivé quelque chose à miss Marple ? demanda Mlle Blacklock, l'air inquiet. Oh ! j'espère que non.

— Moi aussi, répondit le policier, le visage fermé.

— Elle est assez âgée, et si fragile.

— Je sais.

— La situation se dégrade de plus en plus, dit Mlle Blacklock d'une voix rauque en tripotant d'une main son gros collier de perles. Celui qui a fait tout cela doit être fou, inspecteur, complètement fou…

— Je me le demande.

Le collier de Mlle Blacklock se rompit soudain sous la pression de ses doigts crispés. Les billes blanches et lisses s'éparpillèrent sur le sol.

— Mes perles ! Mes perles ! s'écria-t-elle d'une voix où perçait une angoisse atroce.

Son ton exprimait un tel désespoir que tous la dévisagèrent avec ahurissement. Elle se retourna, la main sur la gorge, et quitta précipitamment la pièce en sanglotant.

— Je ne l'avais encore jamais vue aussi bouleversée, commenta Phillipa en ramassant les perles. Bien sûr, elle porte toujours ce collier. Vous croyez que c'est un cadeau de quelqu'un à qui elle tenait beaucoup ? Randall Goedler, peut-être ?

— C'est possible, articula lentement l'inspecteur.

— Elles ne seraient pas… vraies, par hasard ? demanda Phillipa, à genoux, ramassant toujours les billes blanches et luisantes.

Craddock en prit une et l'examina. Il était sur le point de s'exclamer avec mépris : « Vraies ? Bien sûr que non ! » quand il se ravisa soudain.

Et si ces perles étaient vraies, après tout ?

Elles étaient si grosses, si régulières, si blanches, que l'imitation paraissait évidente, mais Craddock se rappela soudain une affaire dans laquelle un vrai collier de perles avait été acheté, pour quelques shillings, chez un prêteur sur gages.

Letitia Blacklock lui avait affirmé qu'aucun bijou de valeur ne se trouvait dans la maison. Si par hasard ces perles se révélaient véritables, il devait y en avoir pour une fortune. Et si c'était Randall Goedler qui les lui avait offertes, elles pouvaient même avoir une valeur inestimable.

Ces perles paraissaient fausses… elles devaient être fausses… mais si par hasard elles étaient vraies ?

Et pourquoi ne le seraient-elles pas ? Mlle Blacklock elle-même n'avait peut-être pas conscience de leur valeur. À moins qu'elle n'ait choisi de protéger son trésor en faisant comme s'il s'agissait d'un bijou fantaisie, valant tout au plus quelques guinées. Combien pouvaient-elles valoir, si elles étaient vraies ? Une somme fabuleuse… Une somme pour laquelle on pouvait tuer… à condition que quelqu'un fût au courant de leur valeur.

Avec un sursaut, l'inspecteur s'arracha à ses spéculations. Miss Marple avait disparu. Il fallait qu'il se précipite au presbytère.

*

Bunch et son mari l'attendaient, les traits tirés par l'anxiété.

— Elle n'est toujours pas rentrée, dit Bunch.

— Quand elle a quitté les Boulders, demanda Julian, est-ce qu'elle a dit qu'elle revenait ici ?

— Elle ne l'a pas précisé, répondit lentement Craddock en se remémorant la dernière fois qu'il avait vu Jane Marple.

Il se rappela ses lèvres pincées, et la lueur tout à la fois glaciale et résolue qui brillait désormais au fond de ses yeux bleus d'habitude si doux.

Un air résolu, une détermination inébranlable… pour faire quoi ? Pour aller où ?

— La dernière fois que je l'ai vue, elle s'entretenait avec le sergent Fletcher, dit-il. Près de la grille. Et puis elle est partie. J'ai cru qu'elle rentrait directement au presbytère. Je l'aurais volontiers fait reconduire en voiture, mais il y avait trop de choses à régler, et elle s'est éclipsée très discrètement. Peut-être Fletcher en sait-il davantage ? Où est Fletcher ?

Mais le sergent Fletcher, comme l'apprit Craddock en téléphonant, ne se trouvait apparemment plus aux Boulders et n'avait laissé aucun message pour dire où il allait. On pensait qu'il avait dû retourner à Milchester pour une raison quelconque.

L'inspecteur appela le quartier général à Milchester, mais ils n'avaient aucune nouvelle de Fletcher.

Puis, se rappelant ce qu'elle lui avait déclaré au téléphone, Craddock se tourna vers Bunch :

— Où est ce papier ? Vous disiez qu'elle avait écrit quelque chose sur un bout de papier.

Bunch le lui apporta. Il l'étala sur la table et l'examina. Bunch, penchée par-dessus son épaule, épelait les mots à voix haute tandis qu'il les lisait. L'écriture était tremblotante et difficile à déchiffrer :

Lampe ?

Ensuite, venait le mot *Violettes*.

Puis, après un blanc : *Où est le tube d'aspirine ?*

Le mot suivant de cette étrange liste était plus difficile à saisir.

— *La Mort exquise*, lui traduisit Bunch. C'est le gâteau de Mitzi.

— *La clef*, lut Craddock.

— La clef de quoi ? Et ça ? *Une bien triste affliction, courageusement supportée*... Mais qu'est-ce que ça veut dire ?

— *Iode*, lut l'inspecteur. *Perles*. Ah ! les perles.

— Ensuite, *Lotty*, non, *Letty*. Ses « e » ressemblent à des « o ». Ensuite, *Berne*. Et ça ? *Pension de retraite*...

Ils se regardèrent, interloqués.

Craddock récapitula brièvement :

— Lampe. Violettes. Où est le tube d'aspirine ? La Mort exquise. La clef. Une bien triste affliction, courageusement supportée. Iode. Les perles. Letty. Berne. Pension de retraite.

— Est-ce que ça a un sens ? demanda Bunch. Je ne vois pas de rapport entre tous ces mots.

— J'en ai une vague idée, dit lentement Craddock. Mais je ne comprends pas non plus. C'est bizarre qu'elle ait mentionné les perles.

— Eh bien quoi, les perles ? Qu'est-ce que ça veut dire ?

— Mlle Blacklock porte-t-elle toujours ce collier de perles à trois rangs ?

— Oui. Parfois, nous en rions. Elles ont l'air si affreusement fausses, vous ne trouvez pas ? Mais je suppose qu'elle croit que c'est la mode.

— Il y a peut-être une autre raison, dit lentement Craddock.

— Vous ne voulez pas dire que ce sont des vraies ! Oh, c'est impossible !

— Avez-vous souvent eu l'occasion de voir des perles d'une telle grosseur, madame Harmon ?

— Mais on dirait du verre teinté !

Craddock haussa les épaules :

— Enfin, peu importe, pour l'instant. C'est miss Marple qui nous préoccupe. Nous devons la retrouver.

Il fallait la retrouver avant qu'il ne soit trop tard. À moins qu'il ne soit déjà trop tard ! Ces mots griffonnés au crayon prouvaient qu'elle était sur une piste… mais une piste dangereuse, très dangereuse. Et où diable était passé Fletcher ?

Craddock sortit du presbytère et se dirigea à grandes enjambées vers l'endroit où il avait garé sa voiture. Chercher, c'était tout ce qu'il pouvait faire… Chercher.

De sous un massif de lauriers dégoulinants de pluie, une voix s'adressa à lui.

— Monsieur ! le héla le sergent Fletcher, haletant. Monsieur…

21

TROIS FEMMES

À Little Paddocks, on avait fini de dîner. Le repas,
silencieux, s'était déroulé dans une atmosphère
pesante.

Conscient de n'être pas en odeur de sainteté, Patrick
n'avait fait que de vagues tentatives pour entretenir la
conversation – tentatives qui n'avaient d'ailleurs pas
été très bien accueillies. Phillipa Haymes était perdue
dans ses pensées. Même Mlle Blacklock n'avait fait
aucun effort pour afficher sa bonne humeur habituelle. Elle s'était changée pour le dîner, et portait
maintenant son collier de camées. Mais, pour la première fois, la peur se lisait dans ses yeux cernés, et se
trahissait dans ses mains agitées de tics.

Seule Julia avait gardé son air cynique et détaché
pendant toute la soirée. Alors qu'ils se trouvaient
réunis dans le salon avant le dîner, elle avait dit :

— Je suis navrée, Letty. Mais, je ne peux pas boucler mes valises et prendre la poudre d'escampette. La police ne me le pardonnerait pas. Rassurez-vous cependant : je ne vais sans doute pas abuser de votre hospitalité très longtemps. J'imagine que l'inspecteur Craddock ne va pas tarder à arriver avec un mandat et des menottes. En fait, je me demande pourquoi il ne l'a pas déjà fait.

— Il est à la recherche de la vieille miss Marple, dit Mlle Blacklock.

— Vous croyez qu'elle a été assassinée, elle aussi ? demanda Patrick avec une curiosité toute scientifique. Mais pourquoi ? Que pouvait-elle bien savoir ?

— Je l'ignore, énonça, maussade, Mlle Blacklock. Peut-être Mlle Murgatroyd lui avait-elle révélé quelque chose.

— Si elle a été tuée elle aussi, je ne vois logiquement qu'une personne qui ait pu faire le coup, dit Patrick.

— Qui ça ?

— Hinchliffe, bien sûr ! s'exclama triomphalement le jeune homme. C'est aux Boulders qu'on l'a vue vivante pour la dernière fois. Pour moi, elle n'a jamais quitté les Boulders.

— Tu me donnes la migraine, se plaignit Mlle Blacklock d'une voix blanche tout en pressant ses doigts contre son front. Pourquoi Hinch irait-elle tuer miss Marple ? Ça ne tient pas debout.

313

— Ça tiendrait debout si c'est Hinch qui a tué Murgatroyd, déclara Patrick, toujours éminemment convaincu.

— Hinch n'aurait jamais tué Murgatroyd, protesta Phillipa, sortant de son apathie.

— Je parie qu'elle en aurait été capable si Murgatroyd avait fait une gaffe révélant qu'elle, Hinch, était la coupable.

— De toute façon, Hinch se trouvait à la gare au moment du meurtre de Murgatroyd.

— Elle a pu la tuer avant de partir.

— Tuer ! tuer ! tuer ! cria soudain Mlle Blacklock à la stupeur générale. Vous ne pouvez pas parler d'autre chose ? Vous ne comprenez donc pas que j'ai peur ? Oui, j'ai peur. Avant, je n'avais jamais eu peur, je m'étais toujours crue capable de me défendre... Mais que faire contre un meurtrier qui guette, qui observe tout, et attend son heure ! Oh, mon Dieu !

Elle se prit la tête dans les mains. Quelques instants plus tard, elle se redressa et s'excusa avec raideur :

— Je suis désolée. J'ai... perdu le contrôle de moi-même.

— Ce n'est rien, tante Letty, la rassura affectueusement Patrick. Je vous protégerai, moi.

— Toi ? dit simplement Mlle Blacklock – mais la désillusion qui perçait sous ce mot était presque une accusation.

Mitzi avait alors créé une diversion en venant déclarer qu'elle n'avait pas l'intention de préparer le repas :

— Je ne fais plus rien dans cette maison. Je vais dans ma chambre. Je m'enferme à clef. Je reste là jusqu'au lever du jour. J'ai peur... les gens se font tuer... cette Mlle Murgatroyd, avec sa bonne tête d'Anglaise... qui peut avoir eu envie de la tuer, elle ? Seulement un maniaque ! Alors c'est un maniaque qui est dans le parage ! Et un maniaque, il se moque de savoir qui il tue. Mais moi, je ne veux pas être tuée. Il y a des ombres dans la cuisine... et j'entends des bruits... je crois qu'il y a quelqu'un dans la cour, et puis je crois que je vois une ombre près de la porte du cellier, et puis j'entends des bruits de pas. Donc maintenant je vais dans ma chambre et je ferme la porte à clef et même peut-être je pousse le commode contre la porte. Et demain matin, je dis à ce policier cruel que je m'en vais d'ici. Et s'il ne me laisse pas partir, je dis : « Je crie, je crie, et je crie encore jusque vous me laissez partir ! »

Se rappelant de quoi Mitzi était capable en matière de cris, tous furent parcourus d'un frisson d'horreur.

— Alors je vais dans ma chambre, dit Mitzi, répétant sa phrase afin que ses intentions soient bien claires.

D'un geste symbolique, elle ôta son tablier de cretonne.

— Bonsoir, mademoiselle Blacklock. Peut-être demain matin vous n'êtes plus en vie. Alors au cas où, je vous dis au revoir.

Sur quoi elle sortit sans se retourner, et la porte se referma tout doucement, avec son léger grincement habituel.

Julia se leva.

— Je m'occupe du dîner, annonça-t-elle d'un ton neutre. C'est mieux ainsi : ce sera moins gênant pour vous tous que de m'avoir à votre table. Étant donné que Patrick s'est constitué votre protecteur, tante Letty, je pense qu'il sera bien avisé de goûter chaque plat avant vous. Je ne veux pas qu'on m'accuse de vous avoir empoisonnée par-dessus le marché.

Julia leur avait donc préparé, et servi, un repas délicieux.

Phillipa s'était rendue à la cuisine pour lui proposer de l'aider, mais Julia avait répondu d'un ton ferme qu'elle n'avait pas besoin d'aide.

— Julia, je voudrais vous dire quelque chose...

— Ce n'est guère le moment de se faire des confidences puériles, l'avait sèchement rabrouée Julia. Retournez plutôt à la salle à manger.

À présent, le repas terminé, on prenait le café au salon, sur la petite table, près de la cheminée. Personne ne savait trop quoi dire. Ils attendaient, voilà tout.

À 20 h 30, l'inspecteur Craddock téléphona.

— Je serai parmi vous dans environ un quart d'heure, annonça-t-il. J'amène le colonel et Mme Easterbrook, ainsi que Mme Swettenham et son fils.

— Mais vraiment, inspecteur... Je ne suis pas en état de m'occuper d'invités ce soir...

Mlle Blacklock semblait à bout de forces.

— Je sais ce que vous éprouvez, mademoiselle Blacklock. Et je suis désolé, mais c'est impératif.

— Avez-vous… retrouvé miss Marple ?

— Non, répondit l'inspecteur avant de raccrocher.

Julia remporta le plateau de café dans la cuisine où, à sa grande surprise, elle trouva Mitzi en contemplation devant les assiettes et les plats empilés près de l'évier.

Mitzi se lança tout aussitôt dans un véritable maelström verbal :

— Voyez ce que vous avez fait dans ma si belle cuisine ! Cette poêle… uniquement, uniquement pour les omelettes, je m'en sers ! Et vous, pour quoi vous l'avez utilisée ?

— Pour faire frire des oignons.

— Elle est fichue. Fichue ! Il va falloir la laver, maintenant, et jamais, jamais je ne lave ma poêle à omelettes ! Je la frotte soigneusement avec du papier journal, et c'est tout. Et cette casserole que vous avez salie, elle est seulement pour le lait…

— Je ne pouvais pas deviner quelle casserole vous utilisiez pour quoi, se rebiffa Julia. Vous aviez décidé d'aller vous coucher, et Dieu seul sait ce qui vous a pris de vous relever ! Retournez donc dans votre chambre, et laissez-moi faire la vaisselle en paix.

— Non ! Je ne vous laisse pas utiliser ma cuisine !

— Oh, Mitzi ! Vous êtes vraiment impossible !

Et Julia, furieuse, quitta la cuisine, au moment précis où on sonnait à la porte.

— Je ne vais pas ouvrir ! cria Mitzi de la cuisine.

Julia marmonna une grossièreté résolument d'outre-Manche et alla ouvrir la porte d'entrée.

C'était Mlle Hinchliffe.

— Bonsoir ! lança-t-elle de sa voix bourrue. Désolée de débarquer comme ça, mais l'inspecteur vous a téléphoné, je suppose ?

— Il ne nous a pas dit que vous veniez, répondit Julia en la conduisant au salon.

— Il m'a dit que je n'étais pas obligée de venir si je n'en avais pas envie. Seulement il se trouve que j'en avais bougrement envie.

Personne ne présenta ses condoléances à Mlle Hinchliffe ni ne mentionna la mort de Mlle Murgatroyd. Le visage ravagé de cette grande femme vigoureuse parlait de lui-même : toute parole de sympathie aurait été déplacée.

— Allumez toutes les lampes, dit Mlle Blacklock. Et remettez du charbon dans la cheminée. J'ai horriblement froid. Venez vous asseoir près du feu, mademoiselle Hinchliffe. L'inspecteur nous a dit qu'il serait là d'ici un quart d'heure. Il ne devrait plus tarder, maintenant.

— Mitzi est redescendue, dit Julia.

— Vraiment ? Parfois, je me dis que cette fille est folle... complètement folle. Mais peut-être, après tout, que nous sommes tous fous.

— Ça me hérisse toujours le poil quand on me dit que tous les gens qui commettent des crimes sont des cinglés ! explosa brutalement Mlle Hinchliffe.

Horriblement sensés, sains d'esprit à vous en faire froid dans le dos, voilà comment je suis sûre qu'ils sont, les criminels !

Le bruit d'un moteur se fit entendre et Craddock entra bientôt en compagnie du colonel et de Mme Easterbrook, talonnés par Edmund et Mme Swettenham.

Ils avaient tous l'air passablement dépassés par les événements.

— Ah ! voilà un bon feu, dit le colonel Easterbrook d'une voix qui n'était plus qu'un faible écho de sa voix habituelle.

Mme Easterbrook refusa d'ôter son manteau de fourrure et s'assit près de son mari. Son petit visage étroit, toujours assez insipide mais d'ordinaire plutôt agréable, était cette fois figé dans une expression chafouine. Edmund, d'humeur exécrable, semblait en vouloir à la terre entière. Mme Swettenham, qui manifestement prenait sur elle, se livra à une parodie d'elle-même pour engager la conversation :

— C'est affreux, non ? fit-elle, affable. Tout cela, je veux dire. Et ce qu'il y a de sûr, de vous à moi, c'est que moins on en dit, mieux ça vaut. Parce que c'est comme la peste… personne ne sait qui sera le prochain. Chère, chère mademoiselle Blacklock, vous ne croyez pas que vous devriez prendre un doigt de cognac ? Rien qu'un doigt ? Je me tue toujours à le dire : à mon avis, il n'y a rien de tel qu'un doigt de cognac… c'est un tel stimulant ! Je… nous devons vous sembler terriblement sans-gêne, de forcer ainsi votre porte et de nous imposer, mais l'inspecteur Craddock nous a obligés à venir. Et c'est horrible… on ne l'a pas retrouvée, vous savez. Cette pauvre petite vieille du presbytère, veux-je dire. Bunch Harmon est dans tous ses états. Personne ne sait où elle a bien pu aller au lieu de rentrer à la maison. Elle n'est en tout cas pas venue chez nous. Je ne l'ai même pas vue de la journée. Et si elle était passée, je l'aurais su, parce que j'étais au salon – sur l'arrière de la maison, vous savez –, et Edmund était en train d'écrire, dans son bureau, qui se trouve sur le devant… ce qui fait que, d'un côté ou de l'autre, nous l'aurions forcément remarquée. Seigneur Dieu ! j'espère que rien n'est arrivé à cette chère et adorable vieille dame… qui a encore toute sa tête et tout et tout.

— Maman, gémit Edmund qui semblait au martyre, est-ce que tu ne pourrais pas la boucler ?

— Très bien, mon petit. Très bien, je ne dirai plus un mot, se résigna Mme Swettenham en s'asseyant sur le sofa à côté de Julia.

L'inspecteur Craddock se tenait près de la porte. Face à lui, et quasiment en rang d'oignons, se trouvaient les trois femmes : Julia et Mme Swettenham sur le sofa, et Mme Easterbrook sur le bras du fauteuil occupé par son mari. S'il n'avait pas provoqué cette disposition, elle lui convenait néanmoins fort bien.

Mlle Blacklock et Mlle Hinchliffe s'étaient rencognées près de la cheminée. Edmund était debout près d'elles, et Phillipa restait à l'écart, dans l'ombre.

— Vous savez tous que Mlle Murgatroyd a été tuée, dit le policier sans préambule. Nous avons des raisons de penser que son assassin est une femme. Et certains

320

indices complémentaires nous permettent de limiter encore l'éventail des coupables possibles. Je vais demander à certaines dames ici présentes de me dire ce qu'elles faisaient cet après-midi entre 16 heures et 16 h 30. J'ai déjà recueilli le témoignage de... de la jeune personne qui se fait appeler Julia Simmons. Je vais la prier de répéter ses déclarations. À cette occasion, mademoiselle Simmons, je dois vous prévenir que vous n'êtes pas tenue de répondre si vous estimez que vos réponses peuvent vous incriminer, et qu'en revanche tout ce que vous direz sera noté par le constable Edwards et pourra être utilisé devant un tribunal.

— C'est ce que vous êtes obligé de me dire, non ? demanda Julia, plutôt pâle, mais toujours calme. Je répète que cet après-midi, entre 16 heures et 16 h 30, je me suis promenée le long du champ qui mène au ruisseau, près de la ferme des Compton. J'ai rejoint la route en coupant par le pré aux trois peupliers. Je ne me souviens pas d'avoir croisé qui que ce soit. Je ne me suis pas approchée des Boulders.

— Mme Swettenham ?

— Est-ce que vous allez tous nous informer de nos droits ? demanda Edmund.

— Non, répondit l'inspecteur en se tournant vers lui. Seulement Mlle Simmons, pour l'instant. Je n'ai aucune raison de penser qu'un autre témoignage risque d'incriminer quelqu'un, mais bien sûr, vous êtes tous en droit de réclamer la présence d'un avocat.

— Oh ! mais ce serait complètement stupide, et quelle perte de temps ! s'écria Mme Swettenham. Je peux vous dire tout de suite très exactement ce que je faisais. C'est ce que vous voulez, n'est-ce pas ? Je commence ?

— Je vous en prie, madame Swettenham.

— Alors voyons…, dit Mme Swettenham en fermant les yeux l'espace d'un instant. Il va de soi, n'est-ce pas ? que je n'ai absolument rien à voir avec le meurtre de Mlle Murgatroyd. Je suis sûre que tout le monde ici est intimement persuadé. Mais je suis femme d'expérience, et je sais très bien que la police est obligée de poser des tas de questions inutiles et d'en noter soigneusement les réponses… tout ça parce qu'ils en ont besoin pour ce qu'ils appellent leur « rapport ». C'est cela, n'est-ce pas ?

Mme Swettenham adressa cette dernière question au consciencieux constable Edwards, avant d'ajouter gracieusement :

— J'espère que je ne vais pas trop vite pour vous ?

Le constable Edwards, bon sténographe, mais peu au fait des mondanités, rougit jusqu'aux oreilles et répondit :

— Tout va bien, m'dame. Enfin, si vous pouviez parler un peu plus lentement, ce serait mieux.

Mme Swettenham reprit le fil de son discours en y introduisant des pauses appuyées aux endroits où elle jugeait bon de placer une virgule ou un point :

— Bon, bien sûr, c'est difficile à dire avec exactitude parce que je n'ai pas une excellente notion du temps. Et depuis la guerre, une bonne moitié de nos pendules ne fonctionnent plus, et celles qui fonctionnent encore sont souvent en avance, ou retardent, ou s'arrêtent parce que nous oublions de les remonter.

Mme Swettenham s'interrompit pour laisser l'assistance se pénétrer de cette image d'heure incertaine, puis reprit, imperturbable :

— À 16 heures, il me semble que je commençais les diminutions sur le talon de ma chaussette – et, allez savoir pourquoi, je m'y prenais de travers… je tricotais à l'envers au lieu d'à l'endroit ! –, mais si je n'étais pas en train de faire ça, je devais être dehors pour couper les chrysanthèmes fanés. Non, ça, c'était plus tôt, avant la pluie.

— La pluie s'est mise à tomber à 16 h 10 précises, dit l'inspecteur.

— Vraiment ? Voilà qui va m'être d'une aide précieuse. Bien sûr ! J'étais en haut, je plaçais une bassine dans le couloir, à l'endroit où il y a toujours une fuite quand il pleut. Et l'eau entrait si rapidement que j'ai deviné tout de suite que la gouttière était de nouveau bouchée. Alors je suis descendue chercher mon imperméable et mes bottes en caoutchouc. J'ai appelé Edmund, mais il n'a pas répondu, alors je me suis dit qu'il devait en être à un passage crucial de son roman, et que mieux valait ne pas le déranger… j'ai d'ailleurs l'habitude de faire ça toute seule. Avec un manche à balai, vous savez, attaché à ce machin long dont on se sert pour ouvrir les fenêtres.

— Vous voulez dire que vous étiez en train de déboucher votre gouttière, résuma l'inspecteur qui lisait une certaine perplexité sur le visage de son subordonné.

— Oui. Elle était pleine de feuilles mortes. Cela m'a pris pas mal de temps, et j'étais trempée, mais j'ai fini par réussir à la dégager. Ensuite, je suis rentrée, je me suis changée et nettoyée – les feuilles mortes sentent si mauvais –, puis je me suis rendue à la cuisine, où j'ai mis la bouilloire sur le feu. La pendule de la cuisine indiquait 18 h 15.

Le constable Edwards battit des paupières.

— Ce qui signifie, conclut triomphalement Mme Swettenham, qu'il était très exactement 16 h 40... Enfin à peu de chose près.

— Quelqu'un vous a-t-il vue en train de déboucher votre gouttière ?

— Oh ! non, bien sûr que non. Si quelqu'un m'avait vue, je lui aurais vite mis le grappin dessus pour qu'il vienne m'aider. C'est très difficile, de faire ça toute seule.

— Donc, d'après vos déclarations, vous vous trouviez dehors, vêtue d'un imperméable et d'une paire de bottes en caoutchouc quand il a plu cet après-midi, et vous affirmez avoir passé ce laps de temps à débloquer une gouttière, mais personne ne peut confirmer vos dires ?

— Vous pouvez examiner la gouttière, dit Mme Swettenham. Elle est toute propre.

— Avez-vous entendu votre mère vous appeler, monsieur Swettenham ?

— Non, dit Edmund. J'étais profondément endormi.

— Edmund ! fit sa mère sur un ton de douloureux reproche. Je croyais que tu écrivais.

L'inspecteur Craddock se tourna vers Mme Easterbrook :

— Et vous, madame ?

— J'étais dans la bibliothèque avec Archie, dit-elle en ouvrant de grands yeux innocents. Nous écoutions la radio ensemble, n'est-ce pas, Archie ?

Il y eut un instant de silence. Le colonel était très rouge. Il prit la main de sa femme dans la sienne :

— Ce genre de choses te dépasse, mon petit chat. Je... eh bien, inspecteur, je dois dire que vous nous prenez un peu au dépourvu. Voyez-vous, ma femme a été bouleversée par tous ces événements. Elle est très nerveuse, et ne se rend pas compte qu'il est important de... de bien réfléchir avant de faire une déclaration.

— Archie ! s'écria Mme Easterbrook d'un ton réprobateur, tu ne vas tout de même pas dire que tu n'étais pas avec moi ?

— Que veux-tu, je n'y étais pas, ma chérie, et tu le sais très bien. Il faut s'en tenir aux faits. C'est très important, dans ce genre d'enquête. Je parlais grillage à poulets avec Lampson, le fermier de Croft End. Il était environ 15 h 45. Je ne suis rentré à la maison qu'après la fin de l'averse. Juste avant de prendre le thé. À 16 h 45. Laura faisait griller les scones.

— Et vous aussi, vous êtes sortie, madame Easter-brook ?

Son joli minois ressemblait plus que jamais à celui d'une fouine, et elle avait le regard d'un animal traqué :

— N... non, je suis restée à écouter la radio. Je ne suis pas sortie. Pas à ce moment-là. J'étais sortie, un peu plus tôt. Vers... vers 15 h 30. Juste pour prendre l'air. Je ne suis pas allée loin.

Elle semblait s'attendre à d'autres questions, mais l'inspecteur lui déclara sans détour :

— Ce sera tout, madame Easterbrook.

Puis il reprit :

— Ces déclarations seront dactylographiées. Vous pourrez les relire et les signer... si vous les jugez exactes.

— Pourquoi ne demandez-vous pas aux autres où ils se trouvaient ? répliqua Mme Easterbrook, soudain hargneuse. À cette Phillipa Haymes, par exemple ? Et à Edmund Swettenham ? Comment savez-vous s'il était vraiment endormi chez lui ? Personne ne l'a vu.

— Avant sa mort, Mlle Murgatroyd a fait une certaine déclaration, dit l'inspecteur sans s'émouvoir. Le soir du hold-up, quelqu'un était absent de cette pièce, quelqu'un qui aurait dû s'y trouver tout le temps. Mlle Murgatroyd a donné à son amie les noms des gens qu'elle avait vus dans le salon. En procédant par élimination, elle s'est rendu compte qu'il y avait quelqu'un qu'elle n'avait pas vu.

— Personne ne pouvait rien voir, dit Julia.

— Murgatroyd, si ! intervint soudain Mlle Hinchliffe de sa voix grave. Elle était là-bas, derrière la porte, là où se tient l'inspecteur en ce moment. C'est la seule personne qui ait pu voir ce qui se passait.

— Ha ! ha ! Ça, c'est ce que vous croyez ! s'exclama Mitzi.

Ouvrant brusquement la porte, cognant presque Craddock sur le côté, et en proie à un état d'exaltation voisin de la frénésie, elle venait de faire une des entrées fracassantes dont elle avait le secret :

— Ah ! vous ne demandez pas à Mitzi de venir ici avec les autres, hein, policiers guindés ! Je ne suis que Mitzi ! À la cuisine, Mitzi ! Qu'elle reste à la cuisine, c'est sa place ! Mais je vous dis que Mitzi, comme n'importe qui d'autre, et peut-être mieux, oui, mieux, peut voir des choses ! Oui, je vois des choses. Je vois quelque chose, le soir du hold-up. Je vois quelque chose et je n'arrive pas à le croire, et je tiens ma langue jusqu'à maintenant. Je me dis que je ne vais pas dire ce que j'ai vu, pas encore. Je vais attendre.

— Et quand tout se serait calmé, vous auriez réclamé un peu d'argent à une certaine personne, hein ? dit Craddock.

Mitzi fondit sur lui comme une chatte en colère :

— Et pourquoi pas ? Pourquoi me regarder du haut de votre nez ? Pourquoi je ne serais pas payée, si j'ai généreusement gardé le silence ? Surtout si un jour il va y avoir de l'argent, beaucoup, beaucoup d'argent. Oh ! j'ai entendu des choses… je sais ce qui se passe. Je connais ce Pipemma, cette société secrète de laquelle

elle (elle désigna Julia du doigt, dans un geste mélo-dramatique) est un agent. Oui j'aurais attendu et demandé de l'argent… mais maintenant, j'ai peur. Je préfère être en sécurité. Parce que bientôt, peut-être, quelqu'un va me tuer moi. Alors je vais dire ce que je sais.

— D'accord, dit l'inspecteur, plutôt sceptique. Alors, que savez-vous, au juste ?

— Je vous le dis, commença Mitzi d'un ton solennel. Ce soir-là, je ne suis pas dans l'office en train de nettoyer l'argenterie comme j'ai raconté… je suis déjà dans la salle à manger quand j'entends le coup de feu. Je regarde par le trou de la serrure. Dans le vestibule il fait nuit, mais le revolver part une deuxième fois, et la torche, elle tombe… et elle tourne sur elle-même en tombant… et je la vois, elle. Je la vois là, près de lui, le revolver dans la main. Je vois Mlle Blacklock.

— Moi ? dit celle-ci en se redressant, abasourdie. Mais vous êtes folle !

— Mais c'est impossible ! s'écria Edmund. Mitzi n'a pas pu voir Mlle Blacklock.

Craddock intervint, d'une voix corrosive comme l'acide :

— Vraiment, monsieur Swettenham ? Et pourquoi pas ? Parce que ce n'était pas Mlle Blacklock qui se tenait là, le revolver à la main ? C'était *vous*, n'est-ce pas ?

— Je… mais bien sûr que non… pourquoi diable… ?

328

— C'est vous qui avez volé le revolver du colonel Easterbrook. C'est vous qui avez organisé cette histoire avec Rudi Scherz… en la présentant comme une bonne blague. Vous aviez suivi Patrick Simmons dans la pièce du fond, et quand les lampes se sont éteintes, vous vous êtes glissé hors de la pièce par la porte dont vous aviez soigneusement graissé les gonds. Vous avez tiré sur Mlle Blacklock, puis vous avez tué Rudi Scherz. Quelques secondes plus tard, vous étiez de retour dans le salon, en train d'allumer votre briquet.

L'espace d'un instant, Edmund ne sut plus que dire.

— C'est une hypothèse monstrueuse, finit-il par bredouiller. Pourquoi moi ? Quel mobile aurais-je bien pu avoir ?

— Si Mlle Blacklock meurt avant Mme Goedler, deux personnes héritent, souvenez-vous. Ceux que nous connaissons sous les noms de Pip et Emma. Il se trouve que Julia Simmons est Emma…

— Et vous croyez que je suis Pip ?

Edmund se mit à rire :

— C'est délirant ! Complètement délirant ! J'ai à peu près l'âge qu'il faut, d'accord, mais c'est tout. Et je peux vous prouver, pauvre imbécile, que je suis bien Edmund Swettenham. J'ai mon acte de naissance, mes bulletins scolaires, mes diplômes universitaires… tout ce que vous voudrez.

— Ce n'est pas Pip.

La voix provenait d'un coin de la pièce plongé dans l'ombre. Phillipa Haymes s'avança, le visage blême :

— Pip, c'est moi, inspecteur.

— Vous, madame Haymes ?

— Oui. Apparemment, tout le monde a pensé que Pip était un garçon. Julia, bien sûr, savait qu'elle avait une sœur jumelle. J'ignore pourquoi elle ne l'a pas dit, cet après-midi…

— Par solidarité familiale, dit Julia. D'un seul coup, j'ai compris qui vous étiez. Ça ne m'était pas venu à l'esprit jusque-là.

— J'avais eu la même idée que Julia, dit Phillipa d'une voix qui tremblait un peu. Quand j'ai… perdu mon mari et que la guerre a été finie, je me suis demandé ce que j'allais devenir. Ma mère était morte depuis bien longtemps. Je me suis renseignée sur mes liens avec les Goedler. Mme Goedler était mourante et, à sa mort, une certaine Mlle Blacklock devait hériter. J'ai découvert où elle habitait, et je… je suis venue ici. J'ai trouvé du travail chez Mme Lucas. J'espérais que, comme Mlle Blacklock était une vieille dame et qu'elle n'avait pas de parents proches, elle accepterait peut-être de m'aider. Pas pour moi, car je pouvais travailler, mais pour que Harry puisse faire des études. Après tout, c'était l'argent des Goedler, et elle n'avait personne pour qui le dépenser.

« Et ensuite, continua Phillipa, qui parlait de plus en plus vite, comme si, une fois le barrage rompu, elle ne pouvait contenir ce flot de paroles, ensuite, ce hold-up a eu lieu, et j'ai commencé à avoir peur. Parce que j'avais l'impression que la seule personne à avoir un bon mobile pour tuer Mlle Blacklock, c'était moi. Je n'avais pas la moindre idée de l'identité de Julia ; nous ne sommes pas de vraies jumelles, et nous nous ressemblons peu. Non, il me semblait que les soupçons allaient forcément se porter sur moi.

Elle se tut et repoussa en arrière ses cheveux blonds ; Craddock se dit soudain que la vieille photo jaunie qu'il avait trouvée dans le paquet de lettres devait représenter la mère de Phillipa. La ressemblance était frappante. Il sut également pourquoi ce geste d'ouvrir et de refermer les mains lui avait paru familier : Phillipa le faisait en ce moment même.

— Mlle Blacklock a été bonne pour moi, reprit la jeune femme. Très bonne. Je n'ai pas tenté de la tuer. Je n'y ai jamais songé. Mais il n'en reste pas moins que je suis Pip.

Et elle ajouta :

— Vous voyez, ce n'est plus la peine de soupçonner Edmund.

— Vraiment ? demanda Craddock.

Sa voix avait repris tout son mordant :

— Edmund Swettenham est un jeune homme qui aime beaucoup l'argent. Un jeune homme à qui l'idée d'épouser une femme riche n'aurait pas le moins du monde déplu. Seulement la femme sur laquelle il avait jeté son dévolu ne serait riche que si Mlle Blacklock mourait avant Mme Goedler. Et comme, selon toute probabilité, c'était le contraire qui risquait d'arriver, eh bien… il fallait qu'il donne un coup de pouce au destin. N'est-ce pas, monsieur Swettenham ?

— C'est un foutu mensonge ! s'époumona Edmund.

Mais, à ce moment précis, une plainte horrible déchira l'air. Elle émanait de la cuisine : hurlement de terreur, vocifération lugubre et qui semblait ne jamais devoir prendre fin.

— Ça, ce n'est pas Mitzi ! s'exclama Julia.

— Non, dit l'inspecteur Craddock. C'est l'aveu de quelqu'un qui a tué trois personnes…

22

LA VÉRITÉ

Au moment où l'inspecteur s'en prenait à Edmund Swettenham, Mitzi s'était discrètement glissée hors de la pièce et était retournée à la cuisine. Elle faisait couler de l'eau dans l'évier quand Mlle Blacklock entra.

Mitzi lui coula un regard penaud.

— Vous êtes une menteuse, Mitzi, lui dit Mlle Blacklock avec une sorte de joie sauvage. Attendez, ce n'est pas comme ça qu'on fait la vaisselle. Il faut commencer par l'argenterie, et remplir l'évier complètement. On ne peut pas faire la vaisselle dans cinq centimètres d'eau.

Mitzi ouvrit docilement les robinets.

— Vous n'êtes pas fâchée à cause de ce que je dis, mademoiselle Blacklock ? demanda-t-elle.

— Si je devais me fâcher à chaque fois que vous racontez un mensonge, je ne décolérerais pas.

— Je vais dire à l'inspecteur que j'ai tout inventé, si vous voulez ? demanda encore Mitzi.

— Il le sait déjà, répondit Mlle Blacklock, toujours aussi joyeuse.

Mitzi ferma les robinets et sentit soudain deux mains se poser sur sa tête et la plonger d'un geste brutal dans l'évier plein d'eau.

— Mais moi, je sais que, pour une fois, vous aviez dit la vérité, dit Mlle Blacklock dans un transport sadique.

Mitzi se débattit sauvagement, mais Mlle Blacklock avait de la poigne et lui maintenait fermement la tête sous l'eau.

Et soudain, surgie d'on ne savait où mais tout près derrière elle, la voix de Dora Bunner se mit à exhaler des gémissements pitoyables :

— Oh ! Lotty… Lotty, ne fais pas ça, Lotty…

Mlle Blacklock poussa un hurlement. Elle lâcha prise, et Mitzi, délivrée, se redressa, hoquetant et crachant.

Mlle Blacklock se remit à hurler de façon spasmodique. Car il n'y avait personne, dans la cuisine, personne d'autre qu'elle :

— Dora, Dora, pardonne-moi. Il le fallait… il fallait que je le fasse…

Elle se précipita à l'aveugle vers la porte de l'office, mais le massif sergent Fletcher lui barra la route, tandis que miss Marple, rougissante, émergeait triomphalement du placard à balais.

— J'ai toujours eu des dons d'imitatrice, déclarat-elle.

— Je vais vous prier de me suivre, madame, dit le sergent. Je suis témoin de votre tentative de meurtre contre cette jeune femme. Et il y aura d'autres chefs d'inculpation. Je dois vous avertir, Letitia Blacklock, que...

— Charlotte Blacklock, rectifia miss Marple. Voilà sa véritable identité. Sous ce gros collier de perles qui ne la quitte jamais, vous trouverez la cicatrice laissée par son opération.

— Son opération ?

— Elle avait un goitre.

Mlle Blacklock, d'un calme effrayant maintenant, se tourna vers miss Marple :

— Ainsi, vous savez tout ?

— Oui, je le sais depuis un certain temps déjà.

Charlotte Blacklock s'assit près de la table et éclata en sanglots.

— Vous n'auriez pas dû faire ça, dit-elle. Vous n'auriez pas dû imiter la voix de Dora. J'aimais Dora. Je l'aimais vraiment.

L'inspecteur Craddock et les autres s'étaient agglutinés devant la porte.

Le constable Edwards, qui avait également des talents de secouriste, pratiquait la respiration artificielle sur Mitzi. Dès qu'elle fut en mesure de parler, Mitzi se mit à chanter ses propres louanges :

— Je fais ça bien, non ? Je suis rusée ! Et courageuse ! Oh, je suis courageuse ! J'ai failli être tuée, moi aussi ! Mais je suis si courageuse que je prends tous les risques.

Mlle Hinchliffe écarta soudain la petite bande avec violence et bondit vers la silhouette accablée de Charlotte Blacklock. Le sergent Fletcher eut toutes les peines du monde à la retenir.

— Allons…, dit-il. Allons…, mademoiselle Hinchliffe, non…

— Laissez-moi faire, marmonnait Mlle Hinchliffe entre ses dents. Laissez-moi m'occuper d'elle. C'est elle qui a tué Amy Murgatroyd.

Charlotte Blacklock leva les yeux en reniflant :

— Je ne voulais pas la tuer. Je ne voulais tuer personne… j'ai été obligée de le faire… mais c'est pour Dora que je m'en veux… après la mort de Dora, je me suis retrouvée toute seule… dès l'instant de sa mort, j'ai su que je serais désormais éternellement seule… Oh ! Dora… Dora…

Elle se prit de nouveau la tête dans les mains et ses larmes coulèrent de plus belle.

23

UNE SOIRÉE AU PRESBYTÈRE

Miss Marple était installée dans le grand fauteuil. Bunch, assise par terre devant la cheminée, avait passé les bras autour de ses genoux relevés.

Penché en avant, le révérend Julian Harmon ressemblait pour une fois davantage à un écolier qu'à un homme proche de l'âge mûr. Quant à l'inspecteur Craddock, il fumait la pipe, un verre de whisky à la main : de toute évidence, il n'était pas en service. Plus à l'écart, se tenait un petit groupe composé de Julia, Patrick, Edmund et Phillipa.

— Je crois que c'est à vous qu'il revient de tout raconter, miss Marple, proposa Craddock.

— Oh ! non, mon garçon. J'ai juste donné un petit coup de main, par-ci par-là. C'est vous qui étiez chargé de l'affaire, et qui avez mené l'enquête. Et vous savez tant de choses que j'ignore.

337

— Alors racontez tous les deux, intervint Bunch, impatiente. Un peu chacun. Mais laissez tante Jane commencer, car j'aime la façon dont son esprit tordu fonctionne. Quand avez-vous commencé à croire que toute l'histoire était un coup monté par la Blacklock, tante Jane ?

— Eh bien, ma chère Bunch, c'est difficile à dire. Bien sûr, dès le début, il m'était apparu que la personne idéale – ou du moins la personne la mieux placée – pour organiser ce hold-up était Mlle Blacklock elle-même. C'était manifestement la seule à avoir été en contact avec Rudi Scherz, et il est bien plus facile de monter un coup pareil sous son propre toit. Le chauffage central, par exemple. Pas de feu dans les cheminées… parce que ça aurait éclairé la pièce. Or, la seule personne qui pouvait s'arranger pour qu'on n'y allume pas de feu était la maîtresse de maison elle-même.

« Naturellement, au tout début, je n'ai pas pensé à tout cela ; je regrettais seulement que cela ne puisse pas être aussi simple. Oh ! non, je suis tombée dans le panneau, comme tous les autres. J'ai vraiment cru que quelqu'un voulait tuer Letitia Blacklock.

— D'abord, j'aimerais bien savoir ce qui s'est réellement passé, demanda Bunch. Est-ce que ce Suisse l'a reconnue ?

— Oui. Il avait travaillé à…

Elle hésita et se tourna vers Craddock.

— À la clinique du Dr Adolf Koch, à Berne, continua le policier. Koch est un spécialiste des opérations du goitre de renommée mondiale. Charlotte Blacklock est allée là-bas pour subir une intervention chirurgicale. Rudi Scherz y était infirmier. Quand il est venu en Angleterre, à l'hôtel, il a reconnu une patiente qu'il avait vue à la clinique, et sous l'impulsion du moment, lui a adressé la parole. À mon avis, il ne l'aurait pas fait s'il avait pris le temps de réfléchir un peu, car il avait quitté la clinique en disgrâce, mais comme c'était bien après le séjour de Charlotte, elle n'était au courant de rien.

— Il ne lui a donc jamais raconté que son père était propriétaire d'un hôtel à Montreux ?

— Oh ! non, elle a inventé cette histoire pour justifier le fait qu'il lui avait adressé la parole.

— Cela a dû lui faire un grand choc, dit miss Marple, pensive. Elle se sentait relativement en sécurité, et voilà qu'elle tombe, par une malchance extraordinaire, sur une des rares personnes qui l'avaient connue – pas seulement en tant qu'une des demoiselles Blacklock, elle était préparée à cette éventualité – mais en tant que Charlotte Blacklock, une patiente ayant été opérée d'un goitre.

« Mais tu voulais qu'on reprenne toute l'histoire depuis le début. Eh bien, à mon avis, et j'espère que l'inspecteur sera d'accord avec moi, tout a commencé quand Charlotte Blacklock, une jolie fille aimante et enjouée, fut atteinte d'une hypertrophie de la glande thyroïde, autrement dit d'un goitre. Cette difformité a gâché sa vie, car elle était très sensible et s'était toujours beaucoup souciée de son apparence. D'ailleurs, à l'adolescence, les jeunes filles sont souvent très susceptibles. Si elle avait eu une mère, ou un père plus raisonnable, je ne pense pas qu'elle aurait sombré dans un état morbide comme elle a dû le faire. Voyez-vous, elle n'avait personne pour la pousser à réagir, à voir des gens, à mener une vie normale et à oublier un peu son infirmité. De plus, dans une autre famille, on l'aurait sans doute fait opérer bien plus tôt.

« Mais, autant que je sache, le Dr Blacklock était un tyran obstiné, un individu vieux jeu et étroit d'esprit. Ces opérations, il n'y croyait pas. Pour lui, en dehors des traitements à base d'iode ou assimilés, point de salut… et à Charlotte d'accepter ce verdict comme parole d'évangile. Charlotte l'a cru, et je crois que sa sœur, elle aussi, surestimait les qualités de médecin du Dr Blacklock.

« Charlotte vouait à son père une admiration soumise et elle l'idéalisait. Elle était certaine que son père savait tout mieux que quiconque. Mais, à mesure que le goitre grossissait et l'enlaidissait, elle se renfermait chaque jour un peu plus, et refusait de voir du monde. C'était au fond, voyez-vous, une jeune fille d'une infinie douceur et tenaillée par sa soif de tendresse.

— Drôle de description pour une meurtrière, ironisa Edmund.

— Je n'en suis pas si sûre, dit miss Marple. Les individus faibles, dont l'affectivité est hyper-développée, peuvent se montrer perfides. Et lorsqu'ils en veulent à la vie même, le poids de leurs griefs sape le peu de rigueur morale dont ils disposent.

« Letitia Blacklock, bien sûr, était très différente. L'inspecteur Craddock m'a raconté que Belle Goedler la décrivait comme foncièrement bonne. Et je crois que c'était vrai. C'était une femme d'une grande intégrité qui, comme elle le disait elle-même, ne comprenait pas comment les gens pouvaient ne pas savoir faire la part de ce qui était honnête et de ce qui ne l'était pas. Même face à la tentation, Letitia Blacklock n'aurait jamais commis une vilenie.

« Elle adorait sa sœur. Elle lui écrivait de longues lettres, relatant tous les petits événements quotidiens, afin qu'elle reste en contact avec la vie extérieure. Elle s'inquiétait des idées morbides dans lesquelles sa sœur se complaisait.

« Et puis le Dr Blacklock est mort. Sans la moindre hésitation, Letitia a abandonné son emploi chez Randall Goedler pour se consacrer à Charlotte. Elle l'a emmenée en Suisse afin d'y consulter les meilleurs spécialistes en vue d'une opération. Elle s'y prenait un peu tard, mais nous savons que l'opération fut un succès. Le goitre a disparu, et la cicatrice laissée par l'intervention était facile à dissimuler sous un collier de perles à plusieurs rangs.

« La guerre avait entre-temps éclaté. Il était devenu difficile de rentrer en Angleterre, et les deux sœurs sont restées en Suisse, travaillant entre autres pour la Croix-Rouge. C'est bien cela, inspecteur ?

— Oui, miss Marple.

— Elles recevaient parfois des nouvelles d'Angleterre. C'est ainsi, j'imagine, qu'elles ont appris que

Belle Goedler n'en avait plus pour longtemps à vivre. Il était tout naturel, je pense, qu'elles se mettent à échafauder des projets quant à la façon dont elles dépenseraient la fortune dont elles allaient hériter. Il faut bien voir, à mon avis, que cette perspective représentait beaucoup plus pour Charlotte que pour Letitia. Pour la première fois de sa vie, Charlotte avait la sensation d'être une femme normale, que personne ne regardait avec répulsion ou pitié. Elle était enfin libre de profiter de l'existence, et elle avait toute une vie à rattraper au cours des années qui lui restaient à vivre. Elle pourrait voyager, avoir une maison à elle, un grand jardin, s'acheter des vêtements, des bijoux. Aller au théâtre, au concert, satisfaire tous ses caprices. Pour Charlotte, c'était comme un conte de fées.

« Et voilà que Letitia, la robuste Letitia, attrape une grippe qui se transforme en pneumonie, et meurt en l'espace d'une semaine ! Non seulement Charlotte avait perdu sa sœur, mais tout espoir de réaliser ses rêves s'évanouissait. Je crois qu'elle en a presque voulu à Letitia. Pourquoi fallait-il qu'elle meure juste à ce moment-là, alors qu'elles venaient de recevoir une lettre leur annonçant le décès imminent de Belle Goedler ? Un mois de plus, peut-être, et l'argent serait revenu à Letitia… puis à elle, quand Letitia mourrait.

« Je crois que c'est ici qu'intervient la différence entre les deux sœurs. Charlotte n'a pas pensé que l'idée qui lui est alors venue était contraire à la morale. L'argent devait revenir à Letitia… et il lui serait revenu dans un délai de quelques mois… or elle considérait que Letitia et elle-même ne formaient qu'une seule personne.

« Peut-être l'idée n'a-t-elle germé dans sa tête qu'au moment où le médecin, ou n'importe qui d'autre, lui a demandé le prénom de sa sœur. C'est alors qu'elle s'est rendu compte qu'aux yeux de presque tout le monde, elles avaient été les demoiselles Blacklock, deux vieilles Anglaises de bonne famille, vêtues de la même façon et se ressemblant beaucoup. (D'ailleurs, comme je l'ai fait remarquer à Bunch, toutes les vieilles dames se ressemblent.) Pourquoi ne serait-ce pas Charlotte qui était morte, au lieu de Letitia ?

« Elle a sans doute agi plus impulsivement que par préméditation. Letitia fut enterrée sous le nom de Charlotte. Dès lors « Charlotte » était morte, et c'est « Letitia » qui est rentrée en Angleterre. Son énergie naturelle et son autorité, endormies depuis des années, avaient repris le dessus. En tant que Charlotte, elle avait joué les seconds rôles. Elle prenait maintenant à son compte l'attitude et le sentiment d'autorité propres à Letitia. Elles n'étaient finalement pas si différentes dans leur mentalité – bien qu'à mon avis elles l'aient été infiniment sur le plan de la morale.

« Charlotte a dû, bien sûr, prendre une ou deux précautions évidentes. Elle a acheté une maison dans une région d'Angleterre qu'elle ne connaissait pas du tout. Les seules personnes à éviter étaient quelques habitants de sa ville natale, dans le Cumberland, où de toute façon elle avait vécu en recluse, et, bien entendu, Belle Goedler, qui avait si bien connu Letitia que toute usurpation d'identité était hors de question. Elle a résolu les problèmes d'écriture grâce à l'arthrite dont souffraient ses mains. Ce fut en fait assez facile, car très peu de gens avaient vraiment connu Charlotte.

— Mais si elle avait rencontré des gens qui connaissaient Letitia ? demanda Bunch. Il devait y en avoir beaucoup.

— C'était moins grave. On aurait dit : « Tiens, j'ai rencontré Letitia Blacklock, l'autre jour, elle a tellement changé que je l'ai à peine reconnue. » Mais personne ne se serait jamais demandé s'il s'agissait bien de Letitia. En dix ans, les gens changent. Et si elle ne reconnaissait pas les gens, ils mettraient cela sur le compte de sa myopie. D'ailleurs, n'oublie pas qu'elle connaissait tous les détails de la vie de sa sœur à Londres, les gens qu'elle rencontrait, les endroits qu'elle fréquentait. Elle pouvait toujours se référer aux lettres de Letitia, et dissiper le moindre doute en racontant une anecdote, ou en demandant des nouvelles d'un ami commun. Non, la seule chose qu'elle avait à craindre, c'était qu'on la reconnaisse comme étant Charlotte.

« Elle s'est installée à Little Paddocks, a lié connaissance avec ses voisins. Quand elle a reçu une lettre sollicitant l'aide de la chère Letitia, elle a accepté avec joie de loger deux jeunes cousins qu'elle n'avait jamais rencontrés. Le fait qu'ils la prennent pour leur tante Letty ne faisait que renforcer sa sécurité.

« Tout allait pour le mieux. Et c'est alors qu'elle a commis l'erreur fatale : une erreur due uniquement à sa gentillesse naturelle et à son caractère affectueux. Elle a reçu une lettre d'une ancienne camarade de classe en difficulté et s'est empressée de voler à son secours. Peut-être, en partie, parce qu'elle se sentait malgré tout bien seule. Son secret l'isolait. De plus, elle était sincèrement attachée à Dora Bunner, qui lui rappelait l'insouciance de ses années d'écolière. Quoi qu'il en soit, sous l'impulsion du moment, elle a répondu en son propre nom à la lettre de Dora. Et Dora a dû être bien surprise ! Elle avait écrit à *Letitia*, et c'était *Charlotte* qui lui répondait. Il n'était pas question de jouer la comédie à Dora. Dora était une des rares amies d'enfance qui avait été autorisée à rendre visite à Charlotte pendant ses années de solitude et de dépression.

« Et sachant pertinemment que Dora verrait les choses du même œil qu'elle, elle lui a raconté ce qu'elle avait fait. Dora l'approuvait de tout cœur. Dans son esprit un peu confus, il était juste que cette chère Lotty ne perde pas son héritage à cause du décès prématuré de Letty. Lotty méritait une compensation pour toutes les années de souffrance qu'elle avait si courageusement supportées. Il eût été injuste que tout cet argent aille à quelqu'un dont personne n'avait jamais entendu parler.

« Elle comprenait très bien que rien ne devait être divulgué. C'était comme une livre de beurre supplémentaire. Il ne fallait pas en parler, mais il n'y avait rien de mal à la posséder. Dora s'est donc installée à Little Paddocks… et là, très vite, Charlotte s'est rendu compte qu'elle avait commis la plus grosse des bourdes. Pas seulement parce que Dora, avec sa manie de tout confondre, ses gaffes et ses étourderies, était exaspérante : Charlotte aurait pu s'en accommoder, car elle avait une affection réelle pour son amie – et son médecin ne lui avait-il pas d'ailleurs dit que, de toute façon, Dora n'en avait plus pour très longtemps à vivre ? Mais essentiellement parce que Dora s'est vite révélée dangereuse. Bien que Charlotte et Letitia se soient toujours appelées par leurs prénoms, Dora aimait employer des diminutifs. Pour elle, les sœurs Blacklock avaient toujours été Lotty et Letty. Et bien qu'elle se forçât à toujours appeler son amie Letty, il lui arrivait souvent d'employer machinalement l'autre surnom. Elle avait également un peu trop tendance à évoquer de vieux souvenirs, et Charlotte devait sans cesse se tenir sur ses gardes, au cas où son amie ferait une allusion compromettante. Cela commençait à lui taper sur les nerfs.

« Pourtant, personne ne prêtait grande attention aux divagations de Dora. La vraie menace est apparue, comme je le disais, quand Rudi Scherz l'a reconnue et lui a parlé, à l'hôtel Royal Spa.

« À mon avis, l'argent avec lequel Rudi Scherz avait remboursé ses emprunts antérieurs à la caisse de l'hôtel devait provenir de Charlotte Blacklock. L'inspecteur Craddock ne croit pas – et moi non plus, d'ailleurs – que Rudi Scherz ait jamais eu l'intention de la faire chanter.

— Il n'avait pas la moindre idée de la raison pour laquelle il aurait pu la faire chanter, reprit le policier.

Il était conscient de son propre charme, et l'expérience lui avait appris que les jeunes gens séduisants arrivent parfois à soutirer de l'argent aux vieilles dames… pour peu qu'ils leur racontent leurs infortunes de façon suffisamment convaincante.

« Mais elle a peut-être vu les choses sous un autre angle, et cru à une forme insidieuse de chantage. Elle a pu penser qu'il soupçonnait quelque chose et que, plus tard, si la mort de Belle Goedler faisait la une des journaux, ce qui ne manquerait pas d'arriver, il se rendrait compte qu'il avait découvert la poule aux œufs d'or.

« Et elle était obligée de continuer à jouer son rôle, elle ne pouvait plus reculer. Elle s'était présentée comme Letitia Blacklock auprès de sa banque, auprès de Mme Goedler. La seule ombre au tableau était ce réceptionniste suisse passablement douteux, personnage peu fiable, probablement même maître chanteur. Si seulement il disparaissait, elle serait tranquille.

« Peut-être n'a-t-elle tout d'abord échafaudé son plan que comme une sorte de rêve. Sa vie avait manqué d'émotions et de sensations fortes. Elle a pris plaisir à mettre au point tous les détails. Comment pourrait-elle se débarrasser de ce garçon ?

« Elle a élaboré son plan et s'est finalement décidée à le mettre à exécution. Elle a raconté à Rudi Scherz son histoire de soirée et de faux hold-up, et lui a expliqué qu'elle souhaitait qu'un inconnu joue le rôle du gangster tout en lui proposant une somme rondelette pour sa collaboration.

« Le fait que Rudi Scherz ait accepté, sans rien soupçonner, confirme mon impression qu'il n'avait nullement conscience d'avoir la moindre emprise sur elle. Pour lui, elle n'était qu'une vieille dame un peu folle, qui ne savait pas quoi faire de son argent.

« Elle lui a donc donné la petite annonce à faire passer, s'est arrangée pour qu'il vienne à Little Paddocks afin de repérer les lieux, lui a désigné l'endroit où elle devait le retrouver pour le faire entrer dans la maison le soir en question. Dora Bunner ignorait évidemment tout de cette histoire. Puis le jour est arrivé…

Il s'interrompit. Miss Marple reprit d'une voix douce :

— Elle a dû passer une bien mauvaise journée. Voyez-vous, il était encore temps de faire marche arrière… Dora Bunner nous a déclaré que, ce jour-là, Letty avait peur. Cela n'a rien d'étonnant. Elle avait peur de ce qu'elle allait faire, peur que son plan ne se déroule pas comme prévu… mais pas assez peur pour revenir sur sa décision.

« Elle avait sans doute trouvé amusant de dérober le revolver qui se trouvait dans le tiroir du colonel. Sous prétexte d'apporter des œufs ou de la confiture, elle s'était glissée au premier étage de la maison déserte. Amusant de graisser la serrure et les gonds de la seconde porte du salon afin qu'elle puisse s'ouvrir et se fermer sans bruit. Amusant aussi de suggérer que l'on ôte la table de devant la porte pour que les bouquets de Phillipa soient mis en valeur. Tout cela avait eu l'air d'un jeu. Mais ce qui allait arriver maintenant n'avait plus rien d'un jeu. Oh ! oui, elle avait peur... Dora Bunner ne s'était pas trompée sur ce point.

— Pourtant, elle a quand même mené à bien son projet, ajouta Craddock.

— Et tout s'est déroulé comme prévu. Peu après 18 heures, elle est sortie « enfermer les canards », a fait entrer Rudi Scherz et lui a donné le masque, la cape, les gants et la torche. Puis, à 18 h 30, quand la pendule commence à sonner, elle se tient près de la table, à côté de l'arcade, une main posée sur le coffret à cigarettes. Cela paraît très naturel. Patrick, jouant les hôtes, va chercher les bouteilles. Elle-même, en maîtresse de maison, s'apprête à offrir des cigarettes. Elle a prévu, avec raison, que lorsque l'heure commencerait à sonner, tous les convives tourneraient leur regard vers la pendule. C'est ce qu'ils ont tous fait, sauf Dora, l'amie dévouée, qui a gardé les yeux rivés sur Mlle Blacklock. Et elle nous a raconté, lors de sa toute première déclaration, ce que celle-ci avait fait exactement. Elle a dit que son amie avait saisi le vase contenant un bouquet de violettes.

« Charlotte Blacklock avait pris la précaution de dénuder le fil de la lampe. Cela n'a pris qu'une seconde. Le coffret à cigarettes, le vase et l'interrupteur étaient proches les uns des autres. Elle a saisi le vase, renversé quelques gouttes d'eau sur le fil dénudé et allumé la lampe. L'eau étant un excellent conducteur, les plombs ont sauté.

— Comme l'autre jour au presbytère, dit Bunch. C'est cela qui vous a fait une telle impression, n'est-ce pas, tante Jane ?

— Oui, ma chérie. Cette histoire de lampes m'intriguait. Je m'étais avisée qu'il y en avait deux, formant une paire, et qu'on les avait interverties, probablement pendant la nuit.

— C'est juste, confirma Craddock. Lorsque Fletcher a examiné la lampe, le lendemain matin, elle était comme les autres, tout à fait normale, sans le moindre fil dénudé ou fondu.

— J'avais compris ce que Dora Bunner voulait dire en parlant de la « bergère » qui était là, la veille au soir, continua miss Marple. Mais comme elle, j'ai cru à tort que Patrick en était responsable. Ce qu'il y a d'intéressant avec Mlle Bunner, c'est qu'elle était parfaitement incapable de répéter les choses telles qu'elle les avait entendues – son imagination amplifiait ou déformait tout – et qu'elle avait en général tort dans ses conjectures… mais ce qu'elle avait vu, elle le racontait fidèlement. Elle a vu Letitia prendre le vase de violettes…

— De même qu'elle a vu ce qu'elle a décrit comme un éclair et un grésillement, ajouta Craddock.

— Et, bien sûr, quand ma chère Bunch a renversé l'eau des roses sur le fil dénudé de la lampe, je me suis aussitôt rendu compte que seule Mlle Blacklock avait pu faire sauter les plombs, car elle seule se trouvait près de la table.

— Je me suis vraiment conduit comme un imbécile, déclara l'inspecteur. Quand je pense que Dora Bunner s'est même plainte d'une marque de brûlure laissée sur la table par quelqu'un qui « avait laissé tomber une cigarette allumée », alors que personne n'avait allumé de cigarette... Et que les violettes étaient fanées parce qu'il n'y avait plus d'eau dans le vase : une erreur de la part de Letitia, qui aurait dû en remettre. Mais j'imagine qu'elle s'est dit que personne ne s'en apercevrait. Et en fait, Mlle Bunner était toute prête à se persuader qu'elle avait elle-même oublié de mettre de l'eau dans le vase de violettes.

« Elle était très influençable, poursuivit-il. Et Mlle Blacklock en a profité plus d'une fois. Je crois que les soupçons de Bunny envers Patrick lui avaient été suggérés par Mlle Blacklock.

— Pourquoi s'en prendre à moi ? demanda Patrick, offusqué.

— Ce n'était sans doute pas une suggestion bien sérieuse, mais au moins cela empêchait Bunny de penser que c'était son amie qui avait tout mis en scène. Bon, vous connaissez la suite. Dès que les lampes se sont éteintes et que tout le monde s'est mis à crier, elle sort discrètement par la porte préalablement graissée et se glisse derrière Rudi Scherz, occupé à balayer la pièce de sa torche et à jouer son rôle avec brio. Je ne crois pas qu'il se soit rendu compte un seul instant qu'elle était là, derrière lui, avec ses gants de jardinage et son revolver à la main. Elle attend que la torche éclaire l'endroit qu'elle va prendre pour cible, le mur près duquel elle est censée se trouver, puis tire deux coups de feu rapides. Et tandis qu'il se retourne, surpris, elle pointe l'arme sur lui et une nouvelle fois. Puis elle la laisse tomber près du corps, jette négligemment les gants sur la table du vestibule et franchit de nouveau la porte pour reprendre la place qu'elle occupait au moment où les lampes se sont éteintes. Elle s'égratigne l'oreille, je ne sais comment…

— Avec des ciseaux à ongles, proposa miss Marple. Il suffit d'un petit coup sur le lobe de l'oreille pour saigner abondamment. C'était très fin, psychologiquement parlant. En voyant le sang couler sur son corsage blanc, on ne pouvait douter qu'elle était réellement visée, et qu'elle l'avait échappé belle.

— Tout aurait dû se passer sans problème, commenta Craddock. L'insistance de Dora Bunner sur le fait que Scherz avait visé Mlle Blacklock était providentielle. Sans le vouloir, Mlle Bunner laissait entendre qu'elle avait vu son amie se faire blesser. Il y aurait eu un verdict de suicide, ou de mort accidentelle. Et le dossier aurait été classé. C'est grâce à miss Marple qu'il ne l'a pas été.

— Oh ! non, se défendit l'intéressée en secouant la tête. Mes quelques petits efforts n'ont eu que peu d'importance. C'est vous, monsieur Craddock, qui n'étiez pas satisfait. C'est vous qui avez refusé de classer le dossier.

— Je n'étais pas satisfait, en effet, confirma l'inspecteur. Je savais que quelque chose clochait. Mais, avant que vous n'éclairiez ma lanterne, j'ignorais quoi. Ensuite, Mlle Blacklock a vraiment joué de malchance. J'ai découvert qu'on avait trafiqué la seconde porte. Jusque-là, nos hypothèses étaient plausibles, mais purement théoriques. Mais la porte aux gonds graissés apportait une preuve. Et c'est par pur hasard que je l'ai découverte, en actionnant une poignée par erreur.

— Je crois que « quelque chose » a dû vous guider, inspecteur, susurra miss Marple. Mais il est vrai que je suis vieux jeu.

— La chasse avait donc repris, continua Craddock. Mais cette fois, c'était différent. Nous cherchions maintenant quelqu'un qui ait un mobile pour tuer Letitia Blacklock.

— Quelqu'un avait bien un mobile, et Mlle Blacklock le savait, expliqua miss Marple. Je crois qu'elle a reconnu Phillipa presque tout de suite. Car apparemment, Sonia Goedler avait été une des rares personnes admises dans l'entourage de Charlotte. Et quand on est vieux – vous ne pouvez le savoir encore, monsieur Craddock –, on se souvient bien mieux des visages vus dans sa jeunesse que de ceux qu'on a rencontrés un ou deux ans plus tôt. Phillipa avait à peu près le même âge que celui qu'avait sa mère quand Charlotte la fréquentait, et elle lui ressemblait beaucoup. Bizarrement, je crois que Charlotte a été très heureuse de reconnaître Phillipa. Elle s'est attachée à elle et, inconsciemment, cela lui a permis d'apaiser d'éventuels scrupules de conscience.

« Elle s'est dit qu'une fois l'héritage en sa possession, elle s'occuperait de Phillipa et la traiterait comme sa fille. Phillipa et Harry s'installeraient avec elle. Cette perspective lui plaisait : elle se sentait pleine de géné-rosité. Et quand l'inspecteur a commencé à poser des questions sur « Pip et Emma », Charlotte s'est trouvée en porte-à-faux. Elle ne voulait pas faire de Phillipa un bouc émissaire. Son idée avait été de faire passer cette histoire pour un hold-up s'étant terminé par la mort accidentelle du jeune criminel. Seulement la décou-verte de la porte aux gonds graissés venait tout changer. Et, hormis Phillipa, personne n'avait – à sa connaissance, car elle ignorait tout de l'identité de Julia – le moindre motif de souhaiter sa mort. Elle a donc fait de son mieux pour éviter qu'on ne découvre qui était Phillipa. Elle a eu la présence d'esprit de vous répondre, quand vous l'avez questionnée, que Sonia était petite et brune ; de plus, elle a pris soin d'ôter toutes les vieilles photos de l'album, afin que vous ne remarquiez pas la ressemblance, de même qu'elle a enlevé les clichés où figurait Letitia Blacklock.

— Quand je pense que j'ai soupçonné Mme Swet-tenham d'être Sonia Goedler ! se maudit Craddock.

— Pauvre maman, murmura Edmund. Une femme tellement irréprochable… du moins l'ai-je toujours cru.

— Mais bien sûr, reprit miss Marple, c'est Dora Bunner qui représentait un réel danger. Elle devenait chaque jour plus distraite et plus bavarde. Je me sou-viens du regard que Mlle Blacklock lui a lancé le jour où nous sommes allées prendre le thé chez elle. Vous savez pourquoi ? Dora venait une fois de plus de l'appeler Lotty. Nous avons tous cru à un simple lapsus, mais Charlotte a eu peur. Et cela continuait, la pauvre Dora ne pouvait s'empêcher de parler. Le jour où nous avons pris une tasse de café à L'Oiseau Bleu, j'ai eu la curieuse impression que Dora me parlait non pas d'une seule personne mais de deux. Ce qui, bien entendu, était le cas. À un moment donné, elle m'a dit de son amie que, si elle n'était pas très jolie, elle avait du caractère ; mais immédiatement après, elle la décrivait comme une jolie jeune fille, pleine de gaieté. Elle parlait de Letty, si intelligente, à qui tout réussissait, puis affirmait qu'elle avait eu une vie bien triste. C'est là qu'elle a mentionné cette citation sur : « une bien triste affliction, courageusement supportée », ce qui semblait pouvoir s'appliquer à n'importe qui plutôt qu'à Letitia. À mon avis, Charlotte a dû surprendre une bonne partie de cette conversation en entrant dans le salon de thé. Elle a certainement entendu Dora dire que la lampe avait été changée, et que le berger avait pris la place de la bergère. Et c'est alors qu'elle a vu à quel point la pauvre Dora Bunner si dévouée représentait un danger pour elle.

« Je crains que cette conversation avec moi dans le salon de thé n'ait bel et bien scellé le destin de Dora, si vous me permettez cette expression mélodramatique. Mais je crois que les choses se seraient terminées ainsi de toute façon... car Charlotte n'aurait pas pu dormir sur ses deux oreilles tant que Dora aurait vécu. Elle aimait Dora et ne voulait pas la tuer, mais elle ne voyait pas d'autre solution. Et je suppose que, tout comme l'infirmière Ellerton dont je t'ai parlé, Bunch, elle s'est persuadée que c'était presque un service qu'elle lui rendait. La pauvre Bunny n'avait plus très longtemps à vivre, et aurait peut-être connu une fin douloureuse. Le plus étrange, c'est qu'elle a fait de son mieux pour que la dernière journée de Bunny soit une journée agréable. La fête d'anniversaire, et le plus merveilleux des gâteaux…

— La Mort exquise, glissa Phillipa avec un frisson.

— Oui, cela y ressemblait. Elle a voulu donner à son amie une mort exquise… une petite fête, tous ses mets favoris… et elle a essayé d'empêcher les gens de dire des choses qui pouvaient peiner Dora. Puis elle a mis les cachets dans un tube d'aspirine près de son propre lit pour que Bunny, ne trouvant pas le nouveau tube qu'elle venait d'acheter, aille se servir. Ainsi, on croirait, et on a cru, que ces cachets étaient destinés à Letitia…

« Et Bunny est morte dans son sommeil, heureuse, et Charlotte s'est sentie de nouveau en sécurité. Mais Dora Bunner lui manquait. Son affection, sa loyauté, l'évocation des souvenirs… Elle a pleuré toutes les larmes de son corps le jour où je suis passée lui donner ce mot de Julian. Et son chagrin était sincère. Elle avait tué sa propre amie, qui lui était si chère.

— C'est horrible, dit Bunch, vraiment horrible.

— Mais c'est très humain, intervint Julian Harmon. On oublie à quel point les meurtriers sont humains.

— Hé ! oui, acquiesça miss Marple. Humains. Et très souvent pitoyables. Mais très dangereux, aussi. Surtout quand ce sont des faibles, des hyper-sensibles comme Charlotte Blacklock. Car, quand une personne fragile se met à paniquer, elle devient folle de terreur et perd tout contrôle d'elle-même.

— Et Murgatroyd ? interrogea Julian.

— Oui. La pauvre Mlle Murgatroyd. Charlotte a dû entendre les deux amies reconstituer le crime alors qu'elle arrivait au cottage. La fenêtre était ouverte ; elle les a écoutées. Jusqu'à ce moment-là, il ne lui était pas venu à l'idée qu'une autre personne puisse représenter un danger pour elle. Mlle Hinchliffe poussait son amie à se rappeler ce qu'elle avait vu, or, Charlotte n'avait pas songé que quelqu'un avait pu voir quoi que ce soit. Elle s'était dit que tout le monde aurait les yeux sur Rudi Scherz. Elle a dû rester près de la fenêtre, à écouter en retenant son souffle. Allaient-elles découvrir la vérité ? Puis, juste au moment où Mlle Hinchliffe partait en trombe pour la gare, Mlle Murgatroyd a montré qu'elle avait compris la vérité.

« Elle a crié à son amie : "Elle n'était pas là…"

« Voyez-vous, j'ai demandé à Mlle Hinchliffe sur quel ton son amie avait prononcé cette phrase… Car si elle avait insisté sur le "elle", si elle avait dit "*Elle* n'était pas là", le sens de ses paroles aurait été différent.

— Voilà qui est trop subtil pour moi, avoua Craddock.

Miss Marple tourna vers lui son visage rosi par l'animation :

— Imaginez ce qui a pu se passer dans l'esprit de Mlle Murgatroyd… Vous savez, il arrive que l'on voie des choses sans être conscient de les voir. Un jour, lors d'un accident de chemin de fer, je me rappelle avoir remarqué une grande tache de peinture sur l'un des wagons. J'aurais même pu en dessiner la forme de mémoire. Une autre fois, une bombe volante est tombée sur Londres – il y avait des débris de verre partout, et je vous passe l'horreur ! – eh bien, mon souvenir le plus précis est celui d'une femme, devant moi, qui avait apparemment un grand trou à mi-hauteur de l'une de ses jambes, ce qui fait que ma première impression a été que ses bas étaient dépareillés. Alors quand Mlle Murgatroyd a cessé de réfléchir pour simplement tenter de se remémorer ce qu'elle avait vu, bon nombre de détails lui sont revenus.

« Elle a dû commencer par la cheminée, que la torche a sans doute éclairée en premier, avant de longer les deux fenêtres. Des gens se trouvaient entre la fenêtre et elle. Mme Harmon, par exemple, les poings serrés sur ses yeux. Puis elle a refait le parcours de la torche, revoyant Mlle Bunner, la bouche ouverte et les yeux fixes… un mur nu, une table avec une lampe et un coffret à cigarettes. Et puis il y avait eu les coups de feu… et c'est alors qu'elle s'est soudain rappelé un détail tout à fait incroyable. Elle avait vu le mur où, plus tard, on avait trouvé les deux impacts de balles, le mur devant lequel Mlle Blacklock se trouvait quand on avait tiré sur elle ; or, au moment où les coups de feu étaient partis et où Letty avait été blessée, Letty n'était pas là…

« Vous voyez ce que je veux dire, à présent ? Elle s'était tout d'abord concentrée sur les trois femmes dont lui avait parlé Mlle Hinchliffe. Si l'une d'elles n'avait pas été là, elle se serait focalisée sur sa personnalité. Elle aurait dit, en fait : "C'est celle-là et pas une autre ! Elle, elle n'était pas là !" Seulement c'est un lieu qu'elle avait en tête, un lieu où quelqu'un aurait dû se trouver, et ne se trouvait pas, un espace vide. Le lieu était là… mais la personne, elle, n'y était pas. Sur le moment, elle n'a pas compris. "Mais c'est incroyable, Hinch ! a-t-elle balbutié. Elle n'était pas là !" Il ne pouvait s'agir que de Mlle Blacklock…

— Mais, tout ça, vous le saviez déjà avant, non ? demanda Bunch. Quand la lampe a fait sauter les plombs. Quand vous avez couché ces notes sur un bout de papier.

— Oui, chérie. Tout est devenu clair à ce moment-là. Toutes les pièces du puzzle se sont mises en place.

— La lampe, cita Bunch. Oui. Les violettes ? Oui. Le tube d'aspirine ? Oui. Vous vouliez dire que Bunny était allée en acheter un ce jour-là, et qu'elle n'aurait donc normalement pas dû avoir besoin de prendre celui de Letitia ?

— Sauf si on avait dérobé ou caché le sien. Il fallait que Letitia Blacklock ait l'air d'avoir été visée.

— Oui, je vois. Ensuite, la Mort exquise.

— Le gâteau, et bien plus que le gâteau, l'organisation de la fête. Une journée heureuse pour Bunny avant sa mort. Elle l'a traitée comme un chien qu'on va abattre. Pour moi, c'est ce qu'il y avait de pire dans cette histoire, cette espèce de gentillesse feinte.

« Mais, à tout prendre, c'était sans nul doute une femme vraiment gentille. Quand elle a déclaré, dans la cuisine, qu'elle ne voulait tuer personne, c'était vrai. Tout ce qu'elle avait voulu, en fait, c'était une grosse somme d'argent qui ne lui appartenait pas ! Et face à ce désir – devenu une sorte d'obsession, car cet argent était censé racheter toutes les souffrances que la vie lui avait infligées –, plus rien n'avait d'importance. Les gens qui en veulent à la terre entière sont toujours dangereux. Ils semblent croire que la vie a une dette envers eux. J'ai connu bon nombre de grands malades qui avaient souffert bien plus et s'étaient trouvés bien davantage coupés du monde que ne l'a jamais été Charlotte Blacklock. Et ils ont réussi à mener une vie heureuse et épanouie. C'est ce que nous avons en nous qui fait de nous des êtres heureux ou malheureux. Mais, mon Dieu ! je digresse, je le crains fort, et m'écarte du sujet qui nous préoccupe. Où en étions-nous ?

— Nous étions en train de repasser en revue votre fameuse liste, rappela Bunch. Que vouliez-vous dire par : La clef ? La clef de quoi ?

Miss Marple adressa à l'inspecteur un signe de tête malicieux :

— Vous auriez dû remarquer ça, inspecteur Craddock. C'est vous qui m'avez montré cette lettre, écrite par Letitia Blacklock à sa sœur. Elle contenait deux fois le mot « clef », avec un « f ». Mais dans le petit mot que j'ai prié Bunch de vous montrer, Mlle Blacklock avait écrit le mot « clé ». Il est rare que les gens modifient leur orthographe en vieillissant. Cela m'a semblé très significatif.

— Oui, admit Craddock. J'aurais dû remarquer ce détail.

— « Une bien triste affliction, courageusement supportée », continua Bunch. C'est ce que Bunny vous a dit au salon de thé, et, bien sûr, Letitia n'avait supporté aucune affliction particulière. L'iode. C'est ce qui vous a mise sur la piste du goitre ?

— Oui, chérie. La Suisse, vois-tu, s'accordait assez bien avec la version de Mlle Blacklock qui laissait entendre que sa sœur y était morte de tuberculose. Mais je me suis subitement souvenue que les plus éminents spécialistes des problèmes de goitre, les chirurgiens les plus experts, étaient suisses. Et une telle opération concordait avec cet énorme collier de perles à trois rangs que Letitia Blacklock portait toujours. Si ce n'était pas vraiment son style, cela avait au moins le mérite de dissimuler parfaitement sa cicatrice.

— Maintenant, je comprends sa panique lorsque son collier s'est rompu, l'autre soir, dit Craddock. Sur le moment, sa réaction m'avait paru tout à fait excessive.

— Ensuite, tante Jane, c'est bien Lotty que vous avez écrit, et non pas Letty, comme nous le pensions, dit Bunch.

— Oui. Je me suis souvenue que sa sœur se prénommait Charlotte, et que Dora Bunner avait appelé

Mlle Blacklock Lotty à une ou deux reprises, et chaque fois, cela l'avait mise dans tous ses états.

— Et en ce qui concerne Berne et la pension de retraite ?

— Rudi Scherz avait été infirmier dans un hôpital à Berne.

— Et la retraite ?

— Voyons, ma petite Bunch, je t'en ai parlé à L'Oiseau Bleu, bien que je n'en aie pas réellement compris le sens sur le moment. Je t'ai raconté comment Mme Wotherspoon touchait la retraite de Mme Bartlett en plus de la sienne, et cela des années après la mort de Mme Bartlett. Tout simplement parce que rien ne ressemble plus à une vieille dame qu'une autre vieille dame. Oui, tout s'imbriquait parfaitement, si bien que j'ai dû sortir prendre l'air pour me calmer un peu, et réfléchir à la façon de prouver ce que j'avançais. Ensuite, Mlle Hinchliffe m'a raccompagnée dans sa voiture et nous avons trouvé Mlle Murgatroyd…

Miss Marple baissa la voix. Elle n'était plus enthousiaste et ravie, mais calme et déterminée.

— J'ai alors su qu'il fallait faire quelque chose. Et vite ! Mais je n'avais toujours aucune preuve. J'ai échafaudé un plan, que j'ai exposé au sergent Fletcher.

— Et j'ai vertement réprimandé Fletcher pour son rôle dans cette histoire ! précisa Craddock. Il n'avait pas à accepter votre plan sans me le soumettre au préalable.

— Il s'en est défendu comme un beau diable, mais je l'en ai convaincu, précisa miss Marple avec un sourire angélique. Nous sommes allés à Little Paddocks, où j'ai mis le grappin sur Mitzi.

Julia poussa un soupir :

— Je me demande comment vous avez bien pu vous y prendre pour la persuader.

— Je l'ai travaillée au corps et eue à l'usure, ma chère, expliqua miss Marple. Cette fille se préoccupe de toute façon beaucoup trop de sa petite personne, et faire quelque chose pour autrui lui aura été on ne peut plus bénéfique. Je l'ai, bien entendu, flattée en lui expliquant à quel point j'étais persuadée que, dans son propre pays, elle aurait fait partie de la Résistance... ce à quoi elle a rétorqué : « Oui, évidemment. » Et j'ai ajouté qu'à mon avis, courageuse comme elle l'était, ne reculant jamais devant les dangers et comédienne jusqu'au bout des ongles, elle avait tout à fait le tempérament et le profil qui convenaient pour ce genre d'entreprise. Je lui ai aussi raconté des anecdotes sur les exploits des jeunes filles dans les réseaux de la Résistance. Certaines étaient véridiques, et d'autres, je le crains, inventées de toutes pièces. Elle n'a pas tardé à se montrer enthousiaste.

— Alors, là, chapeau ! s'exclama Patrick.

— Il ne restait plus qu'à la convaincre de répéter son rôle. Je lui ai fait ressasser son texte jusqu'à ce qu'elle le sache par cœur. Puis je lui ai dit de monter dans sa chambre, et de n'en pas redescendre avant l'arrivée de l'inspecteur Craddock. Le pire, avec les gens soupe au lait dans son genre, c'est qu'ils ont tendance à tout bâcler et à se lancer trop tôt.

— Elle s'en est remarquablement tirée, dit Julia.

— Ce que je ne vois toujours pas très bien, c'est dans quel but vous lui avez fait faire ça, intervint Bunch. Bien sûr, je n'étais pas là…, ajouta-t-elle, comme pour s'excuser.

— C'était assez tiré par les cheveux… et passablement risqué. Le but de cette mise en scène était de donner l'impression que Mitzi, tout en reconnaissant, au passage, qu'elle avait songé au chantage, était à présent si terrifiée qu'elle était prête à avouer la vérité. Elle avait vu, par le trou de la serrure, Mlle Blacklock, un revolver à la main, arriver derrière Rudi Scherz. Elle avait vu, en fait, ce qui s'était réellement passé. Le seul risque était que Charlotte Blacklock s'aperçoive que, la clef se trouvant dans la serrure, Mitzi n'avait pas pu voir quoi que ce soit. Mais j'ai misé sur le fait qu'on ne songe pas à ce genre de détail quand on vient de subir un choc. Elle ne retiendrait qu'une chose : Mitzi l'avait vue.

Craddock prit le relais :

— Mais, et c'était essentiel, j'ai fait semblant d'être sceptique, et me suis immédiatement attaqué, comme si je dévoilais enfin mes batteries, à quelqu'un qui n'avait pas encore été soupçonné. J'ai accusé Edmund…

— Et, dans un bel élan, j'ai joué mon rôle à la perfection, enchaîna le jeune homme. J'ai nié en bloc. Comme prévu. Ce qui en revanche n'était pas prévu,

364

Phillipa, ma chérie, c'était que vous vous joindriez au chœur, en avouant ouvertement à tous que vous étiez « Pip ». Ni moi ni l'inspecteur ne nous doutions que vous étiez Pip. C'est moi qui devais être Pip ! Cela nous a embrouillés, sur le moment, mais l'inspecteur a magistralement redressé la situation avec ses insinuations – parfaitement odieuses – selon lesquelles je chercherais à épouser une femme riche, insinuations qui resteront probablement à jamais gravées dans votre subconscient, et pourraient bien, un jour, provoquer l'irréparable entre nous.

— Mais, encore une fois, à quoi bon tout cela ? insista Bunch.

— Tu ne le vois donc pas ? s'étonna miss Marple. Envisage un instant la situation du point de vue de Charlotte Blacklock. Pour elle, à ce moment précis, la seule personne qui soupçonnait la vérité – même qui la connaissait –, c'était Mitzi. Certes, l'inspecteur n'avait pas semblé prendre au sérieux ses accusations et les soupçons de la police étaient maintenant dirigés vers quelqu'un d'autre : Edmund, en l'occurrence. Seulement, si Mitzi revenait à la charge, ils finiraient peut-être par l'écouter. Il importait donc de la réduire au silence.

« Mitzi, comme je lui avais dit de le faire, est sortie de la pièce pour se rendre à la cuisine. Mlle Blacklock l'a suivie presque aussitôt. En apparence, Mitzi était seule dans la cuisine. Le sergent Fletcher se trouvait derrière la porte de l'office, et moi dans le placard à balais. Par chance, vois-tu, je ne suis pas bien grosse.

— À quoi vous attendiez-vous, tante Jane ?

— De deux choses l'une : soit Charlotte proposerait à Mitzi de l'argent pour acheter son silence, et le sergent Fletcher serait témoin de cette proposition, soit encore… soit encore, m'étais-je dit, elle tenterait de tuer Mitzi.

— Mais elle ne pouvait tout de même pas espérer s'en tirer, après un coup pareil ? Elle aurait été immédiatement soupçonnée.

— Oh ! chérie, elle n'en était plus aux raisonnements. Elle était comme un animal aux abois. Pense à tout ce qui s'était passé ce jour-là. La scène entre Mlle Hinchliffe et Mlle Murgatroyd. Le départ de Mlle Hinchliffe pour la gare. Dès son retour, Mlle Murgatroyd va lui expliquer que Mlle Blacklock ne se trouvait pas dans le salon, ce fameux soir. Elle n'a que quelques minutes pour s'assurer que Mlle Murgatroyd ne dira rien. Pas le temps d'élaborer un plan ou une mise en scène : un meurtre brutal. Elle salue la pauvre femme, et puis l'étrangle. Ensuite, elle se précipite chez elle et se change, afin d'être assise au coin de la cheminée à l'arrivée des autres, comme si de rien n'était et qu'elle n'avait pas mis les pieds dehors.

« Sur quoi survient la révélation de l'identité de Julia. Dans son émotion, elle porte inconsidérément la main à son cou et rompt son collier de perles. Panique immédiate : on risque d'apercevoir sa cicatrice. Plus tard, l'inspecteur lui téléphone pour lui annoncer qu'il lui amène tout le voisinage. Elle n'a pas le temps de souffler, de réfléchir. Elle a tué, et à plusieurs reprises.

Elle a commis des crimes de sang-froid. Des meurtres à l'état brut. Va-t-elle s'en sortir ? Jusqu'à présent, il semble bien que oui. Mais, patatras ! voilà qu'arrive Mitzi... encore un nouveau danger. Il faut tuer Mitzi... la tuer pour l'empêcher de parler ! Sous l'effet de la peur, elle n'est plus elle-même. Ce n'est plus un être humain, mais une bête féroce.

— Mais que faisiez-vous dans le placard à balais, tante Jane ? demanda Bunch. Vous auriez pu laisser le sergent Fletcher se charger tout seul de l'opération, non ?

— Étant donné le danger encouru, deux personnes valaient mieux qu'une, chérie. Et d'ailleurs, je savais que je pouvais imiter la voix de Dora Bunner. Or, si une chose pouvait faire craquer Charlotte Blacklock, c'était bien cela.

— Et c'est ce qui est arrivé !

— Oui... Elle s'est effondrée.

Il y eut un long silence, durant lequel chacun se remémora la scène. Puis, d'un ton volontairement enjoué pour détendre l'atmosphère, Julia le rompit :

— On pourra dire tout ce qu'on voudra, la séance nous a changé notre Mitzi. Elle m'a annoncé hier qu'elle venait d'accepter une place du côté de Southampton. Et elle a ajouté... (Julia leur offrit une excellente imitation de l'accent de Mitzi :) Je vais là-bas, et s'ils me disent vous devez vous déclarer à la police, vous êtes une étrangère, alors je leur dis : "Me déclarer, oui, je le fais ! La police, elle me connaît très bien. J'aide la police ! Sans moi, la police, elle n'aurait

jamais fait l'arrestation dangereuse criminelle ! J'ai risqué ma vie parce que je suis courageuse ! Courageuse comme le lion ! Je n'ai pas peur du risque."
"Mitzi, ils me disent alors, vous êtes une héroïne, vous êtes merveilleuse." Alors moi je dis : « Ach ! ce n'est rien. »

Julia s'interrompit, avant de conclure :

— J'en passe, et des meilleures.

— À mon avis, dit pensivement Edmund, d'ici peu, ce ne sera plus une affaire que Mitzi aura aidé à résoudre, mais des centaines !

— Elle s'est beaucoup adoucie à mon égard, déclara Phillipa. Elle m'a même donné la recette de la Mort exquise comme cadeau de mariage. Tout en ajoutant que je ne devais en aucun cas en divulguer le secret à Julia, parce que Julia avait complètement fichu en l'air sa poêle à omelettes.

— Maintenant que Mme Goedler est morte, et que Phillipa et Emma ont hérité de ses millions, Mme Lucas ne jure que par Phillipa, dit Edmund. Elle nous a envoyé des pinces à asperges en argent en cadeau de mariage. Ce sera avec le plus grand plaisir que je ne l'inviterai pas à la fête !

— Et ils vécurent heureux pour l'éternité ! déclara Patrick. Je parle bien entendu d'Edmund et Phillipa. Mais... et Julia et Patrick ? ajouta-t-il, plein d'espoir.

— Je ne sais pas avec qui tu vivras heureux pour l'éternité, répliqua Julia, mais en tout cas pas avec moi. Les remarques improvisées par l'inspecteur Craddock qui s'adressaient à Edmund s'appliquent beaucoup mieux à toi. Tu es le type même du jeune indolent qui rêve d'une riche héritière. Pas question !

— Il n'y a plus de gratitude, constata Patrick. Après tout ce que j'ai fait pour cette fille…

— Tu m'as presque envoyée en prison pour meurtre. Voilà ce que ta négligence et ta désinvolture ont failli faire pour moi, rétorqua Julia. Je n'oublierai jamais le soir où la lettre de ta sœur est arrivée. J'ai vraiment cru à ce moment-là que j'étais faite comme un rat. Je ne voyais absolument pas comment je réussirais jamais à m'en sortir. Et d'ailleurs, les choses étant ce qu'elles sont, ajouta-t-elle, rêveuse, je crois que je vais monter sur les planches.

— Comment ? Toi aussi ? gémit Patrick.

— Oui. Il se pourrait que j'aille à Perth, voir si je peux obtenir la place de ta Julia dans la troupe. Ensuite, une fois que j'aurai appris mon métier, je me lancerai dans la production théâtrale… et peut-être ferai-je jouer les pièces d'Edmund.

— Je croyais que vous écriviez des romans, dit Julian Harmon.

— Eh bien, je le croyais, moi aussi, répondit Edmund. J'en avais commencé un. Plutôt bon, ma foi. Des pages et des pages sur un type pas rasé qui sortait de son lit, et sur l'odeur qu'il dégageait, sur la grisaille des rues, et puis il rencontrait une horrible vieillarde souffrant d'hydropisie, et une jeune prostituée pourrie de vices et à qui la bave coulait sur le menton. Ils avaient des discussions interminables sur l'état du monde et se demandaient pourquoi ils vivaient. Et puis, d'un seul coup, j'ai commencé à me poser moi aussi la question... Ensuite de quoi il m'est venu une idée assez rigolote... Je l'ai notée, et j'ai écrit une petite scène qui n'était pas mauvaise du tout... Un truc assez bateau. Mais, bizarrement, je me suis pris au jeu... Et avant d'avoir eu le temps de m'en rendre compte, j'avais terminé une bouffonnerie enjouée en trois actes.

— Quel est son titre ? demanda Patrick. « Ce qu'a vu le majordome » ?

— Eh bien, elle pourrait s'appeler comme ça, oui... Mais, en fait, je l'ai intitulée « Les éléphants n'ont pas de mémoire ». Et le plus drôle, c'est qu'un producteur l'a acceptée et va la monter !

— « Les éléphants n'ont pas de mémoire », murmura Bunch. Et moi qui croyais qu'ils en avaient...

Le révérend Julian Harmon eut soudain un sursaut de culpabilité :

— Mon Dieu ! Je vous ai écoutés avec un tel intérêt ! Mon sermon !

— Encore des histoires policières, commenta Bunch. Mais authentiques, cette fois.

— Vous pourriez faire un sermon sur « Tu ne tueras point », suggéra Patrick.

— Non, répondit benoîtement le pasteur. Je n'ai pas la moindre intention de faire mienne cette maxime.

— Non, vous avez raison, Julian, mon chéri, dit Bunch. Je connais un texte bien meilleur, beaucoup plus gai. « Car voici que le printemps est là, et que la

370

voix de la tortue se fait entendre dans la plaine », citat-elle d'une voix enthousiaste. Non, ce n'est pas tout à fait ça… Mais vous savez très bien de quel texte je veux parler. Encore que je ne voie pas pourquoi il y est question d'une tortue. Je n'ai jamais eu l'impression que les tortues brillaient par leur voix.

— La traduction du mot tortue n'est pas très heureuse, expliqua Julian Harmon. Il ne s'agit en l'occurrence pas d'un reptile, mais d'une tourterelle. Dans l'original, le mot hébreu est…

Bunch l'interrompit en se coulant dans ses bras :

— En tout cas, je sais une bonne chose… Vous, mon chéri, vous pensez qu'Assuérus le Grand de la Première Lecture n'était autre qu'Artaxerxès II. Mais, tout à fait entre nous, il s'agissait d'Artaxerxès III.

Comme à chaque fois, Julian Harmon se demanda pourquoi sa femme trouvait cette histoire tellement hilarante.

— Teglath-Phalasar meurt d'envie d'aller vous aider, dit Bunch. Il peut être très fier de lui. C'est lui qui nous a montré comment les plombs avaient sauté.

ÉPILOGUE

— Nous devrions nous abonner à quelques journaux, suggéra Edmund à Phillipa, le lendemain de leur retour à Chipping Cleghorn, après leur voyage de noces. Allons jusque chez Totman.

Le papetier-libraire de la Grand-Rue, petit bout d'homme au souffle court et aux mouvements prudents, les reçut avec affabilité :

— Ravi de vous revoir, monsieur. Et madame.

— Nous venons commander des journaux.

— Certainement, monsieur. J'espère que madame votre mère se porte bien ? Elle est bien installée, à Bournemouth ?

— Elle est enchantée, répondit Edmund, qui n'en avait pas la moindre idée mais qui, comme la plupart des fils, préférait penser une bonne fois pour toutes que tout allait bien pour ces êtres révérés mais souvent irritants que sont les parents.

— Oh ! ça ne m'étonne pas, monsieur. C'est un endroit charmant. J'y ai passé des vacances l'an dernier. Mme Totman a beaucoup aimé.

— Tant mieux. Pour en revenir aux journaux, nous aimerions...

— Et il paraît qu'une de vos pièces se joue à Londres, monsieur. Très amusante, à ce qu'on m'a dit.

— Oui, elle marche bien.

— Elle s'appelle, me suis-je laissé dire : « Les éléphants n'ont pas de mémoire. » Pardonnez-moi de soulever ce point, monsieur, mais j'avais toujours cru qu'ils en avaient énormément... de la mémoire, veux-je dire.

— Oui, oui, c'est vous qui êtes dans le vrai... et je commence à croire que j'ai fait une erreur en choisissant ce titre. Des tas de gens m'ont fait la même remarque.

— C'est une donnée de science naturelle bien connue, je crois.

— Oui, oui... Comme le fait que les perce-oreilles sont de bonnes mères.

— C'est vrai ? Ah ! ça, je l'ignorais.

— À propos de nos journaux...

— Vous preniez, me semble-t-il, le *Times* ?

M. Totman attendit, crayon levé.

— Le *Daily Worker*, dit fermement Edmund.

— Et le *Daily Telegraph*, ajouta Phillipa.

— Et le *New Statesman*, reprit Edmund.

— Le *Radio Times*, enchaîna Phillipa.

— Le *Spectator* ! lança Edmund.

— La *Chronique des Jardins* ! renchérit Phillipa.

Ils s'interrompirent pour reprendre leur souffle.

— Merci, monsieur, dit M. Totman. Et la *Gazette*, je suppose ?

— Non, dit Edmund.

— Non, dit Phillipa.

— Pardon, vous souhaitez naturellement recevoir la *Gazette* ?

— Non.

— Non.

— Vous voulez dire… (M. Totman aimait les situations claires) … que vous ne voulez *pas* la *Gazette* ?

— Nous n'en voulons pas.

— Résolument pas.

— Vous ne voulez pas la *North Bentham News and Chipping Cleghorn Gazette* ?

— Non.

— Vous ne voulez pas que je vous l'envoie chaque semaine ?

— Non. C'est clair, maintenant ? ajouta Edmund.

— Oh ! oui, monsieur, oh ! oui, tout à fait.

Sitôt Edmund et Phillipa sortis, M. Totman traîna les pieds jusqu'à son arrière-boutique.

— T'as un crayon, maman ? demanda-t-il. Mon stylo est vide.

— Laisse-moi faire, dit Mme Totman en prenant le cahier de commandes. Je vais m'en occuper. Qu'est-ce qu'ils veulent ?

— Le *Daily Worker*, le *Daily Telegraph*, le *Radio Times*, le *New Statesman*, le *Spectator*, et… voyons voir… la *Chronique des Jardins*.

— La *Chronique des Jardins*, répéta Mme Totman en notant fébrilement. Et la *Gazette*.

— Ils ne veulent pas de la *Gazette*.

— Quoi ? !

— Ils ne veulent pas de la *Gazette*. Ils me l'ont dit.

— Ne raconte pas de bêtises ! s'exclama Mme Totman. Tu n'y entends plus. Bien sûr qu'ils veulent la *Gazette* ! Tout le monde lit la *Gazette*. Comment sauraient-ils ce qui se passe dans le coin, sans ça ?

JC Lattès s'engage pour
l'environnement en réduisant
l'empreinte carbone de ses livres.
Rendez-vous sur
www.jclattes-durable.fr
L'empreinte carbone en éq. CO₂
PAPIER À BASE DE   de cet exemplaire est de 850 g
FIBRES CERTIFIÉES

Dépôt légal : janvier 2016

Achevé d'imprimer en France en avril 2019
par Dupliprint à Domont (95)
N° d'impression : 2019043693 - N° d'édition : 4257484/04